Voyage en Espagne d Saint-Gervais (1

Etienne François de Lantier

Alpha Editions

This edition published in 2023

ISBN : 9789357968942

Design and Setting By
Alpha Editions
www.alphaedis.com
Email - info@alphaedis.com

AVANT-PROPOS

DE L'ÉDITEUR.

QUOI! encore un voyage en Espagne! va s'écrier ici un censeur malin ou plaisant; il nous en vient de tout côté, on ne sait auxquels entendre! — Eh! messieurs, pourquoi ces clameurs? Blâmez-vous dans un festin l'abondance des mets? Au contraire, ils réjouissent vos yeux, réveillent votre appétit, et vous choisissez ceux qui flattent votre goût. Pline l'ancien a dit que l'on peut toujours retirer quelque profit du plus mauvais ouvrage.[1] D'ailleurs, les auteurs des voyages diffèrent beaucoup entr'eux: comme les historiens, ils écrivent avec leurs passions, leurs préjugés de religion, d'état et de patrie: le comte de Boulainvilliers prétendait que les jésuites ne pouvaient écrire l'histoire: les calvinistes jamais ne parleront avec impartialité de Léon X et de Calvin: un prêtre romain a fait un Dieu du pape Alexandre VI, témoin ce distique:

Cæsare magna fuit, nunc Roma est maxima: Sextus

Regnat Alexander; ille Vir, iste Deus.[2]

De plus, les motifs des voyageurs dans leurs courses sont bien loin d'être les mêmes: les uns voyagent pour compulser de vieux manuscrits, visiter des bibliothèques; d'autres vont admirer des tableaux, des statues, d'anciens monumens, s'extasient à l'aspect d'un vase antique, d'une colonne debout, d'un chapiteau brisé; celui-ci étudie la géologie, la statistique, le commerce d'un pays; le peintre, l'amateur cherchent des sites pittoresques et romantiques; d'autres, enfin, courent la poste pour voir des villes, des rues, des édifices, avoir de bonnes fortunes et changer de place: heureusement ces derniers n'écrivent pas. Les philosophes, les sages de la Grèce allèrent jadis en Égypte, dans les Indes, pour observer les mœurs, les usages, enlever les fruits de la science, et les importer dans leur patrie, comme depuis on a importé les cerises, les vers à soie et les oranges.

Des lecteurs sceptiques ou moroses, peut-être même des femmes d'esprit, trouveront, à ce voyage, une couleur romanesque, iront jusqu'à douter de l'existence du chevalier de Saint-Gervais. Eh quoi! des savans, des Saints même, ont cru à celle du Phénix, à sa résurrection, à sa longévité de cinq cents ans;[3] et vous, Mesdames, dont la sensibilité exquise, l'imagination active, féconde, ardente, changent le sentiment en conviction, les illusions en réalités, vous ne pourriez croire que ce preux chevalier, qui n'est pas un Phénix, ait existé comme Achille, Hector, comme feu Nicomède! Il est si doux de croire, l'ame se repose si mollement sur l'oreiller de la confiance, que je ne puis pardonner à Bayle et à Montaigne leur fatigant scepticisme:

cependant, comme l'a dit le pape Benoît XIV: «*Si Dieu souffre les incrédules, nous devons les supporter.*»

Il paraît que dans son voyage le chevalier de Saint-Gervais, militaire peu instruit, peu connaisseur dans les arts libéraux, s'est particulièrement attaché à peindre les mœurs, les superstitions, les coutumes des provinces ou royaumes qu'il a parcourus, et à recueillir les anecdotes qui développent le caractère, le génie, les habitudes et les préjugés de la nation espagnole. Peut-être on pourra l'accuser de trop de liberté dans ses opinions, dans ses critiques; mais il était protestant, et il était choqué des abus de la superstition, de tant de miracles des *Madonnes* d'Espagne, de qui l'on pourrait dire ce que disait le jésuite Berruyer des miracles de Dieu: *A l'air aisé dont il les fesait, on voyait bien qu'ils coulaient de source*; et ajouter comme ce bon père: *Le mal allait toujours en croissant, à la honte du Seigneur Dieu.* Saint Bernard, dans une lettre adressée aux chanoines de Lyon, leur dit: *Toutes ces pratiques superstitieuses ne servent qu'à rendre la religion ridicule.* Saint Paul a dit: *La vérité n'a pas besoin de mensonges.* Godeau, évêque de Vence, s'écrie qu'on doit lâcher les foudres de l'église contre ceux qui sont assez détestables pour inventer des miracles, établir de leur propre autorité des dévotions nouvelles.

On croira peut-être que les sermons des prédicateurs espagnols, cités par M. de Saint-Gervais, sont inventés, exagérés, ou traduits malignement; mais veuillez vous rappeler les sermons des quatorzième et quinzième siècles, prêchés par les Menot, les Maillard, les Raullin et les Barlette: ce dernier surtout, né près de Naples, mérite notre attention: il présente des tableaux dignes tout au plus d'une comédie-parade, fait de petits contes dont maint auteur a profité.[4] Dans un sermon de la troisième semaine du carême, il dit que la Samaritaine reconnut J. C. à son habit, à sa barbe, et a sa circoncision. Voici une de ses maximes: Trois choses détruisent le monde: les médecins, les gens de loi, et les religieux. Il dit ailleurs: *Mettez quatre femmes d'un côté, et dix hommes de l'autre; les quatre femmes feront plus de bruit par leur parlage que les dix hommes ensemble.*

Il rapporte dans un autre sermon, qu'il s'éleva dans le ciel une dispute pour savoir qui irait annoncer à Marie la résurrection de son fils. C'est moi, dit Adam, que regarde le message: j'ai été la cause du mal, je dois être choisi pour annoncer le remède. Non pas, s'il vous plaît, répond J. C.: vous aimez trop les figues, et vous pourriez vous amuser en chemin. Abel se présenta après lui. Non vraiment, s'écria le Seigneur, si vous alliez rencontrer Caïn, il vous... Noé sollicita l'ambassade. — Vous buvez volontiers, et cela irait mal. Après lui saint Jean Baptiste se proposa. — Non, vous avez des vêtemens faits de poils, et cela ne nous ferait pas honneur. Le bon larron se mit sur les rangs. — Non, vous avez les cuisses brisées. Enfin un ange fut député, et commença par entonner le *Regina cœli lætare.*

Une inculpation très-grave, dont M. de Saint-Gervais aura de la peine à se justifier, c'est de s'être un peu aidé, dans son Voyage, des écrivains qui l'ont précédé, sans les nommer au bas de ses pages: mais la personne respectable de qui je tiens le manuscrit, m'a assuré que l'intention du chevalier était de les citer avec leurs noms et prénoms, à sa seconde édition, s'il en obtient les honneurs.

Je finis. Le père temporel des capucins[5] a dit qu'il ne faut pas ennuyer les gens que l'on aime: si cet ouvrage est marqué du sceau de l'approbation des athénées de l'empire, si les belles dames me lisent avec autant de plaisir et d'ardeur qu'elles lisent un roman nouveau et sentimental,

Sublimi feriam sidera vertice...[6]

E. F. Lantier

VOYAGE

EN ESPAGNE.

PERSONNE n'est exempt, dit Montaigne, de dire des fadaises: pourquoi n'en dirai-je pas comme un autre? On aime à parler de soi; et ceux qui censurent le plus amèrement les écrivains à ce sujet, privés du talent d'écrire, occupent sans cesse les sociétés de leurs principes, de leurs actions, de leurs défauts même: car, les avouer, c'est toujours parler de soi. Sénèque mourant disait à ses amis, je vous laisse une image de ma vie et de mes mœurs. J. J. Rousseau ne s'est pas énoncé si explicitement; mais c'était le but de ses mémoires. Montaigne s'entretient volontiers de lui-même avec ses lecteurs, et dit: «Si je me semblais bon et sage tout à fait, je l'entonnerais à pleine tête.» Mais la différence qu'il y a entre lui et Rousseau, c'est que ce dernier parle de lui par orgueil, et l'autre par bonhomie.

Et moi aussi j'ai fait un livre: d'abord pour remplir mes loisirs, ensuite pour m'occuper de moi. Si j'avance que je ne songeais pas à me faire imprimer, Duclos me dira que je me trompe moi-même. Quoi qu'il en soit, je vais conter ce que j'ai vu, ou cru voir, dans la plus belle contrée de l'Hespérie, et les petits accidents de mon voyage; heureux si je puis, en amusant mon lecteur, lui apprendre quelque chose, et si les belles dames me lisent avec le même intérêt, la même avidité qu'elles dévorent un roman moral et brûlant d'amour!

Avant d'entrer en Espagne, je crois devoir une légère notice de moi-même et de ma famille; je dois faire connaître le motif de mon voyage: on s'intéresse bien plus à un visage connu, qu'à celui que l'on voit pour la première fois.

Je suis né dans le Vivarais, le 1er octobre 1739, d'une famille noble, qui conserve de père en fils le portrait de l'un de nos aïeux, capitaine au service d'Antoine de Bourbon, roi de Navarre, auquel il fit cette belle réponse. Ce roi, faible et indécis, séduit par les caresses de la cour et effrayé de ses menaces, congédia son armée, en lui disant: «Il faut que j'obéisse; mais j'obtiendrai votre pardon. — Allez et demandez pardon pour vous-même, lui dit mon trisaïeul; notre pardon est au bout de nos épées.» Cette réponse est écrite au bas de son portrait, qui est dans la salle à manger, vis-à-vis de celui de ma grand'mère, nièce de Duplessis Mornai, le pape des protestants. Dès ma naissance je fus nommé le chevalier de Saint-Gervais; c'était le nom des cadets de ma maison, comme les cadets de l'ancienne maison de France s'appelaient d'Artois ou d'Anjou. A la sollicitation de ma famille, je tais le nom de mes pères; elle prétend que ce nom ne doit briller que sur les registres de la guerre ou dans l'histoire. Malgré la mort de mon frère aîné, j'ai toujours gardé le nom de Saint-Gervais. Ce frère, mort à l'âge de quatorze ans, serait devenu un philosophe dans le goût de Caton ou de Nicole; car il ne riait jamais, dédaignait les jeux de l'enfance, lisait continuellement les sermons de Calvin, les œuvres d'Abbadie, qu'il préférait aux élégies de Tibulle et aux épîtres d'Horace.

De père en fils nous sommes enfants du calvinisme. Ma famille avait encore sur le cœur les dragonnades de Louis XIV, à qui Dieu fasse paix: mais je voudrais voir en enfer, pour quelques cents ans, le farouche Le Tellier, tyran ambitieux, qui conseilla l'édit de la révocation et le signa avec tant de joie. Je ne serais pas fâché aussi que l'ardent Bossuet reçût une correction fraternelle pour avoir appelé Le Tellier un grand homme, un vrai modèle de piété et de vertu. Ah! monseigneur Bénigne, vous mentez dans la chaire de la vérité! vous louez un hypocrite, un ambitieux, et vous persécutez, opprimez le tendre et vertueux Fénélon!... Cette révocation a fait des martyrs dans ma famille; mais Rome ne les a pas couronnés de l'auréole des saints.

Mon père, après avoir fait toutes les campagnes de la guerre de 1740, abdiqua sa lieutenance colonelle, et vint dans sa terre cultiver ses laitues à l'instar de Dioclétien et de Candide; il se retira avec une modique pension, un rhumatisme et un bras de moins. Il refusa constamment la croix de Saint-Louis qu'on lui offrit en l'exemptant du serment de catholicité. La duchesse de ..., femme du ministre de la guerre, chez lequel il dînait, lui dit: «J'espère que vous ne refuserez pas la croix de Saint-Louis de ma main, et que vous voudrez bien me donner l'accolade. — J'accepterais la croix, Madame, avec la plus vive reconnaissance, si je pouvais mettre au bas que j'ai l'honneur de la tenir de votre main; mais, comme on l'ignorerait, je serais accusé par les protestants d'avoir trahi ma religion, en prêtant le serment de catholicité.»

Mon père me donna, à l'âge de sept ans, pour précepteur un abbé de Dijon, qui m'apprenait le latin qu'il savait un peu, et les mathématiques qu'il ignorait entièrement. Mais ce Mentor tonsuré s'étant avisé de donner des leçons d'histoire naturelle à la femme de chambre de ma mère, fut banni des États de mon père, comme autrefois Ovide avait été exilé de Rome, pour avoir trop aimé la fille d'Auguste.[7]

A l'âge de dix ans, mon père m'envoya finir mes études à Toulouse, chez les pères jésuites. Je fis de tels progrès, qu'à la fin de mon troisième lustre je remportai les trois prix de poésie, d'amplification et de version. Mon régent fut si étonné de la cumulation de mes triomphes, qu'il promit en moi un successeur à Racine et à Voltaire; ainsi Sylla découvrit dans le jeune César le germe d'un grand homme, mais le jésuite n'a pas si bien deviné. Dans la séance publique où je fus couronné, le capitoul m'embrassa, les dames louèrent à l'envi la précocité de mes talents, surtout les charmes de ma figure. Je ne sais ce qui chatouilla le plus mon amour-propre, ou l'éloge de mon esprit, ou celui de ma figure; cependant ma triple couronne me donna une idée fort avantageuse de mon mérite naissant: une croix, un prix, peu de chose tourne la tête d'un enfant, ainsi que celle de la plupart des hommes; mais mon enivrement n'a pas duré long-temps: ayant lu, trois ou quatre ans après, la Phèdre de Racine et la Henriade de Voltaire, je fis comme les limaçons, je repliai mes cornes et rentrai dans ma coquille.

Ma rhétorique finie, mon père me mit en pension chez un maître de mathématiques. Du Parnasse au temple de l'Amour il n'y a qu'un pas: je vis dans un bal une demoiselle de mon âge, belle comme Vénus, comme Psyché, ou comme Flore; je ne savais précisément à laquelle de ces trois déesses elle ressemblait, car dans mes vers elle était tantôt l'une, tantôt l'autre, suivant le besoin de la rime, ou la manière dont j'étais affecté. Or, cette jeune beauté alluma dans mon cœur les premières étincelles du feu d'amour; mais quel feu! quelle ivresse! quel enchantement! Je passais la moitié du jour dans la rue, pour la voir quelques instants à sa fenêtre; et, quand elle l'ouvrait, c'était l'Aurore ouvrant les portes du ciel. Je la suivais de loin à la promenade; les dimanches, les jours de fête, j'entendais, le plus près d'elle qu'il m'était possible, grand'messe, vêpres et sermons.

Je ne lui parlais pas, mais j'étais auprès d'elle.

Les longues heures de ces cérémonies se changeaient en minutes. Je n'étais plus dans une église sombre et enfumée, mais au troisième ciel, comme saint Paul dans ses extases. Cette belle Adélaïde ne marchait que sous les ailes de sa mère. Au défaut de la parole, mes jeux lui révélaient les secrets de mon ame. Dans mes ravissements, je ne voyais plus rien sur la terre digne de mon affection. La gloire, la fortune, le bonheur, tout était auprès d'Adélaïde. Sans elle, tout était vanité et néant: un amant de seize ans est un grand philosophe. Enfin, la tête égarée, le cœur enflammé, j'écrivis à mon père pour lui demander la main de mademoiselle Adélaïde, lui protestant que ma félicité, mon existence étaient attachées à ce mariage; que d'ailleurs mademoiselle Adélaïde D..., fille d'un conseiller au parlement, joignait à la figure la plus séduisante, le caractère le plus heureux, l'esprit le plus aimable et toutes les vertus de son sexe. Je ne doutais pas que ce portrait si brillant et si vrai n'enchantât et ne décidât mon père. Grands Dieux, avec quelle impatience j'attendis sa réponse! La voici:

«Je viens, mon fils, de vous obtenir une lieutenance dans le régiment de ..., où j'ai servi trente-cinq ans. Allez épouser la Gloire: elle vous sera fidèle si vous la servez fidèlement, ce dont je ne doute pas. Faites vos adieux à mademoiselle Adélaïde, et promettez-lui de venir l'épouser dans dix ans, si elle consent à vous attendre. Partez, lettre reçue; venez me trouver. Je vous embrasse.»

Quelle lettre! quel coup de foudre! que de larmes je versai en accusant le sort et la tyrannie des parents! Je ne pouvais me résoudre à ce départ. M'éloigner d'Adélaïde, c'était me séparer de mon ame; mais mon professeur, qui avait reçu des ordres de mon père, m'arrêta une place dans une voiture, et m'annonça que je partirais le surlendemain pour le château ou la gentilhommière paternelle. Je lui demandai huit jours de délai; mais l'ame d'un géomètre est peut-être aussi insensible aux soupirs de l'amour qu'aux chants de Linus et d'Orphée. Celui-ci n'eut pitié ni de mes pleurs ni de la plus belle passion da monde. Pour comble d'infortune, ma chère Adélaïde était à la campagne, et je ne pouvais lui faire mes adieux; mais l'amour, comme les torrents, renverse tous les obstacles. Déguisé en paysan, je pars de grand matin; je fais cinq lieues d'un pas rapide, je rode autour du château, je trouve la porte du jardin ouverte, j'entre; malheureusement deux cerbères jettent, à mon aspect, des hurlements épouvantables; je voulais les assommer, mais ils ne se laissaient pas approcher. Enfin, lassé de leurs aboiements, craignant d'être surpris, j'adresse un dernier regard au plus beau, au plus fortuné des châteaux, et je m'enfuis sans avoir vu l'astre qui l'éclairait. J'arrivai à la ville accablé de fatigue, de faim et de douleur; triste dénouement d'une passion si tendre.

Je partis de Toulouse le cœur navré, les yeux remplis de larmes. Je cherchai quelque consolation dans le sein des muses; je composai une élégie touchante. Je l'ai oubliée, ainsi que mon amour: tout finit.

Arrivé chez mon père, il me dit, sans me parler de mon projet d'hymen: «Votre régent m'a mandé qu'il était content de vous; que vous étiez un petit cicéronien, c'est son expression; que vous avez fait des progrès considérables dans vos études. J'en suis bien aise, cela sert toujours; mais la plus belle science de l'homme est celle de ses devoirs; celle d'un gentilhomme est l'art de la guerre, et la valeur une de ses vertus. Heureusement pour vous la guerre s'allume; nous allons mettre le roi de Prusse à la raison. Dans trois jours vous aurez votre uniforme, un bon cheval, six chemises neuves, et vingt-cinq louis dans votre bourse. Vous partirez mardi prochain pour Strasbourg où se trouve le régiment; un sergent qui va rejoindre vous accompagnera.»

Ce mardi mémorable, à quatre heures du matin, toute la maison était sur pied; ma mère m'embrassa en versant un torrent de larmes, et me glissant deux louis d'or dans la main. Mon père me mena dans son cabinet où était un vieux portrait de Henri IV, sous lequel il y avait: *né à Pau, le 15 décembre 1554, assassiné le 14 mai 1610*. Et plus bas cette inscription:

Rex lugendus orbi, nullis flebilior quam nobis.[8]

«Vous voyez, me dit mon père, ce grand homme, le modèle des rois et des guerriers. Dans les combats, rappelez-vous sa vaillance et celle de vos ancêtres, dont l'un fut tué auprès de lui à la bataille de Coutras. Vous êtes environné de leur gloire; faites-vous tuer s'il le faut pour conserver l'honneur de la famille.» Ensuite, en m'embrassant, il ajouta: «Partez sous la garde de Dieu. — Et de mon épée, lui dis-je fièrement en mettant ma main sur la garde.» Ce beau mouvement fit briller sur son visage les rayons de la joie.

Bientôt la campagne s'ouvrit, et je fis toutes celles de la guerre de sept ans, sous Richelieu, Broglio, Soubise et le prince de Clermont. Je fus blessé d'un coup de sabre à la joue à la bataille de Crevelt, perdue en 1758 par le prince de Clermont. Le duc de Gisors était accouru à franc étrier de Paris, pour s'y faire tuer à la tête des carabiniers. Il fut regretté de toute l'armée et de tout Paris. Pour moi je combattis comme un Achille; mais je ne trouvai pas un Homère pour célébrer mes exploits et ma gloire. Pas un journal ne parla de ma blessure; mais mon père m'écrivit qu'il fesait beaucoup plus de cas de ma cicatrice que des stigmates de saint François d'Assise. La cour répara le silence des journaux et m'accorda une gratification de 200 livres. Le prince de Clermont fut moins heureux; car le lendemain de l'affaire, les officiers généraux le destituèrent, et envoyèrent à la cour le procès-verbal de cette destitution. La cour abandonna sa créature, et une épigramme contre ce prince consola la nation de la perte de cette bataille.[9]

Je fus encore grièvement blessé à la cuisse au combat de Joursberg, où le jeune prince de Condé se signala, et repoussa le prince héréditaire de Brunswick. Je restai trois mois à l'hôpital; un seul sans doute aurait suffi pour ma guérison, si les chirurgiens n'avaient pas eu une si grande quantité de jambes, de bras, de cuisses à amputer ou à raccommoder. Mon père, à la nouvelle de cette seconde blessure, m'écrivit: «Mon cher Louis, je le dirai ce qu'une femme de Sparte disait à son fils, tu ne pourras faire un pas sans te rappeler la gloire.»

Enfin la Paix, fille du Ciel, précipita aux enfers la Discorde et le Démon de la gloire, et les enfants de Mars vinrent se reposer à l'ombre de leurs lauriers. Notre régiment, réduit au tiers, et ce tiers couvert de blessures et d'habits sales et déchirés, fut envoyé en garnison à Metz, ensuite à Bordeaux. J'obtins un congé d'un an pour aller aux eaux de Barrège achever la cure de ma claudication.

Je me rendis d'abord chez mon père, qui baisa ma cicatrice du visage, en m'appelant son cher balafré, malgré son aversion pour le fameux Guise honoré de cette épithète. Boiteux et balafré, ces deux grands titres de gloire m'attirèrent les regards et l'admiration de tous les habitans de mon village; ajoutez à cela que j'étais capitaine à l'âge de vingt-trois ans.

Après quelque séjour dans ma famille, je partis pour Barrège. A Toulouse je demandai des nouvelles de ma chère Adélaïde; j'appris qu'elle était la femme d'un magistrat et mère de trois enfants, qu'elle avait nourris d'après le commandement de Jean-Jacques. Je ne fus pas tenté de faire le petit Pâris, et de ravir Hélène à son époux le conseiller, auquel je pardonnai volontiers son bonheur et ma disgrâce.

De Toulouse je me rendis à Pau. Heureuse ville, tu seras immortelle, car le nom immortel de Henri IV est attaché au tien! Pénétré comme mon père et mes aïeux de la plus vive tendresse pour ce grand homme,

Le seul roi dont le peuple ait gardé la mémoire,

je visitai avec un respect religieux, comme si j'entrais dans un temple, le château, la chambre dans laquelle ce bon roi était né. Les vieux meubles, les portraits de famille, tout était dans le même ordre comme s'il devait revenir. Je croyais voir ce bon prince et respirer le même air qu'il avait respiré. «C'est dans cette chambre, me disais-je, où sa mère, en accouchant de lui, chanta une chanson béarnaise, où Henri d'Albret s'empara de l'enfant, son petit-fils, lui fit sucer du vin, et l'emporta dans sa robe. Ah! dis-je à son portrait, si tu avais marché à notre tête, nous n'aurions pas été battus à Crevelt et à Rosback!» Au sortir du château, j'allai me promener sur les montagnes que gravissait ce héros naissant avec de jeunes paysans de son âge, vêtu comme eux, souvent comme eux nu-pieds et tête nue, et mangeant du pain et du fromage. «Hélas! ces montagnes sont encore debout, et lui n'est plus!...»

Les environs de Pau sont charmants, et couverts de vignobles qui produisent le jurançon.

Tarbes est au milieu d'une plaine riante, fertile et belle par la majesté de ses formes. En quittant cette ville et côtoyant l'Adour, j'arrivai à Bagnière, le rendez-vous des infirmes et des voluptueux. Ses rochers, ses cavernes, ses cascades contrastent fortement avec ses sites agréables et champêtres. Il semble que la nature ait voulu y déployer sa puissance, son énergie et sa fécondité. Chaque maison de la ville a son jardin, sa prairie et son bosquet. Il n'est point d'ame sensible qui n'ait soupiré en se promenant dans la vallée romantique de Campan, qui n'y ait appelé l'amour, et désiré d'y vivre avec le doux objet de sa tendresse. De charmantes habitations éparses, et le cours sinueux de l'Adour embellissent cette vallée.

Barrège est enfoncé dans une gorge de montagnes. La ville est tout entière dans une rue longue et étroite. J'y trouvai nombre de militaires, victimes de la guerre, qui venaient y chercher la restauration de leurs membres.

Les premiers jours de mon arrivée, appuyé sur ma canne, j'allai m'asseoir sur les hauteurs de la vallée. Les torrents frémissaient et roulaient autour de moi; des nuages de vapeurs m'enveloppaient, se dissipaient et allaient se perdre au fond des vallées. Mes yeux rencontraient de toute part des sites pittoresques. Je retrouvai sur ces montagnes les antiques traces de la vie pastorale, si célébrée par les poètes et si peu imitée. Là des bergers, depuis un temps immémorial, conservent les mêmes mœurs, les mêmes habitudes, se livrent aux mêmes travaux. Ils ont leur maison d'hiver au pied de la montagne, leur cabane d'été dans les vallées supérieures. Ils y passent cette saison avec leurs troupeaux, qu'ils envoient paître sur le sommet des montagnes. Un seul homme conduit tous ceux de la communauté. Des pierres entassées forment sa hutte. De cette hauteur il domine la terre; il voit, avec la même indifférence, les torrents s'écouler à ses pieds, les nuages se former, et les passions et les folies des hommes agiter, ensanglanter les quatre parties du globe.

Je demandai un jour à l'un de ces pasteurs s'il était heureux. — Pourquoi pas comme un autre! n'ai-je pas tout ce qu'il me faut? Ne suis-je pas comme vous l'enfant de Dieu?... Beau sujet de réflexion: combien de princes et d'hommes opulents n'ont pas tout ce qui leur faut!

Pendant que les troupeaux sont sur les hauteurs, les montagnards s'occupent de la fenaison. A l'automne, quand les travaux de l'été sont finis, chacun regagne sa maison d'hiver, où, seul avec sa famille, investi par la neige, assailli par les vents et les tempêtes, il consomme ses provisions. Si par malheur l'hiver se prolonge, alors la famine menace et troupeaux et pasteurs. Leur vie est très-active, leur sobriété très-grande: ils sont pauvres; mais, sous la livrée de la pauvreté, ils ont de la fierté et du courage.[10]

Un jour je rencontrai un vieillard, courbé sous deux bottes de foin, qui

Marchait à pas pesants,

Et tâchait de gagner sa chaumine enfumée.

Il quitta son fardeau pour se reposer. Je l'abordai: Eh quoi! lui dis-je, à votre âge vous travaillez encore? — Sans doute; il faut mourir à la peine; je suis pourtant bien vieux, il n'y a que deux étés que je ne vais plus à la montagne. Mon père m'y mena à l'âge de dix ans; j'y suis monté pendant quatre-vingts étés de suite; j'y ai conduit mon fils au même âge, et depuis cinquante ans il y mène notre troupeau. J'ai nourri mes enfants: aujourd'hui ils me nourrissent. — Vos enfans sont-ils riches? — Ils n'ont besoin de personne. Mais aidez-moi, je vous prie, à charger mon foin, et venez vous reposer dans notre cabane, si vous en avez le loisir. J'y consentis; je trouvai chez lui un sabre, un fusil. Que faites-vous, lui dis-je, de ces armes? — Avec elles nous combattons les hommes qui veulent ravager nos champs, et les loups qui cherchent à dévorer nos moutons. Nous sommes des républicains sous la protection de la France. Dans ma jeunesse, j'ai exterminé nombre de loups, et essuyé dix combats avec les Espagnols, que j'ai toujours battus. J'ai arraché ce sabre que vous voyez, à l'un de leurs soldats. J'étais seul contre deux; ils me crièrent, *Rends-toi*! Ma réponse fut un coup de crosse de mon fusil, qui en étendit un par terre. L'autre s'échappe: je le poursuis, l'atteins et le saisis par les cheveux; il m'offre de l'argent, et me demande la vie. «Je n'ai besoin, lui dis-je, ni de ton argent ni de la vie; mais donne-moi ton sabre; il me paraît bon, il me servira à te couper la tête si tu reviens nous attaquer.» C'est alors que j'eus le malheur de perdre Agathe, ma femme. — Vous vous êtes donc remarié? — Et comment aurais-je vécu sans femme? J'en ai eu trois, et dix-sept enfans; Dieu ne m'en a laissé que sept, qui travaillent et aident leur père. Mais, monsieur l'officier, est-il bien certain que nous avons la paix? — Oui, elle est signée définitivement. — Dieu soit loué! La guerre est un grand malheur: elle coûte au pauvre peuple et son sang et son pain. Mais permettez-moi d'achever ma besogne, j'ai encore bien des bottes à rentrer avant la nuit.

Voilà un homme, dis-je en le quittant, qui n'a point à se repentir du temps perdu ni du mal qu'il a fait aux hommes.

Deux jours de pluie et d'orages interrompirent mes promenades champêtres, et le désœuvrement, ou plutôt la contagion de l'exemple, me jetèrent dans des parties de jeu. La fortune me fut favorable; un jeune homme nommé Saint-Pons, officier au régiment de Navarre, perdit beaucoup; je gagnai les trois quarts de cet argent. Nous avions joué au quinze; le lendemain, Saint-Pons piqué me demanda sa revanche au trictrac; je n'osai le refuser. Il me proposa un très-gros jeu; je lui dis que je ne m'étais jamais permis ce jeu immodéré, mais que je risquerais volontiers tout l'argent que je lui avais gagné. Nous jouâmes deux jours de suite; le malheur le poursuivit: souvent je voulus me retirer; mais il se plaignait, s'emportait même, et je continuais.

Le soir du deuxième jour, à minuit, quand nous nous quittâmes, il me devait soixante louis; il me dit d'un air froid: Monsieur le chevalier, vous aurez votre argent demain à votre lever. — Rien ne presse, lui dis-je; mais il s'éloigna sans me répondre.

J'étais touché de sa situation; la pâleur, le désespoir régnaient sur son visage. Je me retirai réfléchissant sur cette funeste passion, source de tant de crimes et de malheurs.

Le lendemain au matin, son domestique m'apporta les soixante louis. Je lui demandai des nouvelles de son maître. J'en suis inquiet, dit-il: il ne s'est pas couché; il a écrit des lettres; ce matin il a payé son hôte; je l'ai surpris chargeant ses pistolets: il m'a dit qu'il allait passer quelques jours dans un château à deux lieues d'ici, et qu'il ne m'emmènerait pas. A propos, a-t-il ajouté, je te dois de l'argent; tu as depuis long-temps la fantaisie d'une montre: tiens, voilà la mienne. Elle est, lui dis-je, d'un prix bien au-dessus de ce que vous me devez, je ne puis vous rendre le surplus. — Tu la garderas si je meurs avant toi; et si je te survis, je me paierai sur les gages. — Mon ami, repris-je aussitôt, mène-moi chez ton maître; il faut absolument que je lui parle. — Oui, monsieur, parlez-lui; je ne sais ce qu'il a dans la tête: tantôt il a l'air tranquille et de sang-froid, tantôt il me regarde avec des yeux égarés; il a perdu tout son argent au jeu; il n'a que cette malheureuse passion, car du reste c'est le meilleur enfant du monde; il est généreux, plein de franchise, gai, jovial quand il ne joue pas, brave comme son épée; jugez-en, monsieur: c'est un des plus braves du régiment de Navarre. Nous étions venus ici avec une bourse bien garnie et deux beaux chevaux que lui avait prêtés son père; l'argent et les chevaux, tout a passé par le cornet du trictrac. Son père a déjà payé trois fois ses dettes, je doute qu'il aille jusqu'à la quatrième. Mon maître se flatte toujours que la fortune reviendra; il cite souvent un vers latin d'un poète grec ou romain qui dit: Si cela va mal aujourd'hui, cela ira mieux demain.[11] — Partons, lui dis-je.

Quand nous entrâmes dans la chambre de Saint-Pons, il sommeillait, dans un fauteuil, enveloppé de sa redingote; ses pistolets étaient sur la table, avec deux lettres, une à sa sœur, l'autre à un officier de son régiment. Il s'éveilla en sursaut en s'écriant: Heureux celui qui ne se réveille plus! Il fut très-surpris de me voir; je lui dis aussitôt que je voulais lui parler en particulier: il renvoya son domestique.

Monsieur, repris-je alors, je vous ai gagné quatre-vingt-dix louis ces jours passés; je ne connais pas d'argent plus mal acquis que celui du jeu. Profiter du malheur, de l'ivresse d'un homme pour le dépouiller, c'est à peu près la même chose que l'attendre au coin d'un bois, ou tout au moins c'est ressembler à celui qui volerait un homme dans le vin: permettez que, pour tranquilliser ma conscience, je vous rende votre argent. Je sais que vous allez m'opposer de vieux préjugés de délicatesse et d'honneur; mais veuillez réfléchir qu'au trictrac je joue mieux que vous; que je me possédais; que vous fesiez des écoles sans nombre; et si je gardais votre dépouille, je ressemblerais à l'un des deux personnages que je viens de citer.

Saint-Pons étonné refusait de reprendre son argent. Composons, lui dis-je; faites-moi un billet des trente louis que je vous ai gagnés au quinze; nous jouions alors à jeu égal, et n'étions pas tête à tête; à l'égard des autres soixante, souffrez que je ne me donne pas la réputation d'un escroc.

Cette proposition termina la dispute, et il me fit un billet de trente louis payable dans un an. En me le remettant, il me sauta au cou, en s'écriant: Ami trop généreux! vous me rendez la vie; éperdu, désespéré, en horreur à moi-même, un pistolet allait terminer mon existence et mon désespoir: voilà deux lettres qui devaient partir pour annoncer ma mort. — Que je suis heureux, que je me félicite d'avoir prévenu ce malheur! Mais pourquoi ce projet affreux? — Je n'avais plus de ressources; il y a huit jours que j'ai vendu, pour quinze louis, deux chevaux de mon père qui en valent cinquante, en me réservant le droit de les racheter au bout de ces huit jours; ce terme expirait ce matin: je n'osais plus reparaître devant mon père qui m'avait tant recommandé ses chevaux, et dont la bonté, la tendresse a déjà payé mes dettes jusqu'à trois fois, et après vingt paroles d'honneur que je lui ai données de renoncer au jeu. — Peut-être si vous la donniez à un étranger, à moi par exemple, vous vous croiriez plus obligé à la tenir. — Je vous la donne; que je sois déshonoré, que la foudre m'écrase si je joue jamais un jeu à perdre plus d'un écu. Je partirai demain, ce soir j'irai vous faire mes adieux et vous témoigner toute ma reconnaissance. Je le vis le soir; il me renouvela son serment, me demanda mon amitié; et nous nous quittâmes après de longs embrassements.

Pour achever son histoire, au bout de trois mois il me renvoya mes trente louis avec un présent d'une bague d'environ vingt louis, qu'il me priait d'accepter et de porter pour l'amour de lui. Cette promptitude à se libérer, ce cadeau, me firent soupçonner, malgré sa parole et son appel à la foudre, une rechute dans son péché d'habitude: six mois après, étant à Bordeaux, son domestique vint me voir; je lui demandai d'abord des nouvelles de son maître. — Hélas! monsieur, il n'est plus; je le pleure encore tous les jours: c'était un si bon maître! — Il est mort? — Oui, monsieur; tout à fait mort. — Quoi, si jeune! et comment? — Nous avons fait courir le bruit qu'il avait été frappé d'apoplexie; mais la vérité est qu'il s'est brûlé la cervelle. Ce maudit jeu, cette exécrable passion en est la cause. — Il m'avait donné sa parole d'honneur qu'il ne jouerait plus! — Et à moi aussi, monsieur; mais il l'aurait donnée au pape, au Père Éternel, qu'il ne l'aurait pas tenue. La passion l'emportait; souvent il me disait, quand il avait perdu, je suis un indigne, un misérable: je ne mérite pas de vivre. Huit jours avant sa mort il avait gagné considérablement; c'est alors qu'il vous envoya vos trente louis, et une bague en présent. Il était au comble de la joie de ce retour de fortune qui le mettait à même de s'acquitter envers vous, et de vous témoigner sa reconnaissance. Il paya quelques dettes, et envoya cent écus à son père nourricier, autant au curé du village de la terre de son père, pour les distribuer aux indigens. Enfin, c'est grand dommage qu'il ne fut pas toujours en bonheur, car l'argent ne pouvait rester dans ses mains. Mais la fortune l'abandonna bientôt; il perdit dans deux nuits non seulement tout son bénéfice, mais mille écus sur sa parole. Il rentra dans sa chambre à quatre heures du matin; je sommeillais alors dans un fauteuil, et j'entendis qu'il disait en parlant de moi: «Que ce coquin est heureux! il dort». Non, monsieur, lui dis-je en me frottant les yeux, je ne puis attraper le sommeil. Je vis à son air sombre que le vent avait changé; je lui en parlai. Oui, me répond-il assez tranquillement, ma nuit a été mauvaise. Donne-moi ma redingote, fais du feu, et va te coucher. — Et vous, monsieur? — Je n'ai pas envie de dormir; on m'a prêté la Nouvelle Héloïse, et je vais en lire quelques lettres. Je crus facilement ce qu'il me disait; j'allai me coucher, et je m'endormis. Mon lit était dans un petit cabinet qui donnait dans la chambre. Une heure après je fus éveillé en sursaut par un grand bruit; je me lève effrayé, j'entre chez mon pauvre maître: je le trouve renversé sur son fauteuil, le visage couvert de sang. Il s'était tiré un coup de pistolet dans la bouche. Je jette des cris terribles; pâle, tremblant, je m'approche de lui. Il respirait encore; il jeta sur moi un regard si touchant, si pitoyable, que je ne l'oublierai jamais. Je fondais en larmes; je prends sa main, je la baise. Mais bientôt il expira; je crie, j'appelle l'hôte; nous étions dans un hôtel garni. On accourut, on me donna du secours, car j'étais prêt à m'évanouir. On trouva le livre qu'il lisait, ouvert à la lettre sur le Suicide; et un billet où il disait: «Ne pouvant rien laisser à mon fidèle domestique, Antoine Bérard, auquel je dois une année de ses gages, et une récompense pour son zèle et son attachement, je le recommande à mes parents, à mes amis, à tous les honnêtes gens...» Ah! mon cher maître! malheureux jeune homme! je vous pleurerai toute ma vie!

Ce récit m'attendrit jusqu'aux larmes; je tirai alors de mon doigt le diamant dont m'avait fait présent l'infortuné Saint-Pons, et je le donnai au fidèle Antoine; il voulait le refuser. Mon ami, lui dis-je, en payant la dette de ton maître, j'honore sa cendre, et je remplis ses intentions. Mais rentrons à Barrège, dont m'a éloigné ce triste récit.

Après le départ du jeune Saint-Pons, je vis plus rarement mes camarades; le jeu m'était devenu odieux. Le beau temps ayant reparu, je recommençai mes promenades solitaires. J'allai m'asseoir avec un livre que me prêtait le médecin des eaux, au pied d'un rocher, au bord d'un torrent, où, lisant, rêvant, contemplant la nature, je voyais mes heures s'écouler aussi rapidement que le torrent qui fuyait à mes pieds. Mes camarades m'appelaient, les uns le sauvage, les autres le philosophe: deux épithètes qui ont quelque rapport. L'arrivée de madame de Montheil et de sa fille prouva que je n'étais sauvage qu'avec les indifférents, et que ma philosophie était de bonne composition. Cette dame venait aux eaux pour une sciatique, et Cécile pour sa mère. Elles connaissaient ma famille, et leur accueil me prouva l'estime qu'elles en fesaient. Le premier regard que je jetai sur Cécile éveilla mon cœur, assoupi par sept ans de guerre. Cependant elle n'avait point cet éclat de beauté qui d'abord frappe, éblouit; mais son ame donnait à sa physionomie une expression si heureuse, si touchante; ses grands yeux bleus parlaient si bien le langage du sentiment, qu'ils semblaient dire: J'aime tout ce qui m'environne; mon ame expansive se plaît à se répandre, et le plaisir d'aimer est mon premier besoin. Son ingénuité, sa douceur, sa grâce, donnaient un charme ineffable à ses paroles, à tous ses mouvements. On ne pouvait voir Cécile un quart-d'heure sans émotion, ni la quitter sans regret. Sa voix douce et mélodieuse achevait de gagner les cœurs que ses regards attiraient Sa toilette l'occupait très-peu; le négligé était sa parure, et les fleurs qu'elle aimait beaucoup, ses perles et ses diamants. Elle préférait les doux rayons de la lune à l'éclat du soleil; elle aimait l'ombre des bois, les sites champêtres, romantiques, le silence des déserts, la belle horreur des rochers. Elle me disait souvent: Je ne hais pas la société; je danse volontiers, et cependant je m'ennuie souvent dans les bals, dans les grands cercles. Elle préférait de beaucoup Melpomène à Thalie; et, comme madame de Sévigné, elle aimait les romans où l'on donne de grands coups d'épée. Plus d'une fois je l'ai trouvée pleurant la mort d'un héros, ou de quelque victime du malheur; et je lui disais alors, comme ce bon curé qui prêchait la passion disait à ses paroissiens fondants en larmes: «Allons, mes frères, ne pleurez pas; ce que je vous conte n'est peut être pas vrai.» Quand je blâmais son goût pour les romans, elle me répondait: «J'y vois le danger des passions, et la vertu très-souvent récompensée; et dans l'histoire, le crime est presque toujours heureux.»

Madame de Montheil avait eu de la beauté: neuf lustres, en ternissant sa fraîcheur, laissaient sur son visage le souvenir de ses attraits; elle suppléait par un grand usage du monde à la médiocrité de son esprit, et la grâce et l'aménité de son caractère attachaient à sa personne, plus que l'esprit, les talents et le savoir. Il est chez les femmes une ignorance aimable; ce sont des fleurs qui, pour parer le printemps, n'ont besoin que d'une légère culture.

La seconde fois que je vis Cécile, je sentis que j'allais l'adorer. Bientôt je ne la quittai plus; sa mère m'accueillait avec bonté et amitié, et sa fille avec cette douceur, cette sensibilité qui entraînent l'ame la plus indifférente. On peint l'Éloquence avec des chaînes d'or sortant de sa bouche: c'est la Sensibilité qu'il faudrait présenter sous cet emblème.

Depuis mes amours de Toulouse, mon cœur, occupé de carnage et de gloire, n'avait plus senti ces mouvements si doux, qui raniment la vie, et en l'agitant nous la rendent plus chère. Mais enfin l'espérance et l'amour, avec tout leur prestige, entrèrent dans mon ame et l'enivrèrent de leurs délices. Un jour, me promenant avec la mère et la fille, madame de Montheil, qui marchait avec peine appuyée sur mon bras, me dit: «Je vais m'asseoir; promenez-vous là devant avec Cécile qui a besoin de faire de l'exercice.» Je fus ravi de cette occasion. Lorsque nous fûmes seuls, Cécile me dit: «Je passerais sans peine mon hiver dans ces montagnes, au milieu des glaces et des neiges, et des torrents dont le bruit m'attache en me fesant frissonner. — Vous comptez sans doute sur le charme de votre présence qui adoucirait l'âpreté de ce climat? — Non, je compterai sur mon penchant pour ces beautés sauvages et terribles. L'aspect d'une nature riante réjouit l'ame, mais ne la remue pas, ne lui fait pas une impression aussi profonde que la vue d'une belle horreur. — Il faudrait donc être bien malheureux pour intéresser la vôtre? — Je crois que la pitié s'en ouvrirait plus aisément l'accès que la gaîté et le contentement. — En ce cas, mademoiselle, il me sera bien difficile de vous plaire; car, lorsque je vous vois, je ne puis m'empêcher d'être heureux. Loin de vous je suis triste, mais vous ne me voyez pas, vous n'entendez pas mes soupirs. — Heureusement pour moi, dit-elle en souriant; il faudrait vous plaindre et m'intéresser à un malheur imaginaire?» Un montagnard qui passait auprès de nous rompit cet entretien, en me demandant une prise de tabac; je lui répondis que je n'en prenais pas. — «Tant pis, c'est une bonne chose.» Puis il ajouta en me regardant marcher: «Pour un boiteux (car je boitais encore un peu), vous avez là une femme que je troquerais volontiers contre la mienne.» Ce propos nous fit rire, mais nous étions auprès de madame de Montheil, et je ne pus renouer notre entretien. Deux jours s'écoulèrent sans que je pusse trouver l'occasion de parler en particulier à Cécile. Cependant mon ame flottait dans une incertitude accablante; son regard, sa douceur, ses prévenances, ses paroles flatteuses, tout paraissait me promettre son cœur, et cependant elle éludait toute déclaration, évitait même de se trouver tête à tête avec moi. Après beaucoup d'indécision, je résolus de hasarder une lettre, où je peignis ma passion avec les termes les plus expressifs. Je mis cette lettre sous ses yeux dans un sac à ouvrage; elle rougit, mais elle ne put la refuser. Je lui dis à l'oreille: de grâce, daignez la lire. Elle sortit quelques minutes après pour en faire la lecture. Elle rentra bientôt, le visage un peu coloré, et jeta sur moi un regard triste et touchant. Quand elle put me parler sans être entendue de sa mère, elle me dit: «Demain, je vais déjeûner seule, à dix heures, chez madame de Pernay; trouvez-vous dans la rue, je prendrai votre bras, et je répondrai à votre lettre de vive voix.» Ces mots, prononcés d'un ton moins affectueux qu'à l'ordinaire, me donnèrent quelque inquiétude et me firent attendre avec impatience l'heure du rendez-vous. Que la vie d'un amant serait courte, s'il pouvait hâter la marche du soleil comme celle d'une montre! Le lendemain, à neuf heures du matin, j'étais en faction dans la rue. Cécile parut à dix heures précises; elle prit mon bras, en me disant, vous êtes exact; et puis elle garda le silence, marchant les jeux baissés. J'aperçus sur sa physionomie je ne sais quel embarras, une hésitation qui m'alarma. Mademoiselle, lui dis-je, vous m'avez promis une réponse verbale. — J'en conviens. — Vous semblez hésiter? — Je voudrais la différer; mais vous l'exigez, je vais vous ouvrir mon ame avec toute la franchise de mon caractère et la sincérité que vous méritez: je vous trouve très-aimable, et votre cœur me plaît, m'attache autant que votre esprit; vous m'avez inspiré l'amitié la plus tendre, mais je ne puis vous aimer comme vous le désirez. — O ciel! je suis bien malheureux! — Écoutez-moi jusqu'à la fin, sans chercher à m'affliger; vous arrivez trop tard: mon cousin, le vicomte de Beaupré, m'aime depuis un an de l'aveu de mes parents. Notre mariage est arrêté, et doit se faire au retour des eaux. — Votre sincérité me donne la mort; je ne vous verrai plus, je pars demain. — Pourquoi ce départ, pourquoi vous désespérer et m'affliger? Mon amitié est-elle sans prix à vos yeux? Ne comptez-vous pour rien le plaisir que ma mère et moi avons à vous voir? Restez avec nous, je vous en conjure; ne me rendez pas le séjour de Barrège odieux. L'idée de vous savoir malheureux troublerait, contristerait ma vie. — Eh bien! je resterai pour vous voir, vous adorer et souffrir en silence. Nous étions alors devant la maison de madame de Pernay, et nous nous séparâmes. Navré de douleur, je rentrai chez moi; je voulus lire: mes yeux étaient sur le livre et ma pensée ailleurs. Je rejoignis mes camarades, et je n'entendis rien à leur conversation. J'allai me promener, et je m'en trouvai mieux, car je n'étais qu'avec Cécile. Je retournai l'après-dînée chez sa mère; elle me trouva triste, m'en demanda la cause. — J'ai reçu, ce matin, une nouvelle fâcheuse. A ces mots Cécile jeta sur moi un regard touchant. Un moment après; sa mère entra dans un cabinet. Cécile alors me tendit la main, en me disant: Je vous en prie, ne vous affligez pas; vous me faites beaucoup de mal. En réponse, je pris sa main, la baisai et la baignai d'une larme. — Soyez mon ami, ajouta-t-elle; reprenez votre gaîté. — Ah! vous ne m'aimez pas! — Je vous aime beaucoup... d'amitié; peut-être vous aurais-je aimé autrement si vous étiez venu le premier.

Cependant peu à peu je m'accoutumai à cette situation. Je passais avec la mère et la fille une partie de la journée. La douceur de Cécile, ses amitiés, ses regards, ses discours trompaient mon imagination et me fesaient oublier mon rival. Je lui disais un jour: Vous comptez bien sur vos appas, car vous négligez votre parure. — C'est que si je vous plais, je me trouve assez parée. D'ailleurs le cadre d'un tableau ou la reliure d'un livre n'en font pas la beauté. Lorsqu'elle apercevait sur mon front quelque nuage de tristesse: Quoi! me disait-elle, vous n'avez donc plus de plaisir à me voir, à m'aimer? — Je sens à vous aimer un charme inexprimable; vous ne faites pas un geste, ne dites pas un mot, ne jetez pas un regard que je n'y attache un vif intérêt de plaisir ou de peine. Hier un jeune officier vous baisa la main, j'en souffris; bientôt après vous m'honorâtes d'un regard, et je fus consolé.»

Cependant le dénouement approchait. J'étais prié à dîner chez madame de Montheil; nous avions arrangé pour l'après-dînée une promenade charmante pour aller goûter sur l'herbe: la mère prenait une monture, et Cécile et moi devions suivre à pied. Ma cuisse se fortifiait, je ne boitais presque plus. La perspective d'une promenade si agréable me rendit la matinée délicieuse.

A l'heure du dîner, transporté de plaisir, j'arrive chez madame de Montheil. J'y trouvé un jeune homme en bottes, portant l'uniforme du régiment du roi. Je restai comme frappé de la foudre: je pâlis; mon sang glacé s'arrêta dans mes veines; un cruel pressentiment m'annonçait l'arrivée de mon rival. Je regarde Cécile, et je la vois dans le fond de là chambre, immobile, les yeux baissés. Sa mère, loin de tout soupçon, s'avance d'un air riant, et me dit: Chevalier, je vous présente le vicomte de Beaupré, notre ami, et bientôt mon gendre.

Troublé et interdit, je balbutiai je ne sais quelle réponse. Madame de Montheil, étonnée de mon trouble, m'en demanda la cause. Je répondis que j'avais eu la fièvre toute la nuit, et un mal de tête violent qui durait encore; que je m'étais traîné avec peine chez elle pour venir m'excuser, et la prier de ne point m'attendre à dîner.

Cette aimable dame, touchée de mon état, me pressa beaucoup de rester, me promettant ses soins et ses secours. Cécile alors se lève, vient à moi, et me dit de l'air le plus affectueux: Restez, vous nous ferez grand plaisir; nous tâcherons de vous distraire. — Je vous serais à charge; j'ai besoin de repos, permettez que je rentre chez moi: je reviendrai dès que je me sentirai mieux. — Mais, retourner seul! me dit sa mère; à peine vous pouvez vous soutenir.

Alors le vicomte offrit de me donner le bras; j'eus beau refuser: sur ses instances et celles de madame de Montheil, il fallut accepter. Cécile me dit: Revenez le plus tôt que vous pourrez; votre maladie nous fait bien de la peine...

Voilà donc mon heureux rival qui me donne le bras, m'accable de soins, de prévenances, me parle de mon indisposition, m'offre ses services; mon embarras, ma confusion croissaient avec ses marques de bonté et d'amitié; j'hésitais, mes réponses étaient succinctes et insignifiantes. A cette aménité de mœurs, le vicomte joignait une figure charmante, et mon ame flottait entre la jalousie et la reconnaissance: tantôt je lui pardonnais son bonheur, tantôt j'en étais désespéré.

Lorsqu'il m'eut quitté, loin de rentrer chez moi, j'allai m'égarer dans les montagnes. L'aspérité des lieux, l'aspect triste et sauvage de ces rochers arides et menaçants, le silence profond de ce désert, la chute, le bruit des torrents, tout ce deuil de la nature si analogue à la situation de mon ame, nourrissait sa tristesse, semblait l'y attacher plus fortement. Vingt fois je m'écriai: Ah! Cécile, Cécile! et l'écho me répondait: Cécile.

Fatigué de marcher, je m'assis au pied d'un sapin. Je m'y livrais à la plus sombre rêverie quand tout-à-coup le son d'une musette frappa mon oreille. Ces modulations douces et plaintives, que la mélancolie écoute avec tant d'intérêt, suspendirent ma douleur; j'écoutai avec attendrissement et je versai des larmes; elles me soulagèrent; et quand ces sons eurent cessé, je me levai et retournai chez moi plus mélancolique, mais moins malheureux.

Le lendemain, à peine avais-je quitté mon lit, que j'entendis frapper à ma porte. J'ouvre; quel étonnement! je vois le vicomte. Je viens, me dit-il, de la part de ces dames, m'informer de votre santé. — Je regrette la peine que vous vous êtes donnée; je me trouve un peu mieux. — Vous verra-t-on aujourd'hui? — Je ferai mon possible. — Votre absence nous afflige tous; moi-même j'ai le plus grand désir de faire voir connaissance; mais je vous tient debout, asseyons-nous.

Maintenant permettez, chevalier, que je vous parle avec franchise et cordialité, comme il convient entre camarades. Au premier coup d'œil vous m'avez inspiré de l'intérêt; votre trouble subit à mon aspect, votre maladie, que je crois supposée, m'ont fait soupçonner vos sentiments pour mon aimable cousine. Je lui ai fait part de mes doutes, et son ame noble et pure, que n'a jamais terni le souffle du mensonge, m'a tout avoué, votre amour, vos assiduités et son amitié pour vous. Je suis désolé de faire votre malheur; mais jugez-moi. Je suis attaché depuis près de deux ans à mademoiselle de Montheil; nos parens respectifs ont approuvé notre amour et notre mariage; et je viens la chercher pour la mener à l'autel: voyez ce que je dois faire, ce que vous feriez à ma place. — Peut-être je ne serais pas aussi généreux que vous; mais du moins je sais apprécier un procédé si beau: je renonce à l'amour, mais dédommagez-moi, par votre amitié, de la perte que je fais. — Je vous la promets en échange de la vôtre; de plus, vous aurez celle de ma cousine, qui m'a déclaré que, si vous souffriez, vos peines troubleraient son bonheur. Vous verra-t-on à dîner? Cécile et sa mère vous attendent. Nous partons dans trois jours: accordez ce temps à notre amitié. — Oui, je m'y rendrai; je veux m'accoutumer à votre bonheur. — Adieu, chevalier; je vais vous annoncer, et porter la joie dans le cœur de Cécile.

Cet entretien, l'aimable franchise du vicomte, firent tomber le voile qui couvrait mes yeux, obscurcissait ma raison; et mon ame, amollie par les délices de l'amour, reprit tout son ressort. Cependant, en entrant chez madame de Montheil, j'éprouvai un saisissement qui altéra mes traits; Cécile, qui s'en aperçut, vint à moi, et me dit: Craignez-vous vos amis? ils ont tant de plaisir à vous voir! — Hélas! non; mais je suis un convalescent encore bien faible. — Laissez agir le temps et la raison.

Madame de Montheil, qui n'avait aucun soupçon, me fit de tendres reproches sur mon absence et mon entêtement à fuir mes amis.

Cependant le vicomte eut la délicatesse de s'occuper plus de moi que de sa cousine, et paraissait la négliger. Cécile, de son côté, mettait tant de grâce, de sensibilité dans ses regards, dans ses expressions, que je commençai à leur pardonner leur amour; et je crois même que j'aurais pardonné à Cécile une infidélité réelle.

Les trois jours s'écoulèrent, et l'instant de la séparation arriva. Cécile, avant de monter en voiture, me dit: Mon cher chevalier, ne nous oubliez pas; songez que l'amitié doit être encore plus fidèle que l'amour. Je ne lui répondis rien; j'avais le cœur oppressé, et, ne pouvant retenir mes larmes, je m'évadai sans faire des adieux. Le vicomte me poursuivit, m'embrassa, et me fit promettre d'aller le voir au château de son père, où devait se célébrer le mariage.

Le séjour de Barrège me devint insupportable, et je partis le lendemain. J'étais entièrement rétabli, et je n'ai plus boité que parfois dans les variations du temps. J'allai dans la terre de mon père chercher au sein de ma famille des consolations contre les disgrâces de l'amour.

La vie de la campagne paraît triste, insipide, monotone aux ames arides et agitées par les passions, et infectées des vices de la société. L'ennui file leurs heures éternelles. Sans doute à la campagne il y a des moments de langueur; mais quoi! l'ennui craint-il le séjour des villes? ne se trouve-t-il pas au milieu des grandes sociétés, des fêtes bruyantes, dans les salons des grands, à leurs spectacles? C'est là qu'est son séjour habituel. L'ennui est une maladie de l'esprit humain. Si l'on peut s'en défaire, c'est au sein d'un air pur, élastique, et des beautés riantes et vraies de la nature. Mon père me disait: Je vois avec plaisir que tu as un bon esprit et un bon cœur; que tu aimes la campagne; mais ce n'est pas encore pour toi le temps de la retraite; il faut payer ta dette à la société: un gentilhomme ne doit se retirer dans sa terre qu'avec la croix de Saint-Louis, s'il est catholique, ou avec des titres de gloire, s'il est protestant. Dans le calme heureux des champs, dans le sein de ma famille, je n'oubliai pas l'aimable Cécile; mais il se mêlait à ce souvenir un charme, une douceur qui tempéraient l'amertume de mes regrets.

Mais tout-à-coup Melpomène vint s'emparer de mon imagination et fixer mes pensées. Après souper, me promenant dans le jardin, par un beau clair de lune, dans une inspiration soudaine, je conçus le projet d'une tragédie. Tourmenté de cette idée malgré moi, car, qui connaît la cause de nos idées et de notre volonté? j'aiguisai le poignard de la muse tragique pour assassiner Tarquin-le-Superbe, le héros de mon drame. Dans la chaleur de la composition, j'aurais passé la nuit dans un délire poétique, et dans le jardin, si mon père ne m'avait fait appeler. Mais, éveillé dès l'aurore, je courus dans le bois où, le charme des vers entraînant mon imagination, je commençai à dialoguer une scène du quatrième acte, avant d'avoir fait mon plan. Le dîner sonné, je vins me mettre à table, le visage enflammé, les cheveux hérissés; j'avais l'air d'un conspirateur. En effet, je conspirais contre Tarquin. Mon père me demanda, en riant, si je voulais renouveler les guerres de la religion, et me faire chef de parti, comme les Coligny, les Rohan. Non, lui dis-je, je n'en veux qu'aux tyrans de Rome. Il me remit alors une lettre qui venait d'arriver; elle était du vicomte de Beaupré, qui me fesait part de son mariage, et me rappelait ma promesse de venir passer quelque temps avec eux. Cécile avait mis, par apostille: «J'ai prononcé hier le *oui* éternel; venez, mon digne ami, partager et augmenter mon bonheur». Je me rendis à ces tendres invitations: mon congé expirait dans deux mois, et je résolus de les donner à l'amitié. Mon père approuva cette visite; et deux jours après je partis pour Alby. Le château du vicomte était auprès de cette ville. Je fus reçu par ces jeunes époux comme un frère; et par le père du vicomte, comme l'enfant de la maison. L'hymen et le bonheur semblaient avoir embelli la vicomtesse; mais son ame était le plus doux de ses charmes. Née avec le besoin d'aimer, sa sensibilité se répandait autour d'elle, comme dans un beau jour d'été la chaleur se propage dans la nature. Cette sensibilité s'étendait sur tous les animaux, qu'il fallait bien se garder de maltraiter en sa présence. Quand son mari, grand amateur, revenait de la chasse, elle lui demandait: Combien avez-vous massacré de pauvres bêtes? Elle portait elle-même des secours sous les toits de l'indigence. Ces secours, disait-elle, administrés par nous, sont plus efficaces, consolent mieux l'homme souffrant. Bien des femmes exercent la charité pour Dieu, par l'espoir de ses récompensés. Cécile, entraînée par son cœur, ne songeait qu'au plaisir de faire du bien. Nous allions nous promener tête à tête dans les bois; elle était alors vêtue d'un habit d'amazone; un chapeau de paille couvrait ses beaux cheveux blonds. Nous fesions des courses très-longues, et parfois nous nous reposions au bord des ruisseaux, dans des sites agréables. Que sa gaîté, son ingénuité étaient aimables dans ces moments! Mais loin que tant d'attraits réunis rallumassent un amour mal éteint, l'hymen et l'amitié la couvraient à mes yeux d'un voile sacré. Quel trésor que l'amitié d'une femme douée d'esprit, d'appas, et d'une ame pure et tendre! Un jour, assis tous deux à l'ombre d'un bois où gazouillaient un essaim d'oiseaux, elle s'écria, dans une plénitude de bonheur: Que Dieu est bienfesant! que je dois l'aimer! que ma vie est douce à la campagne, au sein de la nature, avec un époux et un ami! Puisse cette félicité durer long-temps!

Une autre fois, nous trouvâmes une jeune fille qui pleurait, se désolait. Qu'as-tu, ma chère amie, lui demanda Cécile en l'abordant. — Ah, madame, je n'ose retourner chez mon père; il me battrait. — Et pourquoi? — Je me suis endormie dans le bois, et j'ai perdu notre chèvre; elle s'est échappée; oui, mon père va me battre. Mon Dieu, ma pauvre chèvre! je l'aimais tant! Ce qu'elle disait en versant un torrent de larmes. — Eh bien, répliqua la généreuse Cécile, va lui dire que c'est moi qui l'ai prise, qui la veux acheter, et que je le prie de venir chercher son argent au château.

Cécile pratiquait sa religion sans enthousiasme, j'ose dire sans réflexion. Elle croyait, parce que c'était son devoir de croire; mais elle ne pouvait se persuader que Dieu punit la faiblesse humaine d'une éternité de tourments. Elle disait que les prédicateurs le calomniaient en le représentant comme un Dieu irascible et vindicatif. Ah! s'écriait-elle, j'aime trop cet Être suprême, cet éternel bienfaiteur, pour croire qu'il veuille se venger si cruellement d'une faible créature! Sans adopter la mysticité de madame Guion, comme elle, Cécile aimait Dieu d'un amour pur et désintéressé.

Un jour je lui demandai si elle croyait que les protestans seraient damnés. — Non, je ne le pense pas, car je serais bien malheureuse en paradis si je savais en enfer mes frères et mon ami.

Larochefoucault prétend qu'il n'est point de mariages délicieux; il ne connaissait sans doute que les mariages de Paris; mais s'il avait vu dans leur château, au fond d'une province, ces deux jeunes époux toujours occupés l'un de l'autre, ne se séparant qu'avec regret, et se cherchant sans cesse, n'ayant qu'une volonté, qu'un désir, et deux ames fondues, pour ainsi dire, l'une dans l'autre, alors il aurait cru aux délices de l'hymen. Pour moi j'étais touché, ravi de ce tableau du bonheur. Quand j'étais seul avec Cécile, je me croyais avec un ange; son visage en avait la sérénité, et son ame la pureté. Que le temps fut rapide dans ce séjour fortuné! Il fallut le quitter; mon congé expirait, et je voulais arriver à Bordeaux, où était alors mon régiment, le jour de son expiration: lorsque j'annonçai mon départ à la vicomtesse, son visage pâlit, son ame se glaça; mais bientôt, remise, elle me dit: Partez, puisque votre devoir l'exige; mais il est bien douloureux de se quitter. Souvenez-vous que vous avez une tendre amie dans ce château, et une chambre qui sera toujours vacante quand vous n'y serez pas: nul étranger ne la profanera. Le vicomte me fit donner ma parole qu'au premier semestre je viendrais passer trois mois avec eux. Cécile me donna devant son époux une bague tissue de ses cheveux, en me disant: Gardez fidèlement ce gage de l'amitié; peut-être ce talisman vous portera bonheur: du moins je le désire vivement. Adieu, mon cher chevalier; je me flatte que, malgré les distances, nous serons souvent ensemble. Voilà les derniers mots que j'ai entendus de cette tendre amie. Je la trompai sur mon départ; je partis un jour plus tôt, au moment où l'aube commençait à poindre. En m'éloignant du château, dix fois je tournai la tète pour le revoir, en disant: Adieu, charmant séjour; adieu, Cécile, femme adorable; adieu, ma tendre et généreuse amie. J'avais le cœur navré, oppressé de tristesse; il semblait qu'un noir pressentiment m'annonçait que je ne la verrais plus. J'étais à cheval; je marchai lentement tant que je pus apercevoir le château, le clocher du village: dès qu'ils disparurent, je m'éloignai à grands pas.

J'arrivai heureusement à Bordeaux. Le maréchal de Richelieu y commandait, et y avait porté ses mœurs, et la corruption de la cour. Il en infecta les dames de la sienne; mais, avec les vices de Versailles, il ne put leur donner les grâces et le coloris séduisant qui en voilent la laideur.

Je fus bientôt dégoûté de cette société, d'où le gros jeu, l'adresse, la subtilité des dames pour fixer la fortune, et la galanterie effrontée, repoussaient tout homme honnête et délicat. Je parvins à être admis dans les sociétés du parlement, où je trouvai, chez les femmes, décence, amabilité, ton de la bonne compagnie; et parmi les magistrats, esprit, sagesse, bonté, et beaucoup d'instruction. J'eus le bonheur de faire la connaissance du président de Secondat, fils du célèbre Montesquieu. Il n'avait ni le brillant, ni la vivacité, ni le génie de son père. Il était grave, sérieux, mais doux, obligeant, et d'un savoir profond. Il prit ma jeunesse en amitié, me prêta des livres, m'éclaira de ses conseils. Un jour je lui montrai une ode de ma façon. Mon cher, me dit-il, c'est du galimathias que je n'entends pas; d'ailleurs je n'aime pas les vers, et surtout les odes, auxquelles je suis toujours tenté de demander, comme Fontenelle le demandait à la sonate: *Belle ode, que dis-tu?* J'ai lu les odes de Rousseau et de Lamotte; celles du premier me paraissent manquer d'idées, et celles du second, de coloris et d'harmonie; j'aime beaucoup mieux la philosophie et la raison revêtues d'une belle prose, que d'une poésie faible et sans couleur. Mon père n'approuvait, ne goûtait les vers que dans les drames. L'abbé de Saint-Pierre annonçait la chute de la poésie dans les siècles de la sévérité et de la raison. Renoncez, croyez-moi, au métier de versificateur, dans lequel, comme le dit Boileau:

Il n'est pas de degré du médiocre au pire.

Cette leçon me désenchanta; je donnai son congé à Pégase; je le rappelai pourtant à la sourdine, pour finir ma tragédie de Tarquin-le-Superbe, dont je parlerai bientôt.

Au lieu de faire la description de Bordeaux, qui est partout, je citerai deux anecdotes arrivées pendant mon séjour. La première peint les mœurs du maréchal de Richelieu, l'autre celles des femmes de sa cour. Le maréchal, frappé de la beauté de madame de ..., femme d'un président au parlement, chercha tous les moyens de s'assurer cette belle proie. Cette dame, ainsi que les autres femmes de son état, paraissait rarement chez lui, et n'y allait que par bienséance et par devoir. Le galant maréchal l'invita à un grand souper, où devait se tirer une loterie, inventée par sa munificence, pour faire tomber un lot considérable à l'objet de ses vœux; mais elle n'y parut point. Le maréchal, quoiqu'un peu déconcerté, continua sa loterie, et voulut que, malgré son absence, la présidente eût un billet. Le sort, comme on s'y attendait, lui fut favorable, et elle gagna une très-belle boîte d'or.

Le lendemain, le capitaine des gardes du maréchal, son proxénète, quoique qualifié de comte, porta ce beau présent à son adresse; mais la présidente le refusa, en disant qu'elle ne recevait de présents de personne. Mais, madame, lui dit ce messager, Louis XIV fesait souvent de ces loteries pour les dames de sa cour. Il n'appartient, répond fièrement la présidente, qu'à Louis XV de l'imiter. Cette réponse fit cesser toutes les poursuites.

L'autre anecdote regarde un capitaine du régiment de Clermont, cavalerie, et une dame d'Alp..., femme très-galante: elle avait reçu les hommages, et bientôt fait le bonheur de ce militaire. Le régiment eut un démêlé avec le directeur de la comédie; et les officiers assemblés donnèrent tous leur parole d'honneur de ne pas y mettre les pieds, et de plus condamnèrent à une amende de dix louis celui qui manquerait à sa parole. L'amant de madame d'Alp... se rendit chez elle l'après-dînée, et la trouva qui se préparait à aller au spectacle. Chevalier, lui dit-elle, vous me donnerez la main. Celui-ci allégua les motifs qui lui défendaient de l'accompagner. Plaisant motif, dit-elle, pour un amant! Eh bien! au pis aller, vous donnerez dix louis; songez que je le veux. Le chevalier obéit. Après la comédie, il se rendit au souper de ses camarades, et jeta en entrant dix louis sur la table, en avouant qu'il sortait de la comédie. Votre argent ne vous absout pas, s'écria un de ses camarades; il n'y a qu'un lâche qui manque à sa parole. Une affaire fut inévitable: ils allèrent se battre le lendemain à la pointe du jour; le malheureux amant reçut un coup d'épée dans la poitrine et expira sur le champ de bataille. Il fut vivement regretté de tout son régiment. Deux jours après, madame d'Alp... était fort tranquillement dans sa loge à la comédie. A sa vue, mon sang bouillonna dans mes veines; et sans un de mes camarades, je crois que j'allais l'insulter.

Je reçus à cette époque une lettre du vicomte de Beaupré, qui m'annonçait, avec des transports d'allégresse, qu'il aurait bientôt le bonheur d'être père. Il ajoutait que sa femme était dans l'ivresse de la joie, qu'elle s'écriait vingt fois par jour: Bientôt je serai mère! j'aurai un enfant. Ah! comme je vais l'aimer, le caresser, le soigner! Elle m'écrivait dans une apostille: Mon cher chevalier, ma grossesse me jette dans un terrible embarras: mon mari veut un garçon, et moi je désire une fille. A quoi me décider? Il y a beaucoup de raisons pour et contre. Que me conseillez-vous? Je lui conseillai de faire deux jumeaux d'un sexe différent.

Je me plaisais beaucoup à Bordeaux, où je voyais très-bonne compagnie, où je cultivais à la fois les plaisirs et les lettres. Mais les militaires, comme les moines, sont errants sur la terre: un ordre envoya le régiment à Perpignan. Il fallut quitter ses liaisons, ses maîtresses; il y eut des pleurs répandus, des promesses de revenir bientôt; promesses qui furent gravées sur le sable. Pour moi, je pense que le souvenir encore récent de la tendre Cécile, me sauva d'un attachement. La personne que je regrettai le plus à Bordeaux, fut M. de Secondat. J'allai prendre congé de lui; il me dit en m'embrassant: Mon jeune ami, vous allez passer votre vie dans les garnisons; elles sont tristes, leurs sociétés insipides: mais celui qui pense, qui sait s'occuper, est bien partout, dans un grand bal, dans la solitude: l'ennui, comme le vice, est enfant de l'oisiveté. Je lui promis de ne point oublier ses leçons, ni son exemple. Arrivé à Perpignan, je me rappelai le sage de Bordeaux; et, pour remplir le vide de mes journées, je repris ma tragédie. Tarquin-le-Superbe était encore vivant dans mon porte-feuille; je prononçai l'arrêt de sa mort sous la dictée de Melpomène. J'entassai vers sur vers; et de rime en rime, je parvins au dénouement, et Tarquin périt assassiné.

Ma pièce était dans toute sa perfection, lorsque le maréchal de ..., gouverneur du Roussillon, arriva à Perpignan. On lui parla de mon œuvre tragique, et il me témoigna le désir de l'entendre. Un simple capitaine n'oserait refuser un maréchal de France; peut-être mon amour-propre obéissait avec plaisir. Le maréchal composa l'aréopage qui devait me juger, des personnages de la ville les plus distingués et les plus éclairés, de l'état-major du régiment, du major et du commandant de la place; de deux récolets, lumière de l'ordre; de deux avocats; de six belles dames, engouées du bel esprit; de trois abbés, dont l'un fesait des couplets, le second les chantait, et le troisième les mettait en musique, de plus composait des romans et prêchait des panégyriques de saints dans les couvents de religieuses.

Après que l'on eut pris des glaces, mangé des biscuits et des confitures, on apporta une petite table et deux bougies. Je m'assis, armé de mon manuscrit. L'aspect de cette brillante et savante assemblée troubla un peu ma confiance; mais, après avoir balbutié une vingtaine de vers, mon amour-propre se rassura. L'enthousiasme me saisit, et je récitai chaque acte presque tout d'une haleine. Je fus d'autant plus rassuré et enhardi, qu'à la fin du premier acte les applaudissements retentirent, et éveillèrent le major de la place et le lieutenant-colonel du régiment, qui aussitôt s'empressèrent de mêler leurs louanges et leurs battements de mains, à ceux de l'assemblée.

Parmi les aréopagistes femelles qui me jugeaient, brillait la marquise de Saint-Hilaire. La maturité de son âge ayant donné la chasse aux amours, son ame flottait entre la dévotion et l'amour du bel esprit. Dans son indécision, tantôt elle lisait Bourdaloue, Massillon, et tantôt la nouvelle Héloïse, Voltaire et la Pucelle. Les rayons de la grâce n'avaient pas encore agi assez vivement sur son cœur, et elle était trop âgée pour suffoquer de l'amour divin. Un jour elle avait à sa table des philosophes, des déistes, des poètes; le lendemain son confesseur, son curé et des moines: et cette marquise qui passait ses hivers à Toulouse, au milieu des érudits et des poètes de cette belle contrée, qui se trouvait à toutes les séances académiques des jeux floraux, qui, dans un assez long séjour à Paris avait soupé avec Dorat, dîné avec l'abbé de Voisenon, déjeûné à l'anglaise chez l'abbé Raynal, et qui avait reçu plusieurs lettres et des vers de Voltaire, qui l'appelait Sapho, vers qu'elle montrait à tout le monde; qui de plus était abonnée au Mercure, était l'oracle de cette assemblée. La lecture finie, on attendit son jugement; personne n'osait parler avant elle: enfin elle s'expliqua. La protase était lumineuse, l'intrigue se développait avec art, l'intérêt était bien gradué, les caractères étaient soutenus, la péripétie lui avait arraché des larmes, elle qui n'avait pas pleuré depuis vingt ans. Elle me reprocha cependant des négligences de style, des longueurs au second acte, et surtout au quatrième, où l'action doit courir. Ce jugement fut adopté par le maréchal et l'état-major de la place, et par les belles dames. Les abbés trouvèrent que j'avais des vers raciniens; les récolets en avaient remarqué dignes de Corneille; mais ils ajoutèrent que c'était un dangereux exemple que de faire assassiner un roi par un républicain; que d'ailleurs j'avais quelques maximes insidieuses que la Sorbonne ne passerait pas. On se passera de la Sorbonne, s'écria le major de la place; enfin le résultat de toutes les opinions fut qu'après les corrections indiquées par madame la marquise, ma tragédie aurait à Paris le succès le plus brillant. Alors le maréchal m'invita à remettre l'ouvrage sur le métier. Oui, s'écria l'abbé romancier et prédicateur: *Nocturnâ versate manu, versate diurnâ*. Le maréchal ajouta: Je retourne bientôt à Paris; je me charge de présenter votre pièce aux Français, qui me remercieront d'un si beau présent. J'hésitai quelque temps; mon amour-propre disait oui et non; ce qui m'encourageait, c'est que toutes les femmes et les abbés avaient pleuré. L'état-major seul et les récolets m'avaient refusé des larmes. Mais les moines ne pleurent pas aisément; et les militaires, après une guerre de sept ans, ont l'ame endurcie, et les canaux des pleurs ossifiés. Enfin les instances, les éloges de la marquise fixèrent mon incertitude, et je me décidai de faire présent à la capitale d'un drame qui avait eu un si grand succès à Perpignan. Le maréchal devant partir dans trois semaines, je me hâtai d'élaguer mes deux actes, ce qui était aisé, et de remettre mes vers sous la lime, ce qui était plus pénible. Quand l'ouvrage eut passé sous le polissoir, je le portai à la marquise qui fut enchantée de mes corrections, et surtout de ma docilité et de ma déférence à ses avis. Elle fit partager son engouement au maréchal, qui emporta mon œuvre tragique pour la faire couronner dans le temple de la gloire.

Ma vie coulait assez tranquillement dans cette garnison; c'est tout ce que l'on peut désirer sur la terre, surtout avec l'espérance du mieux. Mon titre de bel esprit m'avait attiré les regards et la bienveillance des femmes; elles aiment la gloire. La marquise de Saint-Hilaire s'était emparée de moi, et j'aurais pu, je crois, contrarier la grâce et la réconcilier avec les amours; mais je ne voulus pas lui fermer les portes du Ciel. Mes camarades me chérissaient; quelques-uns étaient travaillés d'un levain de jalousie, mais si ma gloire les affligeait, mes attentions, mon caractère les désarmaient. Ce qui acheva d'adoucir l'envie, c'est l'affront que reçut ma muse au tribunal de la comédie française; on lui refusa l'entrée du temple à l'unanimité. Le maréchal, étonné de cette disgrâce; m'en donna la nouvelle, et ajouta, sans doute pour consoler mon amour-propre, qu'un militaire n'avait pas besoin d'un vain laurier du Parnasse; que ceux de Mars étaient les véritables lauriers de la gloire. La marquise de Saint-Hilaire, outrée d'un refus qui contrariait son jugement, traita les comédiens français d'ignorants, d'allobroges et de béotiens; mais, me dit-elle, je pars dans une semaine pour Toulouse, nous y avons de bons acteurs; je vous ferai jouer; j'ai des amis, une grande influence, et je vous promets un triomphe éclatant. Je la remerciai et ne jugeai pas à propos de faire poignarder mon Tarquin par les Brutus de Toulouse. Je me consolai de mon infortune en me rappelant qu'Auguste avait aussi composé une mauvaise tragédie d'Ajax, qu'il avait étouffée courageusement.[12] Avec la même intrépidité, je condamnai la mienne aux flammes dévorantes; j'allumai un fagot dans ma cheminée, je saisis mon manuscrit d'une main assurée, et, nouveau Jephté, j'offris mon enfant chéri en holocauste au génie malfesant de la poésie. Une femme, à qui l'on racontait le sacrifice d'Isaac, commandé par Dieu même à son père, répondit: Dieu ne l'aurait pas ordonné à une mère; et moi j'ajoute que Dieu n'aurait pas commandé à un véritable auteur le sacrifice de son ouvrage.

Mais je devais payer un tribut de douleur plus vrai et plus cruel. Une lettre de ma mère m'apporta la nouvelle de la mort de mon père, frappé d'apoplexie au sortir de table, au milieu de ses amis et de la joie d'un festin qu'il leur donnait pour célébrer l'anniversaire de sa naissance.

La plus courte mort est la meilleure, a dit Montaigne; oui, pour celui qui meurt subitement: mais les parents, les amis sont plus attristés, plus effrayés d'une mort si imprévue. Mourir dans un festin, entouré de ses amis, le jour de sa naissance! Cette réunion de circonstances rendait l'événement plus terrible: j'en fus accablé. Ma mère, en m'annonçant cette perte cruelle, me mandait que mon héritage, les dettes et la légitime de ma sœur payées, n'excéderait pas deux mille livres de revenu, que pourrait rapporter la terre que mon père me laissait avec la gloire de sa vie. Je la priai, en réponse, de garder pour elle la moitié de ce revenu, l'assurant que mille livres et ma compagnie me donnaient une aisance très-honnête. J'obtins une permission de deux mois pour aller mettre ordre à mes affaires, et verser quelques consolations dans le cœur de ma mère. En arrivant, je courus au tombeau de mon père, situé au milieu d'un petit bois; je lui dis en versant des larmes: Adieu, adieu, le meilleur des pères; que l'Être-Suprême couronne tes vertus, et nous réunisse un jour dans la demeure céleste! Quel homme sensible, auprès de l'urne de l'objet aimé, pourrait douter de l'immortalité de l'ame? Je fis planter des rosiers et des lauriers autour de la tombe, et j'y gravai cette épitaphe:

Ici gît un guerrier, bon père et bon époux;

Brave et fier aux combats; chez lui, doux et paisible;

O vous! ami passant, à la vertu sensible,

Venez baiser sa tombe et pleurer avec nous.

Mes affaires terminées, je retournai à Perpignan. Bien des lecteurs me diront ici que mon titre leur promet un voyage en Espagne, et que je suis toujours en France, parlant beaucoup de moi et de mes aventures qui leur sont indifférentes: leur plainte est juste. J'ai cru d'abord que deux ou trois pages suffiraient pour me faire connaître; insensiblement je me suis laissé entraîner au plaisir de parler de moi, des événements de ma jeunesse: pardonnez, messieurs, cette petite faiblesse; bientôt nous entrerons en Espagne.

L'hiver finissait; le printemps, *gioventù del anno*, si hâtif, si beau à Perpignan, s'avançait couronné de verdure et de fleurs; je renaissais avec lui; mon ame s'épanouissait, s'ouvrait aux rayons des beaux jours, à l'espoir des jouissances. Un dimanche, 10 avril, jour mémorable dans mes annales, j'allai à la messe du régiment. O destinée! si je n'avais pas entendu cette messe, je n'aurais pas voyagé en Espagne, et par conséquent je n'aurais jamais fait un livre; l'imprimeur n'eût pas fait gémir la presse, le marchand de papier reçu mon argent; les journalistes n'auraient pas exercé leur talent pour la critique; je n'aurais pas charmé les loisirs des habitants des châteaux et des dames de provinces; mon nom n'aurait pas franchi les frontières de ma terre. Ce que c'est qu'une messe entendue à propos! Si l'on n'eût pas enlevé à Virgile son petit héritage, il ne serait pas allé à Rome, et sans doute ses Églogues et l'Énéide n'existeraient pas. Si Villars n'eût pas rencontré un curé, il n'eût pas gagné la bataille de Denain, et sauvé la France. Ainsi tout se tient, tout est enchaîné.

Pendant cette messe, mes jeunes camarades, gens peu dévots, étaient moins occupés du prêtre officiant que des jeunes beautés qui paraient l'église. L'un d'eux me dit tout bas: Regarde cette jeune Espagnole couverte de sa mantille, c'est un ange ou une divinité. A ces mots je tournai mes regards sur elle, et je vis une figure céleste, les plus beaux yeux... Elle me regarda: leurs éclairs m'éblouirent. Non, Jean-Jacques, à l'aspect de sa chère pervenche, n'éprouva pas autant de joie et de surprise. Je n'ai jamais oublié ce premier coup d'œil. On dit que les Turcs craignent l'influence des regards; les Romains pensaient de même, témoin ce vers de Virgile:

Nescio quis teneros oculus mihi fascinat agnos.[13]

Étonné, ému, je me rapprochai de cette beauté. Je la vis fort à mon aise; son voile, ouvert avec art, ne me dérobait aucun trait de son visage, et son rosaire, qu'elle récitait, ne l'empêchait pas de promener de temps en temps ses regards sur les personnes qui l'entouraient; mais, à l'élévation, elle se prosterna, son front touchait la terre, et elle se donnait de grands coups de poing sur la poitrine. Ce profond recueillement me ravit. Est-ce un ange, me disais-je, envoyé sur la terre pour faire aimer la religion et la vertu? Mes yeux ne la quittaient plus, et j'eus le bonheur de rencontrer quelquefois les siens. La messe finie, elle se leva et déploya une taille de déesse. Ce n'était plus un ange, c'était Vénus ou Junon. Elle sortit accompagnée d'un homme d'un certain âge. Je la suivis. Quand elle fut près du bénitier, elle prit de l'eau bénite, fit le signe de la croix, en me jetant un dernier regard, comme pour me faire ses adieux, car sans doute elle avait lu dans mes yeux l'impression que me fesait sa beauté. Je marchai sur ses pas d'un peu loin, et je la vis entrer dans l'auberge de Notre-Dame. J'allai aussitôt demander à l'aubergiste quels étaient ces étrangers. Des Espagnols, me dit-il, qui reviennent de Montpellier, et retournent dans leur patrie. La fille s'appelle dona Séraphina, et le père, don Pacheco y Nunes y Garcie de Lasso. C'est un homme de qualité: ils partent demain. Si vous êtes curieux de les voir, vous n'avez qu'à venir dîner avec eux: ils mangent à table d'hôte. — Oui, je reviendrai; mettez un couvert pour moi. Je fus exact. Je ne sais quel pressentiment m'entraînait. Nous n'étions que quatre à table, le père, la fille, un Anglais et moi. La belle Séraphine sourit à mon aspect. Elle reconnaissait celui qui l'avait beaucoup regardée à l'église.

Je me plaçai vis-à-vis d'elle; mais elle n'entendait pas le français, du moins fort peu; son père possédait assez cet idiome pour soutenir une conversation; et l'Anglais, qui venait de Cadix, s'était formé un jargon mêlé de français, d'espagnol et d'anglais. Il s'occupa très-peu de Séraphine, encore moins de son père, parla de son pays, se plaignit du vin de l'auberge, des chemins, et des exécrables *posada* (auberge) de l'Espagne, où il n'avait trouvé de bon, de raisonnable, que les chevaux, les mules et le vin. Vous aviez sans doute, en voyageant, le spleen, lui dit don Pacheco? — God dem, ce pays est bien fait pour le donner. Ne me parlez pas de l'Espagne: je l'ai traversée de Cadix ici; je n'ai vu que des moines, des reliques et des haillons. — *Valga me dios*, s'écria don Pacheco enflammé de colère, que voit-on à Londres? des marchands, des Juifs, des corsaires, des filles publiques, des hérétiques et des ivrognes: sachez, monsieur God dem, que je suis Espagnol. — Tant mieux pour vous; je vous croyais Italien. Êtes-vous négociant, bachelier de Salamanque, homme de loi? — Non, dit-il fièrement, je suis don Pacheco y Nunes y Garcie de Lasso, conde de Montijo, cavallero della orden de San-Jago (chevalier de l'ordre de Saint-Jacques), et gentilhomme de la chambre du roi mon maître, où j'entre quand je veux.[14] — Et moi, senor don Pacheco, conde de Montijo, je suis Charles Smith, capitaine de frégate, et très-humble serviteur du roi George, qui n'est pas mon maître, et je n'entre jamais dans sa chambre, parce que je n'y ai rien à faire. Eh, messieurs, leur dis-je, il y a de braves gens partout. Pour la bravoure, répliqua l'Espagnol, ma nation ne le cède à aucune autre, et je vous le prouverai, monsieur Charles Smith, l'épée à la main, à présent si vous voulez. Dînons d'abord, répartit l'Anglais, nous nous battrons après tant qu'il vous plaira. Messieurs, dis-je à mon tour, laissons pour un moment ces débats qui effraient mademoiselle; dînons gaîment: le vin de l'auberge est mauvais, permettez-moi de vous offrir quelques bouteilles de vin de Grenache que j'ai chez moi. Volontiers, répond l'Anglais; il est bon de se battre pour l'honneur, et bien meilleur de boire pour le plaisir. J'envoyai chercher aussitôt quatre bouteilles de ce vin et des liqueurs. Pour changer la conversation, je demandai à don Pacheco s'il était allé à Montpellier pour cause de santé. — Oui, monsieur l'officier. Vous y possédez le plus grand médecin de l'Europe, M. Fize. Oh, l'habile homme! J'étais malade à Cordoue, je dépérissais comme un poisson hors de l'eau, l'appétit m'avait quitté, je ne mangeais plus, on m'accablait de remèdes, qui achevaient de me tuer. Enfin on me conseilla le voyage à Montpellier; je profitai de l'avis; je m'adressai, en arrivant, au docteur Fize, qui me dit que ma maladie s'appelait *inappétence*. Soit, lui dis-je; peu m'importe le nom, pourvu que vous me guérissiez, car je m'ennuie de vivre de l'air. — Tranquillisez-vous; nous essayerons de ranimer vos sucs gastriques. Il m'ordonne aussitôt des tisanes, des bols, le diable; mais l'appétit ne revenait pas. Le docteur voyant l'inefficacité de ses remèdes, me demanda à dîner pour huit personnes. J'y consentis; je commandai un bon repas pour le jour suivant. Le docteur arriva tout seul. Où sont les convives, lui dis-je? — Ils m'ont manqué de parole; nous nous en passerons. Faites servir; j'ai de l'appétit pour huit. Il disait vrai; car cet Esculape, avec le génie d'Hippocrate, a l'estomac d'une autruche. Nous nous mettons à table, lui, ma fille et moi; il attaque tous les plats du premier service: tout disparaissait sur son assiette. Triste et dolent, je le regardais avec des yeux d'envie; et lui m'observait du coin de l'œil. — Eh quoi! me disait-il, rien ne vous tente? — Non; mon estomac est sans vie. — Tant pis. Au rôti, l'on sert un levraut d'une odeur irritante: le docteur s'en empare; il commençait à le disséquer, lorsque, par un mouvement rapide, je me jette sur le levraut, l'enlève, en m'écriant: «Non, vous ne le mangerez pas tout seul!» En même temps, je le porte à ma bouche; je le déchire avec les dents, et j'en dévore les deux rables. Le docteur, enchanté, riait de tout son cœur: Courage! me criait-il; nous y voilà. Vous êtes sauvé, et l'inappétence est finie. Il m'avoua alors qu'il ne m'avait demandé ce repas que pour tâcher de réveiller mon appétit par la vue du sien, l'odeur active des mets, et pour deviner les caprices de mon estomac. Voilà ce qu'on appelle un trait de génie! Ah! le grand homme! Depuis, mes sucs gastriques, comme dit le docteur, ont repris leur activité. Pendant ce récit, mes yeux cherchaient souvent la belle Séraphine, qui alternativement baissait et relevait les siens. Enfin, le grenache arriva, et sa vue dérida le front de Charles Smith, qui mangeait sans rien dire. Je lui en versai un plein verre; il l'avala d'un trait, en s'écriant: *Veri Good*! que les Dieux sont heureux, s'ils ont toujours d'un pareil vin dans leur cave! Don Pacheco but d'abord très-modérément; mais, pour l'exciter, je lui proposai la santé du roi don Carlos, ensuite celle de l'auguste princesse sa femme, puis celle du prince des Asturies; après quoi, celle de toute la nation espagnole; ensuite, la santé de celle qu'il aimait. Charles Smith, qui trouvait le vin bon, et dont la tête s'échauffait, choquait le verre avec nous, tostait aux mêmes santés. Je proposai ensuite de boire au roi George, à la brave nation anglaise; ce qui fut accepté avec joie. Charles Smith, à son tour, voulut boire au vaillant peuple français. Et moi, leur dis-je, je bois à mes aimables convives; ce que je prononçai en regardant la belle Séraphine, qui me remercia d'un doux sourire. Ces tostes et le vin ramenèrent la gaîté; et, à sa suite, la confiance et l'amitié. C'était un chef-d'œuvre de politique d'avoir ainsi établi la concorde entre les deux nations. La querelle de commencement du repas fut totalement oubliée: le vin avait la vertu des eaux du Léthé. Après le café, on vint avertir l'Anglais que les chevaux étaient mis. Il se leva, embrassa tendrement don Pacheco et moi, en nous appelant ses chers amis et ses chers camarades. Sans-doute, en arrivant à Londres, il aura voté, s'il est membre du parlement, la guerre contre la France et l'Espagne. Étrange effet de l'orgueil et du préjugé qui sème la haine parmi des hommes tous également faibles et malheureux!

Dès que Charles Smith fut parti, don Pacheco me dit qu'il allait faire la sieste, et qu'après il irait à la promenade avec sa fille. J'offris de les accompagner et de leur faire voir la ville; ce qu'il accepta avec plaisir. Je sortis déjà très-occupé de la belle Séraphine. Ah! quel dommage, disais-je, que cet astre, ne brille qu'un instant à mes yeux! Mais je ne suis pas heureux dans mes amours.

Quand je revins à l'auberge, don Pacheco était éveillé, et les fumées du vin étaient dissipées; il me demanda des nouvelles de l'Anglais, me dit qu'il voulait le voir l'épée à la main, pour lui apprendre à respecter sa nation. Je lui répondis qu'il était déjà bien loin, que d'ailleurs ils avaient choqué le verre ensemble, bu l'un et l'autre à la santé de leur nation, et qu'ils s'étaient embrassés en se séparant, qu'ainsi la paix était faite. — Par saint Jacques! je ne me souviens pas de l'avoir embrassé. Au reste, je ne crois pas qu'il soit gentilhomme, et je me serais compromis en me battant avec lui. Il me proposa une partie d'échecs; j'acceptai. Il était passionné pour ce jeu. Je m'aperçus bientôt de ma supériorité; mais je me gardai bien de l'en accabler, d'autant qu'il avait une haute opinion de son savoir. Je lui abandonnai toujours l'attaque; et, me tenant sur la défensive, je le laissai pénétrer dans mon camp et détruire mon armée. Ah! le fourbe! s'écrierait Jean-Jacques, s'il m'entendait. D'accord, monsieur Rousseau; mais vous auriez été tout aussi politique, tout aussi fourbe que moi, si vous aviez joué avec le père de Séraphine, et que vous l'eussiez aimée. Rien n'est si séduisant qu'une belle Espagnole; une Française est plus aimable, plus enjouée, mais elle n'a pas ces grands yeux noirs, expressifs, voluptueux; cette physionomie animée, piquante, où respirent en même temps l'amour, la volupté et la mélancolie. En France, l'autel de la coquetterie et de la vanité est à coté de celui de l'amour. Une amante française ne renonce jamais à sa parure, à ses plaisirs, à ses conquêtes. Une Espagnole n'a d'autre culte que l'amour, d'autre parure que sa tendresse, d'autre plaisir que celui d'aimer, et, pour ainsi dire, d'autre Dieu que son amant.

Tandis que Séraphine occupait toutes les facultés de mon ame, celle de son père était toute au jeu. L'espoir de la victoire l'excitait, l'enflammait; enfin il triompha, et s'écria avec transport: *Échec et mat!* Et en même temps je le vis tomber à genoux, faire le signe de la croix, et murmurer des paroles. Je le regardais avec étonnement: Eh! quoi, me disais-je, il remercie le ciel de son triomphe! Y a-t-il un Dieu des échecs, comme un Dieu des armées, auquel on rend des grâces solennelles après une victoire? J'appris bientôt la cause de cet acte de piété. Vous autres Français, me dit don Pacheco, vous êtes les troupes légères de la religion; tous ne priez jamais à l'*Angelus*. — Il est vrai; cette prière, ordonnée par notre roi Louis XI, est tombée en désuétude; mais les Français n'en sont pas moins attachés à leur culte. — *Possibile! possibile!* dit-il en secouant la tête. J'éternuai dans ce moment, et lui et sa fille s'écrièrent: *Kesus* (Jésus)! Ils m'apprirent qu'on prononçait, en Espagne, ce mot sacré à chaque éternuement d'un homme. Depuis je l'ai employé bien souvent, et l'ai entendu répéter en chœur par vingt personnes.

Le soleil descendait à l'horizon; une belle soirée nous invitait à la promenade. Don Pacheco prit son épée, la baisa, et fit le signe de la croix, cérémonie qui me parut bizarre, et à laquelle je me suis accoutumé dans mon voyage. Nous commençâmes nos courses par la citadelle. Je donnais le bras à Séraphine; je ne pouvais lui parler que des yeux, langage quelle paraissait entendre. Je fis voir à don Pacheco les souterrains, la citerne, et un puits très-profond. Lorsque nous fûmes sur le donjon, je lui racontai qu'un jour Charles-Quint, en y fesant sa ronde, avait trouvé la sentinelle endormie. Qu'auriez-vous fait, senor, à sa place? — Je crois que je l'aurais tuée. — Eh bien, cet empereur la jeta dans le fossé et se mit en faction, y resta jusqu'à l'heure où l'on relevait les sentinelles. — Je n'en suis pas surpris; c'était un grand homme, et le plus grand roi de l'Europe; lorsque le soleil se levait dans une partie de ses États, il se couchait dans l'autre. Il avait plus de quarante titres, et il ne les oubliait pas. Les anciens rois de Perse, lui dis-je, outre le titre de roi des rois, prenaient celui de frère du soleil et de la lune, et d'habitants des astres. On prétend que Charles-Quint ayant écrit à notre roi, François Ier, une lettre où tous ses titres étaient étalés, François, dans sa réponse, ne prit que celui de roi de France, seigneur de Vanne et de Gonesse.[15] Don Pacheco sourit à ce propos, mais d'un rire sardonique. Il me demanda si la ville de Perpignan avait été bâtie par les Espagnols. — Non; c'est un comte de Roussillon qui la fonda en 1068, et qui la nomma *Perpignan*, du nom de *Bernard Perpignan*, qui vendit les deux maisons sur l'emplacement desquelles la ville fut bâtie. Au sortir de la citadelle, nous allâmes nous promener dans la campagne. J'avais toujours la belle Séraphine sous mon bras, et sa main qui touchait mon cœur, le fesait palpiter; cependant il fallait soutenir la conversation avec son père. Il me demanda mon grade dans le service. — Capitaine. — Si jeune! *bravo*; avez-vous fait quelque campagne? — Oui; toute la guerre de sept ans. — *Guapo, valiente* (courageux, vaillant); et avez-vous été blessé? — Deux fois: une au visage et l'autre à la cuisse. — C'est superbe, je vous en félicite; vous êtes un valeureux chevalier; j'aime les braves gens: et moi aussi j'ai fait deux campagnes en Italie, sous l'Infant don Philippe; je fus pareillement blessé dans une affaire des plus brillantes. Quatre mille cinq cents Espagnols, sous les ordres du duc de la Vieuville, nous escaladâmes et prîmes Plaisance en plein jour: je ne l'oublierai jamais, c'était le 9 septembre 1746. Je fus blessé dans cette affaire; on m'envoya à Milan, où les beaux yeux d'une comtesse firent à mon cœur une blessure plus difficile à guérir. Nous parlâmes ensuite d'une maîtresse que Louis XV avait renvoyée; il me demanda ce qu'elle allait devenir. — Ce qu'elle voudra; elle ira faire l'amour à Paris ou dans ses terres. — *Valgame dios*,[16] s'écria-t-il, un roi d'Espagne ne le souffrirait pas; la maîtresse qu'il congédie doit se retirer dans un couvent;[17] de même lorsqu'il a monté un cheval, personne ne le peut monter après lui. L'étiquette de notre cour est plus grave, plus respectueuse que celle de la cour de France. Nous servons notre roi à genoux; si la reine fesait une chute, ou si son carrosse versait, le roi seul ou les femmes pourraient la secourir. Notre dernière reine, Marie-Louise d'Orléans, tombée de cheval et ayant son pied engagé dans l'étrier, était traînée; personne n'allait à son secours. Enfin deux gentilshommes de sa suite s'enhardirent, arrêtèrent le cheval, dégagèrent le pied de sa majesté, et coururent aussitôt chez eux pour faire leur paquet et quitter l'Espagne; mais la reine obtint leur grâce. — Cette étiquette me paraît plus fière, plus dure que raisonnable. — Je vais vous raconter une anecdote encore plus étonnante. Asseyons-nous sur ce banc de pierre qui fait face à la rivière (le Tel), la lune se lève et y réfléchit ses rayons; j'ai toujours beaucoup aimé cet astre, surtout quand j'étais amoureux; c'est la planète des amants.

Philippe III fesait ses dépêches dans son cabinet; comme le temps était froid, on avait mis un grand brasier à côté de lui. La réverbération, la chaleur de ce feu échauffaient tellement le visage du roi, que la sueur en découlait à grosses gouttes. Il était si bon, si débonnaire, qu'il ne se plaignait pas. Le marquis de Pobar s'aperçut de sa situation, mais il n'osait toucher au brasier de peur d'excéder le pouvoir de sa charge. Il avertit le duc d'Albe, qui répondit qu'il n'en avait pas le droit, et qu'il fallait le faire dire au duc d'Useda. Ce seigneur malheureusement était allé à un *sitio* (maison de campagne) qu'il fesait bâtir auprès de Madrid. Alors le marquis de Pobar proposa de nouveau au duc d'Albe l'enlèvement du brasier. Le duc, toujours inflexible, préféra d'envoyer chercher le duc d'Useda. Il accourut, mais le roi était presque consumé; il eut une fièvre violente et un érysipèle dont l'inflammation dégénéra en pourpre, et la mort s'ensuivit. — Si j'avais été le successeur de Philippe III, lui dis-je, j'aurais chassé de mon palais ces trois fanatiques de l'étiquette. — Je conviens qu'ils l'observèrent avec trop de sévérité; mais à cette époque elle régnait à la cour avec un sceptre de fer; son pouvoir s'étendait jusque sur leurs majestés. La reine était obligée de se coucher à neuf heures en hiver, à dix en été. Lorsque le roi allait la trouver pendant la nuit, il devait avoir ses souliers en pantoufles, un manteau noir sur les épaules, une bouteille de cuir passée dans le bras gauche, pour servir de vase de nuit, une lanterne sourde d'une main et son épée de l'autre. — Ce n'est pas dans cet équipage que François Ier et Henri IV allaient en bonne fortune. — Mais la nuit s'avance, dit don Pacheco en se levant, nous devons partir au point du jour, il est temps de nous retirer. Hélas! nous regagnâmes la ville; je marchais tristement sans mot dire, accablé de l'idée d'être séparé à jamais de la plus belle personne des deux royaumes, pour qui je me sentais déjà la plus vive inclination et qui paraissait trouver du plaisir à me voir. Arrivés à la porte de l'auberge, don Pacheco m'embrassa en me disant: M. le capitaine, je vous estime autant que le plus brave gentilhomme espagnol; si je puis vous être de quelqu'utilité, si vous venez jamais en Espagne, souvenez-vous de don Pacheco *y Nunes, y Garcie de Lasso, conde de Montijo*, domicilié à Cordoue. Je le remerciai et lui offris aussi mes bons offices en France. En quittant Séraphine, je pris sa main, je la serrai un peu, puis un peu plus, et je sentis que la sienne me répondait par une pression légère, ce qu'elle fesait en me disant, *senor capitano, viva usted mill' anos*.[18] Je me retirai la tristesse dans l'ame, en répétant, c'en est fait, je ne la verrai plus!

Je ne voulus point souper avec mes camarades: entraîné par la mélancolie et invité par les rayons de la lune, j'allai rêver à cette brillante Séraphine. Non, me disais-je, la Grèce n'a jamais rien produit de si beau; les vieillards qui furent ravis de la beauté d'Hélène, tomberaient à ses pieds. Appelle n'aurait besoin que de ce modèle pour peindre sa Vénus: déjà je l'aimais; déjà ses beaux yeux m'assuraient d'un tendre retour, et je la perds; oui, le bonheur n'est pas fait pour moi, c'est une ombre que je poursuis. Ainsi je promenais mes tristes pensées, les confiant à la lune, dont le jour faible et douteux nourrissait ma mélancolie. Rentré chez moi, je crus que le sommeil calmerait les agitations de mon ame, mais il me refusa ses pavots. J'avais beau vouloir oublier cette belle Séraphine, hélas!

Une si douce fantaisie

Toujours revient;

En songeant qu'il faut qu'on l'oublie,

On s'en souvient.

A mon lever, un peu plus tranquille, j'allai visiter ma compagnie, faire ma cour à mes supérieurs, et de là, à onze heures, à la parade. J'étais au milieu de mes camarades, qui me plaisantaient sur ma belle nymphe des bords du Tage ou de l'Èbre, que j'avais si galamment promenée la veille, lorsqu'à deux pas de distance, j'aperçus un homme en cape, coiffé d'une montère, qui me fesait de grandes salutations. Sa figure grotesque provoquait le rire de tous ces jeunes officiers; mais lui, imperturbable, s'approcha de moi avec gravité, et me dit tout bas: *Senor capitano, venid à la venta*.[19] Je n'entendais point son langage; mais, après avoir bien considéré cet original, je compris par ses gestes qu'il m'invitait à le suivre. Je lui fis signe, à mon tour, d'attendre la fin de la parade.

Dès que la garde fut montée, je marchai sur ses pas, ne sachant qu'imaginer d'un pareil message. Il me conduisit à l'auberge de Notre-Dame. Quelle fut ma surprise et l'excès de ma joie, lorsque l'aubergiste m'apprit que don Pacheco n'était point parti, et que c'était lui qui m'avait envoyé chercher. Je montai précipitamment à sa chambre. Je le trouvai étendu sur une chaise longue; dès qu'il m'aperçut, il s'écria d'une voix lamentable: *Senor capitano*, je souffre comme un *demonio*, j'ai la goutte; c'est le vin, la liqueur, c'est le diable qui l'a réveillée. Je le plaignis, je l'exhortai à la patience. *Per Christo*, s'écria-t-il, j'en ai beaucoup; *diavolo que dolor*! *Jesus piedad*! Dans ce moment entra Séraphine, que je cherchais des yeux.

Un simple réseau vert, nommé *residilla*, enveloppait ses beaux cheveux noirs. La négligence de sa parure semblait ajouter à ses charmes; sans la couleur de ses cheveux, j'aurais cru voir Vénus sortant du bain... A son aspect, j'oubliai bien vite les souffrances du père; je sentais que je n'étais pas fâché que la goutte eût retardé son départ. Je blâmai ce mouvement de joie; mais tel est le cœur humain; l'égoïsme le domine: il se préfère à tout. Cependant ce tort involontaire me rendit plus empressé, plus généreux. Comme l'excès de la douleur donnait la fièvre à don Pacheco, je courus chercher le chirurgien-major du régiment. Je l'amenai tout de suite. Il ordonna une tisane. Don Pacheco lui demanda d'où provenait la goutte. Ma foi, répondit-il, nous n'en savons rien; on dit que c'est la fille du plaisir. — Dites, monsieur le major, la fille des enfers: encore si j'étais à Cordoue, chez moi! non, dans une maudite auberge! Je lui offris mon logement, plus commode, plus agréable, d'où l'on découvrait la campagne; j'ajoutai qu'il y avait un grand cabinet pour sa fille, qui donnait dans la chambre; et, sur le même palier, un logement pour Antonio, son valet. Don Pacheco refusait avec de grands remercîments; mais je fis signe au docteur de m'appuyer, ce qu'il fit avec tant d'éloquence, que ses conseils et mes prières fléchirent la résistance du comte de Montijo. Mais, capitaine, me dit-il, où logerez-vous? — Chez un de mes camarades... Lorsque j'eus son consentement, j'allai chercher quatre grenadiers, qui l'emportèrent sur un brancard, et je suivis avec Séraphine, Antonio, et le bagage.

Si j'avais pu prévoir cet événement, j'aurais passé une meilleure nuit. Don Pacheco trouva mon logement fort joli, et la jeune Séraphine fut enchantée de son cabinet, qui était orné de vases de fleurs, et d'une volière remplie de serins, et d'où elle jouissait de la perspective riante des champs et de la verdure.

L'attaque de goutte de don Pacheco fut vive et de longue durée. Je passais auprès de lui tout le temps que me laissait mon service. La chambre d'un malade qui souffre et se plaint n'est pas l'asile du plaisir; mais je voyais Séraphine, et le bonheur auprès d'elle. Une chaumière et cette divinité, me disais-je, suffiraient à mes vœux. Il est vrai qu'avec le temps cette divinité devient une simple mortelle, et la chaumière une triste demeure; mais on ne fait pas ces réflexions dans le paroxisme de la passion. Cependant la douleur de la goutte se calma par degrés, et laissa des intervalles de repos. Alors nous reprîmes les échecs, et les fréquents triomphes de don Pacheco lui fesaient oublier quelquefois les nouvelles atteintes de son ennemie. Cependant de temps en temps il s'écriait: Diavolo! Jésus, Santiago, piedad! Il n'avait pas la philosophie de ce Grec[20] qui disait, déchiré par la goutte: O douleur! tu as beau faire, je n'avouerai jamais que tu es un mal!

L'après-dînée, lorsque don Pacheco s'assoupissait, j'apprenais à sa fille quelques mots français; je lui fesais dire: *J'aime, j'aimerai toujours*. A son tour, elle m'enseignait les mêmes termes en espagnol, que je lui répétais. *La quero* (je vous aime), *la quere siempre* (je vous aimerai toujours), *todo es amor cerca de usted* (tout est amour auprès de vous). Ce peu de mots suffisaient pour rendre nos entretiens délicieux. Les amants n'ont pas besoin d'une savante rhétorique pour converser entre eux; au milieu d'un grand cercle, ou devant des témoins importuns, leurs regards se parlent, et leurs ames s'entendent: cependant je trouvai quelquefois bien triste de ne pouvoir communiquer à cette belle et tendre Séraphine la foule de mes pensées, et cette abondance de sentiments qui m'oppressaient.

Don Pacheco me demanda un bénitier et de l'eau bénite; je fus tenté de lui donner de l'eau de puits; mais je réfléchis que, même dans une bagatelle, une tromperie est un tort. Il récitait tous les jours son rosaire, et priait Dieu soir et matin.

Enfin les accès de goutte cessèrent entièrement; mais il ne pouvait appuyer à terre ses pieds enflés et ramollis. Alors, après quelques parties d'échecs, je lui lisais la *Vie des Saints*, ou les *Contes de La Fontaine*, qui l'amusaient beaucoup. Lorsque la lecture cessait, il me contait les exploits de ses ancêtres.

En 1340, me dit-il un jour, deux frères, don Gonzale et don Garcie Lasso, mes aïeux, servaient dans l'armée d'Alphonse, roi d'Espagne, qui combattait les Maures du Portugal. Ces deux frères passèrent, seuls, à la nage, le fleuve Salado qui séparait les deux armées, en présence de deux mille chevaux ennemis. Le reste de l'armée, enhardi par l'exemple de ces deux chevaliers, les suivit, traversa le fleuve. La bataille se donna; les Maures perdirent 250 mille hommes, et les Espagnols vingt-cinq seulement. J'admirai ce haut fait d'arme, auquel la critique trouvera quelque exagération.[21] Je lui citai à mon tour le chevalier Bayard, qui avait défendu le passage d'un pont contre deux cents ennemis, je n'osai pas dire, espagnols. Je lui parlai aussi de notre Henri IV, qui se battit, lui cinquième dans la ville d'Euse, contre deux cents soldats et une bourgeoisie armée, qu'il força à lui demander grâce.[22] A ce récit, piqué d'honneur, don Pacheco, pour soutenir la gloire de sa nation et de ses ancêtres, me dit: Un des aïeux de ma grand-mère, nommé don Garcie Perès de Vega, rencontra, lui second, sept Maures; son compagnon l'abandonna lâchement: don Garcie resté seul, brave ses ennemis. Il avait une telle réputation de vaillance, que les Maures n'osèrent l'attaquer. Ce vaillant chevalier, après les avoir attendus quelque temps, reprit le chemin du camp à petits pas; mais, s'apercevant qu'il avait laissé tomber l'agrafe de son casque, il revient, la ramasse, et s'en retourne avec la même tranquillité. De retour au camp, il ne voulut jamais nommer le chevalier qui l'avait traîtreusement délaissé. — Cette générosité est plus rare que la bravoure.

Don Pacheco aimait beaucoup à me parler de sa galanterie et de ses amours. Il avait donné 100 *pesos duros* (500 liv.) pour avoir du sang d'une femme qu'il aimait, au chirurgien qui devait la saigner. Un jour, me disait-il encore, un rival m'enleva ma maîtresse et la mena à Séville. A cette nouvelle, je fais une neuvaine aux ames du purgatoire pour le succès de ma vengeance;[23] je monte à cheval, cours à Séville; je cherche mon rival, je me bats avec lui, je lui donne deux coups d'épée, et je repars pour Cordoue, sans voir la perfide qui m'avait trahi.

Je m'enivrais insensiblement du filtre de l'amour. Ma première passion pour Adélaïde n'avait été que la chaleur de tête d'un jeune écolier; j'avais aimé éperdument Cécile, mais je n'étais payé que par l'amitié, et l'amour veut de l'amour. Aussi je croyais, en aimant Séraphine, brûler d'un feu nouveau, et goûter un bonheur jusqu'alors inconnu. Mais, me disais-je, à quoi me conduira cette passion? Comment aspirer à sa main, moi qui sais que les Espagnols regardent les enfants de Calvin comme les enfants du Diable, et Calvin comme l'Ante-Christ? Dirais-je, comme Henri IV disait de son royaume, Séraphine vaut bien une messe? Ces réflexions m'attristaient, me jetaient dans l'incertitude; mais la beauté de Séraphine, ses regards, dissipaient ces brouillards qui troublaient la sérénité du jour. Le philosophe Horace nous conseille de jouir du présent, d'abandonner notre destinée aux Dieux: *Permitte divis cœtera*. Je suivis ce conseil, et me laissai aller au courant du fleuve.

Je m'aperçus bientôt de la force des préjugés de mon hôte, qui, m'ayant demandé quels livres contenait ma bibliothèque, je nommai, Virgile, Horace, La Fontaine, Montaigne et Voltaire. *Valgame dios*! s'écria-t-il, Voltaire! un *pagano* (un païen), un *mahometano*, un *demonio*! Je lui répondis que je lisais ses belles tragédies, ses épîtres, où souvent les plus sages maximes, la morale la plus pure sont exprimées en vers harmonieux. Est-ce qu'en Espagne on ne permet pas cette lecture? — Non, par saint Jacques! le saint office la défend sous peine d'excommunication; non seulement de tout ce qu'il a écrit jusqu'à présent, mais de tout ce qu'il écrira encore. — D'après cela, je ne lui conseille pas de voyager dans votre pays. — Non; car il serait brûlé tout vif, dans un auto-da-fé, comme un juif, ou comme un renégat.

Séraphine n'était sortie, depuis quinze jours, que pour aller à la messe; son père me pria de profiter de cette belle soirée pour la mener à la promenade, et lui faire respirer l'air pur de la campagne. Escortés du fidèle Antonio, je la conduisis sur les bords de la rivière. Qu'il est doux d'être tête à tête avec ce que l'on aime, vers le soir d'un beau jour, au milieu d'une campagne que le printemps commence d'embellir, où l'on respire l'esprit des fleurs et des végétaux, où l'air, une douce chaleur semblent renouveler la vie! Séraphine était coiffée d'un réseau auquel étaient attachés des rubans et des paillettes; un voile noir tombait négligemment sur ses épaules, et cachait à demi cette charmante figure. *Quanto si mostra men, tanto è più bella*.[24] Mais rien ne voilait l'élégance, la souplesse de sa taille. Souvent j'entendais dire aux passants: Ah! la belle Espagnole! Je le lui répétais, et elle souriait. Mais être seuls, s'aimer, et ne pouvoir laisser échapper de son ame la plénitude des sentiments qui la suffoquent, c'est un tourment égal à celui de Tantale. Des regards étaient presque notre seul entretien. J'avais pourtant appris quelques mots que je lui répétais; *querida* (ma chère), *corazon* (mon cœur), *hermosa* (belle); à son tour elle m'appelait *mi cortejo* (mon amant). Je pris sa main, je la mis sur mon cœur; elle la retira bien vite, et la plaça sur mon front, pour me faire entendre que le cœur des Français était dans la tête. Dans ce moment nous entendîmes les cris perçants d'une femme, les aboiements d'un chien; nous avançâmes vers le lieu d'où partaient ces clameurs, et j'aperçus un grenadier du régiment, le sabre à la main, contre deux paysans armés de bâtons; une jeune fille auprès d'eux, qui criait et se désolait, et un gros chien aboyant, hurlant contre le grenadier. Je courus vers le champ de bataille, laissant Séraphine avec Antonio. A mon aspect, le grenadier voulut s'évader; mais je l'atteignis, le désarmai, et lui ordonnai de se rendre en prison. La jeune fille, encore tremblante, me remercia de tout son cœur. Heureusement personne n'était blessé; je demandai la cause de cette rixe, et de la brutalité du soldat. Il est venu, y répond la jeune fille, déjà sans doute échauffé de vin, et m'a dit en m'abordant: Je boirais volontiers à la santé d'une jolie fille comme vous. Nous ne refusons jamais, lui ai-je répondu, un verre de vin à un brave homme. Je lui ai apporté aussitôt une bouteille de vin, et lui ai dit: Monsieur le grenadier, buvez à la santé de mon père, qui vous régale de bon cœur. — Et où est-il, ce père? — Il travaille dans les vignes. — J'en suis bien aise, car je m'embarrasse fort peu des pères. Il y en avait un autrefois dans ma famille, qui m'a donné plus de coups de pied que de pièces de six liards; mais il est mort, et je n'ai trouvé dans sa cave que des bouteilles vides et un sabre: j'ai pris le sabre, et ai donné les bouteilles à ses créanciers. Allons, à votre santé, mon cher cœur: ce vin est fort bon; il est digne de vos beaux yeux. A chaque verre qu'il versait, il se levait, et, me nommant d'un nom bizarre, il me disait: Je bois à Cipris. — Monsieur le grenadier, je vous remercie; mais mon nom est Suzette, et non pas Cipris. — Suzette ou Cipris, n'importe, c'est la même chose; vous êtes la reine de mon cœur, plus fraîche qu'une rose, plus dangereuse qu'une bombe. Alors il est venu vers moi pour m'embrasser; je l'ai repoussé: il a voulu prendre ce baiser de force. Charlot, qui était dans la maison, et qui le guettait de l'œil, est accouru, s'est opposé à ses brutalités; alors le grenadier a tiré son sabre, Charlot a saisi un gros bâton; j'ai jeté les hauts cris; mon père, qui n'était pas éloigné, m'a entendue; il a couru de toutes ses forces, armé d'un échalas; et si le Ciel ne vous eût envoyé à notre secours, il serait arrivé un grand malheur.

Pendant ce récit, Séraphine, rouge, tout essoufflée, inquiète, arriva avec Antonio. Notre tranquillité la rassura. La jeune Suzette alla chercher de vieilles chaises de paille, nous fit asseoir devant la maison, située sur une hauteur. La soirée était superbe: à l'occident, le ciel étincelait des feux du soleil couchant; à l'opposite, la lune se levait majestueusement et sans nuage. Nous étions environnés de poulets, de poules, de canards, de deux chèvres et d'un gros chien qui avait sonné l'alarme pendant le combat. Le père de Suzette nous offrit une petite collation: nous refusâmes d'abord; mais Suzette nous pria avec tant de grâce et d'intérêt, que nous acceptâmes. Elle courut soudain, nous apporta du lait chaud, des fraises, et une bouteille de vin de Grenache.

La table où l'on servit ce champêtre repas,

Fut d'ais non façonnés à l'aide du compas.

Mais c'était l'agile Hébé, non la vieille Baucis, qui nous servait. Le père nous demanda la permission de retourner à sa vigne, en nous disant que sa fille ferait mieux que lui les honneurs de sa maison. C'était un vigneron aisé. Nous voulûmes engager le jeune Charlot à partager notre goûté; mais il n'osa jamais. Charlot est timide devant le monde, nous dit Suzette; mais c'est un lion quand il s'agit de me défendre. Je lui demandai si c'était son frère. — Non, c'est mon amoureux; nous devons nous marier après la moisson. Il a un an de plus que moi, qui aurai dix-sept ans dans huit jours. Depuis deux ans nous fesons l'amour. — Et sans doute vous aimez Charlot bien tendrement? — Oui, parce que je suis certaine qu'il m'aime de tout son cœur, et il y a du plaisir à être aimée. — Et pourquoi avez-vous tant différé voire mariage? — Oh! dame, il faut se connaître avant d'en venir là; c'est pour toujours que l'on se marie. Dans les villes on n'y regarde pas de si près; on se connaît toujours assez après le mariage. Oh! vraiment, vous autres vous vous mariez pour être riches, et nous pour nous aider et nous aimer. — Et pour être heureux, ajoutai-je. La naïveté de ce récit m'intéressait beaucoup; j'étais fâché que Séraphine ne le comprît pas; mais sa physionomie riante exprimait le plaisir que lui fesait cette scène champêtre. La sensible Suzette me demanda la grâce du grenadier. Il faut qu'il soit puni, lui dis-je; mais, à votre considération, au lieu de rester six mois dans un cachot, il n'y restera que six semaines.

J'oubliais auprès de Séraphine et de ces bonnes gens l'heure qui s'écoulait; mais le vigilant Antonio me tira plusieurs fois par la manche, en me disant: *Senor, la noche viene* (Monsieur, la nuit vient). Il fallut se rendre à cet avis. Nous fîmes nos adieux et nos remercîments à l'aimable Suzette; je lui souhaitai tout le bonheur qu'elle méritait. Et moi, dit-elle, je vous souhaite pour femme cette belle Espagnole: Séraphine l'embrassa. Je sollicitai la même faveur. Volontiers, dit-elle; les messieurs sont sans conséquence.

Nous retournâmes à grands pas à la ville. Je tenais la main de Séraphine dans la mienne, parfois je la pressais légèrement; Séraphine ne me répondait pas, mais elle ne retirait pas sa main. J'étais désolé de ne pouvoir épancher mon ame dans la sienne, et je pardonnais aux Romains leur ambition et leurs conquêtes, puisqu'ils avaient propagé leur idiome dans une grande partie du globe, et facilité le moyen de s'entendre et faire l'amour dans tous les climats.

Je trouvai don Pacheco qui, après avoir récité son rosaire, chantait une romance en s'accompagnant de la guitare; je l'en félicitai: preuve, lui dis-je, que la goutte déloge? — Oui, j'espère que dans huit jours je serai en état de partir. — Quoi! sitôt? Je vais prier le chirurgien-major de rappeler la goutte. *Diavolo*, non; j'ai fait une assez rude pénitence de mes vieux péchés. Quand je sortis, Séraphine m'accompagna jusqu'à la porte, et me dit tout bas: *Adios, corazon mio.* Ces douces paroles, prononcées d'une voix tendre et mélodieuse, firent le complément du bonheur de cette journée.

Pendant la nuit je pensai à l'aimable Suzette, à cette union de deux époux, qui, satisfaits d'un toit rustique, de quelques arpents de terre, bornent leurs désirs, leur ambition à s'aimer, à partager leurs travaux, à cultiver leur modeste héritage. Mais il y a des hivers, des orages, de mauvaises récoltes, des querelles domestiques, des maladies;

Point de pain quelquefois, et jamais de repos.

Les femmes, les enfants, les soldats, les impôts,

Le créancier, la corvée,

sont des fléaux qui désolent les habitants des campagnes; où donc est le bonheur? Rousseau a dit que l'homme le plus ennuyé d'un royaume était son roi. L'orgueil a dicté ce paradoxe; il y a des jouissances pour les rois comme pour les simples laboureurs: il est vrai que celles du laboureur tiennent plus à la nature.

Le chirurgien-major entra dans ma chambre à mon réveil, et me dit que don Pacheco l'avait prié de lui faire avoir du bon chocolat. J'en fais mon affaire, lui dis-je; mais il songe à son départ, ne pouvez-vous pas le retarder? — Je ne puis lui rendre la goutte; mais, si vous le désirez, je lui donnerai la fièvre? — Non, je ne suis pas assez barbare ni assez égoïste: je vais lui chercher du chocolat. Je courus aussitôt chez un négociant qui en fesait venir de Barcelone; il m'en céda douze livres, que je fis porter chez don Pacheco. Il voulut me le payer; mais je l'assurai que je l'avais reçu en présent, et qu'il n'était pas honnête de vendre ce que l'on nous avait donné. Il fut si sensible à ce procédé, à mes attentions pour lui, qu'il s'écria: J'accepte votre chocolat, à condition que vous viendrez boire du mien à Cordoue: voilà ma fille qui en sera bien aise. Séraphine rougit, jeta un regard charmant sur moi, et sembla me confirmer cet aveu. Don Pacheco ajouta: Les Espagnols ne sont point ingrats; vous êtes gentilhomme, capitaine d'infanterie; vous avez fait six campagnes, reçu deux blessures glorieuses; vous êtes jeune, sage, généreux, plein de probité; vous jouez aux échecs; votre fortune est médiocre, la mienne est assez considérable; venez me voir à Cordoue: je n'en dis pas davantage; mais si ce que je pense est écrit là haut, ma reconnaissance sera acquittée. Je le remerciai vivement, et lui promis qu'en septembre, à l'arrivée des semestres, je me ferais un vrai bonheur d'aller lui rendre mes devoirs. Ah! comme l'espérance soutient et réchauffe l'amour! A ce discours, je fus embrasé d'un nouveau feu. J'aimai cette belle Séraphine: je l'idolâtrai de ce moment. Je vis enfin que j'allais avoir une amante, une épouse, unique besoin de mon cœur.

La surveille de leur départ, Séraphine me fit demander par son père si mon confesseur entendait l'espagnol. Je lui dis que j'avais eu le malheur de le perdre depuis quelque temps, mais que je trouverais facilement dans la ville un religieux qui saurait cette langue. Je m'adressai, pour déterrer cet homme, à une vieille dévote, qui m'indiqua un capucin. J'allai soudain lui proposer cette confession; il accepta sans peine le doux plaisir d'entendre les péchés d'une jeune et charmante *senorita*. Séraphine me proposa de l'accompagner au tribunal de la pénitence; j'en fus étonné: mais depuis j'ai su qu'en Espagne les *cortejos* suivaient leurs maîtresses à la comédie et à l'église.

Nous partîmes à huit heures du matin, escortés du fidèle Antonio. Le couvent des capucins est au-delà du faubourg de la ville. La belle Séraphine avait un air de componction et de recueillement qui respirait la dévotion et l'amour; ce sont deux sœurs qui se tiennent par la main: cependant, en chemin, elle me jetait les regards les plus tendres, m'appelait *mi corazon, mi querido, mi amado*. En me quittant, pour entrer dans le confessionnal où l'attendait le moine à longue barbe, elle me serra tendrement la main. La séance fut longue; le capucin, sans doute, y prenait plaisir. Cependant je réfléchissais, et me disais: Comment cette jeune colombe peut-elle avoir offensé la divinité? Que peut-elle confier à ce vieux derviche? ses pensées, ses désirs naissants, ses tendres inquiétudes, quelques légères omissions? Quel confident pour une fille si jeune, si intéressante![25] Pour m'occuper, je lus dans ses *Heures*, qu'elle m'avait données à garder, le *miserere* de David. Qu'avec raison il pleurait ses péchés! Bayle l'a traité un peu durement, ce qui lui a valu bien des injures; mais Bayle parlait en sage. David était criminel; et les rois sont justiciables de leur conduite au tribunal de la postérité. Pendant cette confession, Antonio, à genoux, récitait son rosaire, fesait cent signes de croix; entendait deux ou trois messes, se prosternait, se frappait la poitrine, poussait des soupirs, et donnait la comédie à tous les assistants.

Enfin Séraphine sortit du confessionnal, le teint coloré, les yeux baissés, l'air humble et contrit; mais elle me sourit, et se mit à genoux auprès de moi, pour faire sa pénitence. A merveille! dis-je: son confesseur ne l'a pas brouillée avec l'amour! On croirait qu'une Espagnole lutte continuellement entre la crainte de Dieu et son ardeur pour le plaisir. La lutte n'est pas pénible; la nature triomphe toujours; et une messe, un rosaire, ou une prière à la *Madonne*, appaisent bientôt les reproches de la conscience.

La pénitence de Séraphine consistait à dire trois rosaires dans vingt-quatre heures, à jeûner quatre vendredis de suite, et à baiser, pendant huit jours, trois fois la terre, en fesant ses prières du soir, et à mettre un écu d'aumône dans le tronc de l'église. Cette pénitence me rappela celle qui fut imposée à Henri IV, pour avoir son absolution. Il fut condamné, par le pape Clément VIII, de turbulente mémoire, à réciter le chapelet tous les jours, les litanies le mercredi; le rosaire le samedi; à entendre tous les jours la messe; à se confesser et communier en public quatre fois l'an, et à faire bâtir un couvent dans chaque province. Je doute que ce grand homme, ce vieux guerrier, se soit soumis à une pénitence aussi puérile. Séraphine entendit la messe très-dévotement, récita son rosaire; après quoi, il ne fut plus question de cet acte de piété, et notre amour alla son train, et n'en fut que plus animé.

Je pressentis que don Pacheco pouvait avoir besoin d'argent; je lui en offris. Je l'accepte, dit-il, quoique je pense en avoir suffisamment; mais, en voyage, on se trompe souvent dans ses calculs, car on ne compte pas souvent sans son hôte, mais très-souvent avec son hôte. Cependant je n'emprunte qu'à condition que vous viendrez chercher votre argent dans la superbe ville de Cordoue. Je promis de nouveau d'aller lui faire cette visite.

Hélas! le jour du départ arriva. Debout avec l'aurore, je courus chez mes aimables hôtes. La voiture était déjà à la porte. Pendant que don Pacheco s'occupait de ses paquets, dona Séraphina, les yeux en larmes, me dit d'une voix touchante: *A Dio, querido esposo*; et moitié français et espagnol: Je vous aimerai *siempre* (toujours), *si caro* chevalier! *siempre*. En me parlant ainsi, elle me glissa dans la main un petite boîte en écaille qui contenait une relique: elle me fit entendre qu'elle me porterait bonheur, et me garantirait de tout danger. Oui, lui dis-je, un gage de l'amour est un talisman sacré qui doit écarter les soucis et les dangers. Son père, en me serrant dans ses bras, me dit: Je vous aime comme mon enfant; mais, si vous me manquez de parole, je reviens à Perpignan pour vous rendre votre argent, et me battre avec vous. — Si vous veniez, je mettrais mon épée à vos pieds; mais Cordoue est aujourd'hui la ville où tendent tous mes vœux. Je lui demandai la permission d'agir à la française, et d'embrasser sa fille: ce qui me fut accordé. Ce doux baiser est resté long-temps imprimé dans ma mémoire, ou plutôt dans mon cœur. Ce qui me le rendit encore plus précieux, c'est que ma bouche recueillit une des larmes que versaient ses beaux yeux. Ce fut le dernier moment de ma félicité; mes regards suivirent long-temps la voiture qui enlevait Séraphine; et, triste, accablé, je lui disais, du cœur: Adieu, belle Séraphine, idole de mon ame, doux charme de ma vie; adieu, pour six mois.

Son absence sembla couvrir la terre d'un crêpe lugubre; la campagne n'avait plus d'attraits; le printemps, plus de beaux jours: mon ame semblait retomber dans le néant, et ne tenir à l'existence par aucun lien. Ah! quels honneurs, quelles richesses, quels plaisirs peuvent remplacer le doux sentiment de l'amour, ses tendres anxiétés, et les heures délicieuses dont il nous fait jouir?

Je fus, pendant huit jours, triste, solitaire, rêveur; mais enfin l'espérance éclairant l'avenir de la magie de ses couleurs, le rêve du bonheur calma les peines présentes.

Avant de poursuivre ma narration, je dois achever ici de développer le caractère de don Pacheco, et de son aimable fille.

Don Pacheco y Nunes y Garcie Lasso, comte de Montijo, était dans son automne, doué d'un tempérament sec; il jouissait d'une santé robuste; sa taille était médiocre, et son teint olivâtre: c'est la couleur des Andalous. Au premier coup d'œil sa figure repoussait; au second, on s'accoutumait à sa laideur; et, au troisième, on était séduit par l'esprit et la vivacité de sa physionomie. Le sang de l'illustre famille des Lasso, qui circulait dans ses veines, enflait son orgueil; mais il était adouci par la générosité et la bonté de son cœur. Il prouvait sa descendance par un arbre généalogique, de papier vélin, qui le suivait partout. Il descendait, par sa mère, de François de Borgia, duc de Candie, vice-roi de Catalogne, et puis jésuite, ensuite leur général, et, après sa mort, couronné de l'auréole des saints. Dans une famille espagnole, un saint est un beau titre de gloire; mais je doute que le fier don Pacheco eût avoué saint Borgia pour l'un de ses aïeux, s'il n'avait été un saint de bonne compagnie; certainement, malgré sa haute vénération pour les élus de Rome, il n'aurait pas voulu être le cousin de saint François d'Assise, né dans une étable, et fils d'un petit marchand.[26] Il répétait souvent que sa famille était de *los christianos viejos*.[27] Mais une chose manquait à sa gloire; il n'était pas de ces premières familles qui se tutoient entr'elles, ne se donnent aucun titre, mais en reçoivent de leurs inférieurs, et les leur rendent quand ils en ont.[28] Don Pacheco avait aspiré long-temps à l'honneur du tutoiement, et n'avait pu l'obtenir: ce refus troublait le bonheur de sa vie. Citons ces vers de Métastase:

« Voi cola giu ridete

» D'un fanciullin che piange.

» Che la cagion vedete

» Del folle suo dolor.

» Quassu di voi si ride

» Che dell' eta sull' fine

» Tutti canuti il crine

» Siette fanciullin encor.[29]

Don Pacheco, en qualité de gentilhomme, avait passé sa vie dans les églises, dans les intrigues d'amour, et dans l'oisiveté. Il lisait peu; mais écoutait et réfléchissait beaucoup. Sa mémoire était fidèle; il avait dans la tête tout Don Quichotte, les généalogies des grandes maisons d'Espagne, une connaissance assez étendue de la Bible, et des miracles et de la vie des saints. Il n'attachait de gloire qu'aux exploits militaires; aussi il citait souvent ses campagnes d'Italie. Il avait la fierté d'un Castillan du seizième siècle, lorsque sa nation était la première de l'Europe. Un jour, il répondit à son confesseur, qui le menaçait de l'enfer, que Dieu y penserait à deux fois avant de damner un homme comme lui. Quand il voulait louer le courage d'un Français, il disait: *Valiente* comme un Espagnol. Cet orgueil national était la source de plus d'une vertu. Il était généreux, brave, discret, fidèle à sa parole; et, quoique prévenu pour son rang et sa naissance, il méprisait les flatteurs. La bassesse, disait-il, donne l'encens, la sottise le respire. Il avait un goût très-vif pour le jeu; un jour, après une perte considérable, il donna sa parole à la sainte Vierge d'y renoncer pendant une année; et il la tint très-exactement. Sa physionomie était grave; mais cette gravité n'était pas chez lui un mystère du corps pour cacher les défauts de l'esprit, comme dit Larochefoucault; c'était en lui l'amour de la décence, le sentiment de sa dignité.[30] Cette gravité nationale donnait souvent à ses phrases de l'expression et de l'énergie. Je lui demandai un jour s'il avait été souvent amoureux: *Siempre* (toujours); s'il avait été jaloux: De ma femme, jamais; de mes maîtresses, souvent. Malgré ce caractère de gravité et de fierté, il avait de l'enjouement dans la conversation; il aimait les bons mots et les plaisanteries, surtout à table. Il était également assidu aux farces, aux comédies, aux sermons et aux cérémonies de l'église. Enthousiaste de la religion, il aurait, comme Polieucte, renversé les idoles, et, comme Ignace de Loyola, mis l'épée à la main pour soutenir la virginité de la Madonne. S'il rencontrait le viatique, il se précipitait aussitôt à genoux, même dans la boue, et le suivait ensuite jusqu'à ce qu'il fut rentré dans l'église. Il regardait comme un grand péché l'inobservance des jeûnes et des jours maigres; cependant, le samedi, il mangeait les ailerons, le foie, les pieds et les abattis d'une volaille. Un jour, je lui en marquai mon étonnement. Une bulle du pape, me dit-il, nous permet ces aliments, en donnant huit sous à l'église.[31] Il se confessait tous les mois, fesait le signe de la croix sur la bouche avec son pouce, à chaque fois qu'il bâillait. Il était plastronné d'un large scapulaire, et il prétendait que la Vierge avait fait deux beaux présents à l'humanité, le rosaire et le scapulaire. Il portait des reliques; et, par une inconséquence qui n'étonne plus quand on connaît la nation espagnole, à côté des reliques, il avait des cheveux de ses maîtresses. Né glorieux et vindicatif, à la plus légère insulte il mettait l'épée à la main. Dans une maladie grave, son confesseur l'exhortait à pardonner, sous peine de damnation, à un homme qui l'avait offensé. Par saint Jacques, s'écria-t-il, puisque Dieu se venge, pourquoi la vengeance serait-elle défendue à un gentilhomme? Son confesseur aurait dû lui répondre:

Et le vrai Dieu, mon fils, est le Dieu qui pardonne.

Il était très-attaché à son roi et à sa patrie. De toutes les nations, après la sienne, il n'estimait que les Français, à cause que son prince était français, et de la maison de Bourbon. Il improuvait beaucoup le roman de don Quichotte, quoique le caractère et les bons mots de Sancho lui fissent grand plaisir. Il prétendait que Cervantes, en jetant un ridicule indélébile sur la générosité et la vaillance des chevaliers, avait affaibli le courage de la nation. Il n'aimait pas le séjour de la campagne; il n'y voyait que des mouches et des moutons. Il citait souvent ce proverbe: *Donde esta Madrid, calle el mondo.*[32] Il avait, dans sa maison, une chapelle, où était une petite statue de la Vierge, qu'il appelait sa dame, sa souveraine. Tous les samedis, il la parait, la couvrait de fleurs, allumait quatre bougies; et, le jour de la fête de Marie, il doublait les bougies et les fleurs. Cette *Madonne* était sa déesse pénate. Les Romains avaient leur génie et leur petite Junon.

Ipse Deus absit genius visurus honores

Cui decorent sanctas florea serta comas.[33]

Mais, par une dévotion bizarre, sa Vierge était le portrait de l'une de ses maîtresses.[34] On assure que Raphaël nous a transmis le portrait de la sienne dans sa *Madonna della sedia*.[35] Il donnait beaucoup aux pauvres, fesait dire quantité de messes pour l'ame de ses aïeux, nourrissait dans sa maison tous les vieux domestiques de son père et de sa femme, morte depuis trois ans. Un Anglais ou un Parisien aurait regardé sa sobriété comme un régime monacal et rigoureux; mais la sobriété est une vertu indigène de l'Espagne, et le soutien de leur constitution. Une jolie femme était pour don Pacheco un être céleste. Il voyait, comme jadis les Gaulois, dans ce sexe, une émanation de la divinité. En effet, l'objet dont nous sommes épris a pour nous quelque chose de divin. Il croyait, d'une foi robuste, à l'infaillibilité du pape, aux sorciers, à la vertu des reliques, aux miracles de saint Vincent Ferrier, de la Vierge, et de saint Jacques; et il ne pouvait se persuader que l'on pût mesurer le diamètre des planètes, et leur distance du soleil. Il avait pour les Juifs une haine implacable. Je lui disais souvent que J. C. était de race juive, ce qui l'embarrassait un peu. Il jouait fort bien de la guitare, instrument apporté en Espagne par les Maures; il savait quantité de romances, qui roulaient sur les miracles de la Vierge, ou sur des aventures galantes et chevaleresques. Il avait un usage dégoûtant: il portait son tabac, sans boîte, dans le gousset de sa culotte. Le grand Frédéric de Prusse n'avait d'autre tabatière que la poche de sa veste. Don Pacheco regardait le vendredi comme un jour sinistre: un vendredi, il avait été blessé à l'armée; un vendredi, sa femme était morte; on lui avait enlevé sa maîtresse un vendredi; et c'était à pareil jour qu'il avait eu son attaque de goutte à Perpignan; un vendredi, il avait refusé un premier rendez-vous d'une femme qu'il aimait passionnément. Je lui disais cependant que Sixte-Quint regardait ce jour-là comme très-heureux, parce qu'un vendredi avait été celui de sa naissance, de sa promotion au cardinalat et à la papauté, et de son couronnement. Tel était don Pacheco, dont je me suis plu à crayonner le portrait, parce que je l'ai trouvé, dans son moral et dans son physique, le vrai modèle des nouveaux Ibères: assemblage d'esprit, de crédulité, de défauts, de vertus, de grandeur d'ame, de superstition et de galanterie; enfin, un composé d'éléments si discordants, que l'on ne pourrait trouver sa copie dans aucune autre nation.

Je ne dois pas oublier le portrait de celle qui m'enivrait d'amour. Si je voulais peindre la volupté, je lui donnerais de grands yeux noirs pleins de feu, et de longs cils qui en adouciraient l'éclat; une physionomie expressive, animée; de beaux cheveux noirs, flottant sans ordre autour de ses épaules, ou renfermés dans un réseau; sa taille serait élevée, svelte, flexible; elle aurait la légèreté d'une biche, un pied charmant, une voix tendre et mélodieuse. Tel serait le portrait que j'aurais imaginé, ou telle plutôt était Séraphine. Pour une femme douée du don céleste de la beauté, chaque jour est un jour de triomphe: partout où Séraphine paraissait, les regards, l'admiration, les applaudissements la suivaient. Elle avait peu d'embonpoint, la poitrine peu élevée, défaut ordinaire aux Espagnoles, qui peut naître de l'indifférence que les Espagnols ont pour les charmes d'un beau sein. Séraphine aimait beaucoup la danse, passion des ames voluptueuses, et la parure, passion de la vanité et de la coquetterie, sa fille. Elle chargeait ses doigts de bagues.[36] Quant aux qualités de son esprit, elle en avait, comme disent les Anglais, des parties: de la finesse, de la pénétration, des pensées plus brillantes que justes, fruits d'une imagination active, mais peu cultivée. L'éducation des femmes est, en Espagne, encore plus négligée que celle des hommes; la nature leur prodigue ses bienfaits, mais rarement l'art seconde la nature. Les jeunes personnes du sexe bornent leur lecture à la Vie des Saints, à celle de Don Quichotte et de quelques comédies. Les mères occupées de plaisirs et d'intrigues, confient leurs filles à des *camaristes* (femmes-de-chambre), ou à des duègnes; mais la vivacité, les agréments de leur esprit, couvrent les ombres de leur ignorance; du moins on ne trouve pas dans cette nation, comme en France, des femmes qui lisent par air, parlent de ce qu'elles ignorent ou savent très-imparfaitement, ont la manie de juger des ouvrages comme Dandin avait celle de juger les procès, et dont les doctes entretiens fatiguent les gens instruits et ennuient les ignorants. Séraphine, sans prétention, ainsi que toutes ses compatriotes, plaisait par un esprit vif et naturel; elle avait une sensibilité si douce, si touchante, quand elle aimait, qu'elle aurait pénétré d'amour l'ame la plus froide; rien n'est si séduisant qu'une femme espagnole qui vous aime. Séraphine était plus superstitieuse que douée d'une véritable piété. On inspire à une Espagnole, dès son enfance, un enthousiasme mystique, une tendre vénération pour la Madonne et pour les moines. La dévotion et l'amour deviennent l'occupation de toute sa vie. Les miracles n'étonnaient pas Séraphine, mais elle s'étonnait que Dieu eût défendu l'amour. C'était, disait-elle, demander l'impossible. D'après ce portrait, exempt de flatterie, mon lecteur ne sera pas surpris de mon voyage à Cordoue, où m'attendaient l'hymen, l'amour et la fortune.

Avant l'arrivée de don Pacheco, je voyais souvent une jeune dame plutôt par désœuvrement, ou esprit de galanterie, que par aucun mouvement du cœur; car, autant par principe que par délicatesse de goût, je n'ai jamais voulu suivre en volontaire le char de l'hymen. Tout absorbé dans une nouvelle passion, j'avais négligé cette beauté; sa coquetterie, bien plu que sa tendresse, en fut blessée: je crus devoir lui faire une visite; je craignais la froideur de son accueil, mais je fus rassuré par la sérénité de son visage. «L'Espagnole est donc partie, me dit-elle d'un air aisé? — Oui, madame, et j'ai été obligé de donner des soins à son père, attaqué de la goutte; — Et à sa fille qui se portait bien? On ne saurait être plus charitable. Allez, monsieur le protestant, retournez à confesse, et si le confesseur vous refuse l'absolution, moi je vous absous sans exiger un acte de contrition. — Ma confession se bornera à vous dire qu'un Français doit accueillir tout honnête étranger qui a besoin de secours et de protection; quant à sa fille, c'est un enfant. — Eh bien, qu'on lui donne le fouet et qu'on ne m'en parle plus. — Est-ce un arrêt de proscription? Me défendez-vous de venir vous faire ma cour? — Oui; à moins que vous ne me donniez votre parole que vous oublierez cette petite fille. — Les souvenirs, madame, ne dépendent pas de nous; et si par hasard je l'oubliais pendant le jour, la nuit, un songe pourrait me la rappeler. — Il suffit; j'ai ma toilette à faire, je vous prie de me laisser. Ainsi finirent notre entretien et nos liaisons. Ah! bien loin d'oublier Séraphine, elle était toujours présente à ma pensée; je ne vivais que par elle et avec elle; je lui parlais, je l'entendais encore. Je pris un maître de langue espagnole, et comme je savais un peu d'italien et assez bien le latin, je fis des progrès qui étonnèrent mon maître; mais j'étais aiguillonné par l'amour, aiguillon plus actif que l'ardeur du savoir, ou l'attrait de la gloire. Il me fit lire l'histoire d'Espagne de Ferreras, de Mariana, écrivain qui me plaisait par l'éloquence et la noblesse de son style, quoiqu'il maltraitât les Français, surtout les protestants; mais il était Espagnol, et il écrivait dans le seizième siècle. L'été s'écoulait dans cette étude, non assez vite au gré de mon impatience; car tel est l'homme, la vie lui paraît très-rapide et les journées bien longues.

Je reçus, dans le mois de juin, une lettre de don Pacheco, qui disait: «Par la grâce de Dieu et de la Madonne nous sommes arrivés en bonne santé à Cordoue; je vous attends, mon cher capitaine, dans le plus beau pays de l'Europe, sur les bords du Betis (le *Quadalquivir*), avec de bon chocolat et d'excellent vin de Xérès et de Malaga, qui vous sera versé par la main d'Hébé: elle ne vous oublie ni dans ses prières, ni à table avec moi, où nous parlons toujours de vous, et buvons bien souvent à votre santé. Quand vous partirez, elle fera dire trois messes à la Sainte-Vierge, pour le succès de votre voyage. Allons, partez, vaillant chevalier, sous les auspices de l'amour et de la vierge Marie. *Viva usted mil anos.*» Dans ma réponse, j'annonçai mon départ aux premiers jours de septembre.

Le père de l'intéressante Suzette vint me prier à la noce de sa fille. Je m'y rendis; j'aime beaucoup les fêtes champêtres. Je vis revenir de l'église les deux époux. Charlot portait un gros bouquet à sa boutonnière, et Suzette était couronnée de fleurs et vêtue en blanc; elle était suivie de jeunes gens de l'un et l'autre sexe; les filles avaient de grands bouquets, et les garçons, des rubans à la boutonnière; ils marchaient en sautant et en dansant au son du tambourin. Le père de Suzette, le père, le grand-père et la mère de Charlot, fermaient la marche, se tenaient par la main, se rappelant leurs noces et leurs plaisirs,

Racontant ce qu'ils ont été,

Oubliant qu'ils vont cesser d'être.

On se mit à table en arrivant; le couvert était dressé devant la maison; la mariée me fit asseoir à ses côtés: je lui trouvai l'air grave; je lui en parlai. C'est, me dit-elle, que le bonheur est recueilli; et vous, monsieur le chevalier, quand épousez-vous cette belle Espagnole? — J'espère que ce sera l'hiver prochain. — Si elle vous aime autant que j'aime Charlot, vous ne serez pas à plaindre. Les cris de joie, les éclats de rire interrompaient souvent notre, conversation. On chanta, on but en chœur à la santé des nouveaux époux; on me fit l'honneur de boire à la mienne, en me qualifiant de commandant; je remplis mon verre, je me levai, et bus à la santé des bienfaiteurs de la patrie, des honnêtes laboureurs. Le vin coulait à grands flots; un jeune homme se glissa sous la table et enleva le soulier de la nouvelle mariée. A la vue de ce trophée, la joie et les éclats redoublèrent, et l'on acheva d'épuiser les flacons. Après le dîné, on dansa au son du galoubet et du tambourin. J'ouvris le bal par le menuet avec la nouvelle épouse; le menuet fini, je l'embrassai, aux applaudissements de la joyeuse assemblée: mon exemple l'enhardit, et chacun voulut embrasser l'aimable Suzette; mais elle se déroba à leurs empressements et courut se cacher. On voulut faire payer les jeunes filles pour la fugitive; elles prévirent le complot et se mirent à courir comme des perdreaux devant le chasseur; mais les jeunes gens plus lestes, les poursuivent, les atteignent, les amènent dans le cercle, et toutes, tour-à-tour, sont embrassées, non sans de bruyantes clameurs et des battements de main. On m'invita d'en faire autant; ce fut très-volontiers; j'embrassai même les vieilles femmes, ce qui redoubla les éclats de rire. Enfin, la nuit approchant, je m'éclipsai tout doucement et regagnai la ville, satisfait de ma journée et de la joie que j'avais vue régner au milieu de ces bonnes gens. Mais chaque heure nouvelle amène de nouveaux événements. Je trouvai, en rentrant, une lettre du vicomte de Beaupré, cachetée en noir. Mon cœur palpita d'effroi: j'hésitai à l'ouvrir; je voulais attendre au lendemain, pour éviter une mauvaise nuit; mais la curiosité, ou plutôt l'amitié l'emporta: j'ouvre la lettre d'une main tremblante, et je lis:

«Mon cher ami, vous avez envié mon bonheur, aujourd'hui vous pleurerez sur moi. Cécile, la sensible Cécile, la vertueuse Cécile, si digne d'une vie immortelle, le Ciel me l'a ravie: depuis trois jours elle n'est plus. La mort a enlevé à la terre un de ses plus beaux ornements. Elle était accouchée heureusement d'une fille. Elle a d'abord demandé des nouvelles de son enfant: on l'a assurée qu'il se portait très-bien. Quelques moments après elle a entendu ses vagissements; ce cri a produit une émotion si vive dans l'ame de cette tendre mère, qu'elle a expiré sur-le-champ. L'amour maternel, l'excès de sensibilité, l'ont suffoquée. Nos vœux, nos soins, tous les secours prodigués n'ont pu la rappeler à la vie. Chère Cécile, épouse adorée, que vais-je devenir sans toi? La main me tremble, des larmes remplissent mes yeux; et vous, mon cher chevalier, vous perdez une excellente amie: parents, amis, voisins, tous les domestiques la pleurent. Le deuil est dans le château et dans les environs. Vous la pleurerez aussi. Dès que ma santé, un peu altérée, sera rétablie, j'irai à Nancy, rejoindre mon régiment. Je brûle de quitter un séjour où, du faîte de la félicité, je suis tombé dans l'abîme du malheur. J'y vois partout l'ombre errante de ma chère Cécile. L'enfant se porte bien. Adieu, mon cher ami, je vous quitte pour la pleurer.»

Quel coup de foudre, au sortir d'une scène bruyante, des transports de la joie, d'une fête d'hymen aussi gaie que touchante! Cécile avait célébré sa noce avec la même joie, au milieu des plaisirs et des félicitations. Hélas! en signant son contrat de mariage, elle avait signé l'arrêt de sa mort. Quel excès d'allégresse quand elle se vit enceinte! et ce bonheur devait la précipiter dans la tombe! Pauvres humains! formez des vœux! Tendre amie, m'écriai-je en m'inondant de larmes, douce image de la divinité, la terre n'était pas digne de te posséder! Ta beauté, ton printemps, tes plaisirs, tes espérances sont ensevelis dans la nuit éternelle. Ta jeune ame s'ouvrait à peine aux rayons de la vie. C'est au Ciel que ta place était marquée, et que les anges t'attendaient! Je passai une partie de la nuit à verser des larmes, et à répondre au vicomte. Pendant un mois je pleurai tous les jours cette aimable et malheureuse amie. Cicéron, à la mort de sa fille, ne trouva quelque allégement à sa douleur que lorsqu'il put reprendre ses livres et sa plume: j'en trouvai dans l'étude de la langue espagnole, et dans les promenades où j'allais, le cœur malade, rêver, parler à ma chère Cécile, et tromper mon affliction par de tendres souvenirs.

Cependant septembre approchait, non au gré de mon impatience. Le temps nous cache ses ailes, ce n'est qu'après sa fuite qu'on les aperçoit. Enfin ce mois parut, et je demandai à mon colonel la permission de partir avant l'arrivée des semestres. Vous voulez donc, me dit-il en riant, aller passer quelque temps dans les prisons du saint-office. Vous êtes enfant de Calvin, quelquefois mauvais plaisant, et les inquisiteurs n'entendent pas raillerie. J'adopterai, lui dis-je, avec le manteau espagnol, la gravité d'un docteur de Salamanque. — Partez, j'y consens; mais recommandez-vous à la *Madonne* et à saint Jacques de Compostelle.

Comme j'avais lu dans Don Quichotte que son hôte lui avait recommandé de ne jamais voyager sans argent, j'avais amassé un petit viatique; ma mère informée de mon voyage, m'envoya cent écus. C'était, me disait-elle, le denier de la veuve, le fruit de ses économies. Je les refusai, et lui écrivis que ses bontés et ses prières m'étaient plus pré et plus utiles que son argent; d'ailleurs j'avais pour principe de régler ma dépense sur ma fortune. Si j'avais voyagé en Mésopotamie, du temps des patriarches, ou en Grèce, dans le beau siècle de Ménélas et d'Alcinoüs, partout on m'aurait accueilli, hébergé; de jeunes filles m'auraient mis dans les bains; mais le monde, en vieillissant, s'endurcit: le temple de l'hospitalité s'est fermé. Au commencement de l'été j'avais acheté, pour me promener et pour mon voyage, un petit cheval alezan, que je nommais *Podagre*, par antiphrase, comme par la même figure de rhétorique les furies portent le nom d'Euménides. Je m'attachai beaucoup à ce cheval. Il n'était pas beau *d'orgueil* et *d'amour*, n'appelait pas la guerre; on ne voyait pas bondir les flots de son épaisse crinière; mais il était doux, modeste et robuste: *Qualem me decebat.* Je ne l'aimais pas autant que Caligula chérissait le sien,[37] ou que la marquise de ... aimait son chat, dont elle a porté le deuil pendant trois jours. Peu de femmes ont eu autant de tendresse pour leurs maris, que cette marquise en avait pour cet animal-tigre, selon Buffon. Ayant donc rempli mon porte-manteau de quelques effets, de plusieurs livres, et ma bourse de quelques pièces d'or, vêtu d'un uniforme, décoré de l'épaulette de capitaine, jargonnant assez bien l'espagnol, je montai sur Podagre le 3 septembre 1766. Annibal était parti de Saragosse, pour marcher à Rome, dix-neuf cent quatre-vingt trois ans avant mon entrée en Espagne.

Je sortis de Perpignan par la porte de Saint-Martin, autrement dite *la porte d'Espagne*, laissant mes habitudes et mes préjugés au faubourg de la ville, me promettant surtout de me dépouiller de ce caractère léger et irréfléchi d'un Français de mon âge. Solon disait que personne ne peut être réputé heureux avant sa mort.

La vita al fin, e 'l di loda la sera,[38]

a dit Pétrarque. On peut dire avec autant de justesse, qu'il faut attendre la fin d'un voyage pour savoir s'il a été heureux.

Les amants qui courent après leurs maîtresses ne sont ni des Anacharsis, ni des Strabon; ils veulent arriver; tout retard irrite leur impatience; ils aiment mieux faire du chemin que de s'arrêter pour voir des tableaux, ou des débris d'antiques monuments. Mais ils ont un avantage sur les doctes voyageurs: s'ils ne font pas comme eux des descriptions brillantes des sites pittoresques, des beautés de la nature, ils en jouissent beaucoup mieux. Un amant sera plus ému, plus attendri par les charmes de la campagne, par la vue d'un troupeau, le son d'une musette, le chant des oiseaux, que le savant qui voyage pour voir des décombres, des tableaux et examiner la qualité des terres. Je renvoie mes lecteurs avides de connoître ces objets scientifiques, aux nombreux voyages d'Espagne, qui seront, pour ainsi dire, les appendices du mien. Mais je m'attacherai spécialement à la description des usages et des mœurs générales et particulières; je parlerai de ce qui m'a frappé et de ce qui m'est arrivé.

Une médaille de l'empereur Adrien représente l'Espagne assise, appuyée sur une montagne (les Pyrénées) placée à sa gauche, tenant une branche d'olivier à sa main; à ses pieds est un lapin.[39]

A Gironne je notai sur mon album, que les miquelets ouvrirent mon porte-manteau, le tournèrent, le retournèrent, et quand ils l'eurent visité pièce à pièce, ils me demandèrent si je n'avais point d'effets prohibés. Comme l'Avare de Molière, ils auraient voulu voir l'autre main après avoir vu les deux. Je me flattais de sortir sain et sauf de leurs serres; mais ils s'étaient emparés de mes livres, et me dirent que, pour les retirer, il me fallait aller chez le seigneur Théologal, qui déciderait s'ils pouvaient entrer en Espagne. Je suivis donc mes livres chez le seigneur Théologal, non sans donner au diable les miquelets et lui. Il fesait la sieste quand j'arrivai. Sa servante n'aurait pas troublé son repos pour un roi de France. Je me rappelai, pour me consoler, que le prince de Condé, assassiné à Jarnac par Montesquiou, avait attendu à une porte, assis sur un banc de pierre, qu'un procureur eût dîné. Après quelques moments d'attente, je priai cette fille d'aller voir si son maître dormait encore; je la suivis, et, fatigué de ces délais, je donnai un grand coup de pied à la porte, qui s'ouvrit, et ce bruit éveilla le chanoine, qui s'écria effrayé: *Kesus, Kesus* (Jésus), *que demonio e aquel*! Je lui fis mille excuses, et tâchai de le rassurer, en lui disant le motif de ma visite. Alors il se leva, quitta son bonnet de coton, et se fit apporter les livres. Je lui dis en espagnol que c'étaient des ouvrages de littérature qui ne pouvaient être prohibés. Monsieur, répondit-il, vous pouvez vous servir de votre langue, je la parle fort mal, mais je l'entends très-bien; ce qui me surprit. Vous autres, Français, continua-t-il, vous êtes un peu ariens. — Qu'entendez-vous par-là? — Que vous avez du jansénisme dans la tête. — Le jansénisme est passé de mode, et nous ne connaissons pas plus Jansenius, que vous Arius.[40] — C'est fort bien; mais voyons vos livres. Horace! j'en ai ouï parler. La Fontaine n'a-t-il pas fait des contes fort gais? — Oui, et des fables bien supérieures. — Ici nous préférons ses contes: ils sont plaisants, un peu libertins; mais il n'y a rien contre la religion. Virgile! celui-là je le connais; *procumbit humi bos...* Vous n'avez sans doute rien de Voltaire? — Pardonnez-moi, j'ai la Henriade. — A coup sûr elle n'entrera pas. Vous voulez infecter notre pays du poison que distille cet auteur venimeux. — Mais, monsieur, c'est un poëme où la morale et la religion sont très-respectées. Écoutez ces beaux vers sur la transsubstantiation:

Le Christ, de nos péchés, victime renaissante,

De ces élus, nourriture vivante,

Descend sur ses autels à ses yeux éperdus,

Et lui découvre un Dieu, sous un pain qui n'est plus.

— Les vers seront beaux tant que vous voudrez, mais le sens n'est pas clair. — De plus, sachez, monsieur, que le général des capucins l'a affilié à l'ordre de Saint-François. — Dites, affilié au diable. J'en suis fâché, monsieur l'officier, mais pas un seul feuillet de Voltaire ne passera Gironne. Messieurs les Français, vous critiquez notre sévérité et notre inquisition, mais nous n'avons ni Saint-Barthélemi, ni guerres de religion. A l'égard de vos autres livres, je vais voir s'ils sont sur la liste des livres prohibés. Il prit alors son index, et, après l'avoir parcouru, Horace, Virgile, la Fontaine eurent la permission d'être mes compagnons de voyage, et Voltaire resta dans les plains de M. le Théologal.

De Canet à Mattaro la route est charmante; on traverse des villages entourés d'arbres, de jardins; on jouit de la vue de la mer, d'une infinité de barques de pêcheurs. La figure aimable des femmes répondait à l'aménité du pays. Elles sont la plupart occupées à faire des dentelles. Le travail des hommes est la pêche. Ce sont des hiboux au milieu des colombes. Mattaro est une ville très-agréable. Ses environs produisent d'excellent vin. De cette ville à Barcelone, on côtoie la mer par un chemin bordé de mûriers, qui vivifient le paysage. Je marchais souvent à pied, soit pour soulager mon cher Podagre, soit pour me délasser d'une même position. Je m'assis un matin, après une assez longue marche, auprès d'un vignoble, à l'ombre de plusieurs caroubiers. J'achetai la permission de manger du raisin; on m'apporta un morceau de pain un peu dur, mais très-blanc. Pendant ce repas délicieux, des tourterelles roucoulaient sur ma tête, et sans doute se parlaient d'amour: Un ruisseau roulait à mes pieds sur des petits cailloux, et mêlait son murmure au gémissement des tourterelles. J'étais si enchanté de cette situation, que je m'écriai: Ma chère Séraphine, où es-tu? Pourquoi n'es-tu pas avec moi dans cette riante solitude? Le souvenir de l'infortunée Cécile vint mêler aux songes riants de l'amour et de l'espérance, la mélancolie et les regrets. Chère Cécile, ton amitié eut fait le charme de ma vie! Hélas! et tu n'es plus! Il fallut quitter cet asile, car le soleil ne s'arrêtait pas pour moi, comme pour Amphytrion ou pour Josué. Après quelques heures de marche, j'aperçus les clochers, les tours, et bientôt les remparts de Barcelone. Je jouis alors d'un tableau magnifique. Je voyais cette ville élever sa tête au milieu d'une campagne riante; à sa gauche, une vaste mer, et l'horizon éclatant de lumière; la splendeur de cet astre, la richesse de la campagne, l'aspect de la ville, tout annonçait la puissance et la prodigalité du Créateur de l'univers.

Le jour au jour la révèle;

La nuit l'annonce à la nuit.

J'allais au pas pour jouir de l'enchantement de cette superbe perspective.

J'arrivai avec la nuit à Barcelone. Je comptais n'y séjourner qu'un jour, quoique ce soit une des plus belles villes de l'Europe. On dit qu'elle a été fondée deux cent cinquante ans avant notre ère, par Amilcar Barca, père d'Annibal le borgne. Je veux bien croire à l'époque de cette fondation; mais je pensais avec plus de plaisir au lord Peterborough, qui, ayant pris cette ville, la sauva du pillage, ne toucha point aux trésors immenses de sa cathédrale, et arracha une belle duchesse des mains des soldats. Barwick la reprit pour Philippe V, et la punit sévèrement de sa rébellion, ou de sa résistance. J'allai loger à la Fontaine-d'Or.

Le lendemain, les chanoines avaient déjà chanté matines, plus d'un poète trouvé trente rimes, les barbiers abattu bien des toisons, lorsque je m'éveillai. Je demandai aussitôt à mon hôte du chocolat et un barbier. Je voulais aller voir M. Aubert, consul de France, pour qui j'avais une lettre de recommandation.

Pendant que je déjeûnais, un moine, à la mine hypocrite, entra dans ma chambre, en me disant d'un ton mielleux: *Ave maria purissima*. Je lui répondis: Très humble serviteur. J'ai su depuis qu'il fallait reponde: *Sine peccado concebida* (conçue sans péché), ce qui résout une question qui a causé bien des disputes et de haines entre les cordeliers et les dominicains. Après son compliment, le moine me présenta une bourse, en me demandant quelque argent pour le luminaire de la Vierge. Mon Père, lui dis-je en riant, la Vierge n'a pas besoin de luminaire: elle n'a qu'à se coucher de bonne heure. Le révérend s'enfuit à ces mots, en fesant le signe de la croix, et marmottant: *Kesus! Kesus!* J'en riais encore, lorsque je vis entrer une jeune femme grande et bien faite. Je lui demandai ce qu'il y avait pour son service. Je viens, me répondit-elle dans son dialecte catalan,[41] pour vous faire la barbe. — Vous, *senora?* — *Si, senor*, n'avez-vous pas demandé un barbier? Mon père est à l'assemblée de la confrérie des pénitents, et je viens à sa place. — J'en suis enchanté, pourvu que vous ne laissiez pas sur mon visage des traces de votre rasoir, et de vos études. Je craignais en effet qu'elle ne voulût faire son apprentissage sur le visage d'un vil Français: mais elle m'assura que je n'avais rien à craindre; qu'elle fesait tous les jours dix à douze barbes de matelots. Je livrai donc ma tête avec confiance à cette jeune *artiste*. Je sentis avec plaisir sa main douce et légère se promener sur mon visage en le savonnant, et son rasoir semblait plutôt me caresser, qu'enlever une épaisse toison. L'opération finie, je lui demandai combien son père prenait pour une barbe. — Un réal (dix sous). Eh bien, en voilà quatre pour votre talent et le plaisir que vous m'avez fait. Elle me remercia par un doux sourire, en me disant: *Viva usted mil anos* (vivez mille ans). Cette formule de compliment est si usitée en Espagne, qu'un jeune homme, entendant lire le testament de son père décédé, touché des marques de tendresse qu'il lui donnait, répétait à chaque article: Cher père, *viva usted mil anos*. Au reste, j'appris bientôt qu'en Espagne nombre de femmes maniaient le rasoir avec la même dextérité que l'aiguille.[42]

Je demandai à mon hôte ce qu'il y avait à voir dans la ville? — Quatre-vingt deux églises, vingt-sept couvents d'hommes et dix-huit de femmes. — Grand Dieu! quelle pépinière d'élus et de saints! Avant de commencer ma tournée, j'allai chez notre consul qui me reçut avec toute l'urbanité et la grâce françaises; il me présenta à sa femme, qui me parut aussi aimable que jolie; elle me pria à dîner pour le lendemain, désolée d'être invitée ce jour-là chez don Velasco, gouverneur de la place. Je refusai d'abord l'invitation, m'excusant sur mon départ fixé au jour suivant; mais lui et sa femme me pressèrent avec tant de bonté et de chaleur, et madame Aubert surtout y mit tant de grâce, que je n'osai refuser. Il était écrit dans le grand livre des destinées que je ne partirais pas de sitôt. En quittant M. Aubert, j'allai parcourir la ville: ce que j'y admirai le plus, c'est la propreté des rues pavées de superbes dalles. L'affluence des habitants, des voitures, des ânes, annoncent l'activité des Catalans et de leur commerce. Je me promenai dans la place Saint-Michel, qui est fort belle, et à laquelle toutes les grandes rues viennent aboutir; j'y achetai des ciseaux et des rasoirs, qui sont fort estimés en Espagne et en France. Mon dîné fini, après avoir lu quelques fables de La Fontaine pour laisser tomber la chaleur, j'allai me promener sur la belle terrasse qui règne le long du port, dans le quartier nommé *Barcelonette*; les bords de cette promenade, qu'on appelle la *Lonja*, sont embellis par de beaux édifices. Je jouissais tranquillement de ce lieu agréable et du soir d'un beau jour, rêvant à mes projets, à mon avenir, à la belle Séraphine. La lumière douce et mélancolique du crépuscule commençait à se répandre, quand tout-à-coup six hommes m'entourent et m'ordonnent de les suivre. Je leur réponds que je n'en ferai rien: l'un d'eux alors me saisit au collet; je lui ripostai par un vigoureux coup de poing sur la face; il crie, il beugle; et soudain les autres me serrent de si près, que je ne pus tirer mon épée. Je me débattis entre leurs bras; mais je n'avais pas la force d'Anthée ou d'Hercule. Ces coquins cherchèrent à m'imposer le respect et la crainte en disant qu'ils étaient *los familiares* du saint-office, et ils m'invitèrent à la soumission pour éviter le scandale et le mauvais traitement. Je cédai à la force, et je fus mené dans les prisons de l'inquisition. Quand je me vis dans les serres de ces oiseaux de proie, moi officier français, simple voyageur, je me demandai quel était mon crime, ce que j'avais à démêler avec ce tribunal odieux.[43] Ces prêtres jacobins, disais-je, ont-ils succédé à ces druides qui se disaient les agents de la Divinité, et qui s'étaient arrogé le droit d'excommunier et de condamner à mort leurs concitoyens? Mais mes plaintes, mes imprécations se perdirent dans les airs.

Le lendemain, un Dominicain voilé d'hypocrisie, au langage fallacieux, vint me conjurer, par les entrailles de J. C., de confesser mes fautes pour obtenir ma liberté. Confessez les vôtres, lui dis-je; demandez pardon à Dieu de votre hypocrisie et de vos injustices. De quel droit arrêtez-vous un gentilhomme français, qui n'est point soumis à votre infernale juridiction, et qui d'ailleurs n'a point manqué aux lois du pays? — Vierge sainte, vous me faites frémir! Je vais prier Dieu pour vous; j'espère qu'il vous ouvrira les yeux, et vous touchera le cœur. Vas prier le diable, dis-je tout bas; c'est ta divinité.

Cependant ce jour-là M. Aubert m'ayant attendu vainement pour dîner, envoya à mon auberge. On lui répondit que j'avais disparu depuis la veille, que j'avais laissé mes hardes, et que l'on ignorait ce que j'étais devenu. Cet obligeant consul, très-inquiet de mon sort, fit des perquisitions dans toute la ville; mais rien ne transpirait, et ne découvrait la trace de mes pas. Étonné de ce silence, il soupçonna qu'une indiscrétion de ma part avait pu m'attirer la vengeance du saint-office, dont il connaissait parfaitement l'esprit et les manœuvres. Il pria le capitaine-général de me réclamer. Les inquisiteurs nièrent ma détention avec le sang-froid de la fausseté et de la scélératesse; mais M. Aubert ne pouvant attribuer ma disparition à une autre cause raisonnable, persista à me croire dans les repaires du saint-office.

Le jour suivant, des familiers vinrent me chercher pour me conduire devant les trois inquisiteurs: on me présenta une casaque jaune pour l'endosser; je repoussai avec dédain cette livrée de satan. Mais on me fit entendre que je n'obtiendrais ma liberté que par ma soumission. Je comparus donc vêtu de jaune, un cierge vert à la main, devant les trois prêtres de Pluton. Dans la salle était déployé le drapeau du saint-office y où étaient peints un gril, des tenailles et un bûcher, avec ces mots: *justice, charité, miséricorde*. Quelle atroce ironie! Je fus tenté plus d'une fois de brûler avec mon cierge la face hideuse de l'un de ces jacobins; mon bon génie m'arrêta. L'un d'eux m'exhorta, avec l'air de la douceur, à faire l'aveu de ma faute. Ma grande faute, lui dis-je, est d'être venu dans un pays où des prêtres foulent aux pieds l'humanité, et se couvrent du manteau de la religion pour persécuter la vertu et l'innocence. — Est-ce tout ce que vous avez à nous dire? — Oui; ma conscience est sans crainte et sans remords. Tremblez; si le régiment où je sers apprend mon emprisonnement, il passera sur le ventre à dix régiments espagnols pour venir m'arracher à votre barbarie. — Dieu est le maître; notre devoir est de veiller sur son troupeau en fidèles pasteurs: notre cœur en est affligé; mais vous retournerez en prison, jusqu'à ce que vous ayez reconnu votre faute. Je sortis en jetant sur eux un regard de mépris et d'indignation.

Rentré dans ma geole, je cherchai dans ma conscience la cause d'un pareil traitement; j'étais loin de penser que je le devais à ma réponse au moine quêteur sur la Vierge et son luminaire. Cependant M. Aubert, toujours persuadé que l'inquisition seule avait pu m'enlever, veillait sur ses démarches, et l'entourait d'espions. L'un d'eux lui apprend que trois des grands colliers de l'ordre de Saint-Dominique allaient partir pour Rome, députés à l'assemblée conventuelle qui devait s'y tenir. Il écrivit aussitôt à M. de Cholet, commandant de Perpignan, pour l'informer de ma disparition, de ses soupçons sur les auteurs de cette violence, et du passage à Perpignan des trois jacobins, l'invitant à les faire arrêter, et à ne les relâcher que lorsque le saint-office m'aurait mis en liberté.

M. de Cholet saisit avec joie l'occasion de la vengeance; l'ordre est donné à la porte de la ville d'arrêter les trois révérends. Ils arrivent sur le midi, joyeux et avec un grand appétit; ils demandent à la sentinelle quelle est la meilleure auberge. L'officier de garde se présente, et leur annonce qu'on va les conduire chez le commandant de la place qui veut se charger de leur logement et de leur nourriture. Les révérends, ravis d'une si bonne aubaine, s'épuisent en remercîments, disent qu'ils ne veulent pas incommoder M. le commandant. — Allez, mes pères; M. de Cholet veut absolument vous faire les honneurs de la ville. En même temps il les fait escorter par quatre soldats et un sergent. Les pères marchaient tout joyeux, se félicitant entre eux et enchantés de la politesse française. Mes pères, leur dit M. de Cholet, je suis charmé de vous tenir dans cette ville; je vous attendais avec impatience. Je vous ai fait préparer votre logement. — Ah! M. le commandant, c'est trop de bonté; nous ne méritons pas... — Pardonnez-moi. N'avez-vous pas dans vos prisons, à Barcelone, un officier français, le chevalier de Saint-Gervais? — Non, M. le commandant; nous n'en avons jamais ouï parler. — J'en suis fâché pour vous; car je vais vous faire conduire en prison, où vous resterez au pain et à l'eau pour toute nourriture, jusqu'à ce que cet officier soit retrouvé. Les révérends, fort dépités, se récrient sur cette violation du droit des gens; ensuite disent qu'ils se résignaient à la volonté du Ciel, et que M. le commandant répondrait devant Dieu et devant le pape de la persécution qu'il fesait essuyer à des gens d'église. Oui, j'en fais mon affaire, leur dit le commandant; en attendant, vous allez vous rendre à la citadelle. Voilà mes trois papelards, à face rubiconde et fleurie, enfermés dans une étroite prison, condamnés au régime des Paul et des Hilaire, mais en pure perte pour leur salut; car ils se déchaînaient contre le jeûne et contre le commandant. Tous les jours le pourvoyeur, en leur apportant une cruche d'eau et leur ration de pain, leur demandait s'ils n'avaient rien à déclarer sur l'enlèvement de l'officier français. Pendant trois jours ils persistèrent dans leur dénégation; mais enfin le cri, non de leur conscience, mais de leur estomac, l'ennui de leur séjour fléchirent leur opiniâtreté. Ils demandèrent à parler à M. le commandant, qui se rendit aussitôt auprès d'eux. Ils avouèrent qu'un jeune officier français était dans les prisons du saint-office pour des propos impies qu'il avait tenus contre la Vierge. Sans doute, il a eu tort, leur dit M. de Cholet; mais laissez à la Vierge le soin de sa vengeance. Écrivez à Barcelone qu'on le remette en liberté. En attendant, je vous garde en ôtage; mais j'adoucirai votre pénitence, et votre table ne sera plus aussi frugale. Les jacobins se hâtèrent d'écrire qu'on relâchât bien vite ce damné de Français.

Pendant ce laps de temps, le dépit, l'impatience, l'ennui, agitaient mon ame et l'accablaient du poids de la vie. Enfin, les inquisiteurs, sur la lettre de leurs confrères, se virent obligés de relâcher leur proie. L'un d'eux vint me dire que par égard pour ma jeunesse et ma qualité de Français, le saint-office avait délibéré de m'ouvrir les portes de ma prison, et que j'étais libre, mais qu'ils m'engageaient à avoir désormais plus de respect pour la Madonne, la mère de J. C. — Mon révérend père, lui dis-je, les Français ont toujours eu beaucoup de respect pour les dames. En prononçant ces mots, je m'élançai vers la porte, et quand je fus dans la rue, je crus sortir du tombeau pour renaître à la vie. Je courus aussitôt chez M. Aubert, qui m'embrassa avec transport, et m'apprit par quels moyens on m'avait arraché aux serres du saint-office. Il écrivit sur-le-champ à M. de Cholet, pour faire ouvrir leur cage aux trois corbeaux voyageurs qui étaient venus se prendre dans les filets. Je dînai chez cet estimable consul. Sa femme me combla de bontés, m'invitant à rester un où deux jours à Barcelone. Madame, lui dis-je, j'en serais bien tenté, mais je suis un pigeon trop effrayé du voisinage des éperviers pour séjourner plus long-temps dans cette ville; je compte partir demain. Je passai le reste de la journée avec ces aimables époux: l'après-dînée des négociants français, instruits de cette aventure, vinrent me féliciter de ma délivrance, et l'on rit beaucoup du tour joué aux dominicains. L'un de ces négociants, nommé M. *Duprat*, homme d'esprit, me dit: Je vous conseille pourtant de payer à l'avenir le luminaire de la Vierge, plutôt que de vous brouiller avec l'inquisition, qui est le génie malfesant et tout-puissant de l'Espagne. Il a autant d'oreilles que d'yeux, et il est muni de serres très-fortes. Sachez que la mère de Saint-Dominique étant grosse de lui, rêva qu'elle accouchait d'un chien, qui tenait dans sa gueule un flambeau allumé. Ce présage s'est vérifié. — Comme celui d'Hécube, lui dis-je, qui rêva, enceinte de Pâris, qu'elle accouchait d'un tison ardent. — Je vais vous donner une idée, reprit M. Duprat, de la puissance et des manœuvres de ce terrible tribunal. Naguère à Cordoue, un nègre, esclave du trésorier de l'inquisition, pénétra, pendant la nuit, dans une maison voisine pour aller trouver une esclave dont il était fort épris. La maîtresse de cette femme, avertie par le bruit, s'avance vers la chambre; le nègre la rencontre et la poignarde. Le mari et quelques personnes accourent aux cris de cette infortunée. L'assassin est saisi, livré à la justice, jugé et condamné à mort. Il allait subir son jugement, lorsque le saint-office intervint et réclama le criminel. Le magistral répond qu'il a été jugé selon la loi. L'inquisition le menace de ses foudres, et le juge effrayé lui remet le nègre. Le conseil de Castille, alarmé de cet abus de pouvoir, porta ses plaintes au pied du trône. Le roi fit donner l'ordre, par le grand-inquisiteur, de rendre le coupable. Cet ordre fut réitéré jusqu'à trois fois; enfin les inquisiteurs de Cordoue, forcés d'obéir, aimèrent mieux faire évader l'esclave que de fléchir sous l'autorité civile. Vous voyez, monsieur le chevalier, jusqu'où s'étend le crédit et le despotisme de cette puissance religieuse. — Oui, lui dis-je, et j'ajoutai, *crimine ab uno disce omnes*.[44] — Ce qui est peut-être aussi étonnant qu'impie, nous dit M. Aubert, c'est que le souverain pontife accorde des indulgences à tous ceux qui assistent à des auto-da-fé. J'ai lu une relation très-curieuse de l'un de ces auto-da-fé célébré en 1680. L'écrivain commence ainsi sa narration: «Votre Majesté ne sera pas dégoûtée de voir décrire ce qu'elle a vu exécuter. Lorsque Jupiter fulmina les Titans, l'antiquité le nomma le roi des Dieux et le plaça dans les astres. Que sera-ce d'un protecteur de l'église? Les éléments et les astres ne seront-ils pas touchés de l'éclat de ce Jupiter chrétien?» Ensuite, après avoir célébré la Croix-Verte qui sert de blason et d'étendard au saint-office, le narrateur ajoute: «Comme les païens ne dédièrent à leurs dieux que des arbres verts, le myrte à Vénus, l'olivier à Pallas et le laurier à Apollon, ainsi nous dédions à votre Majesté les triomphes de la Croix-Verte.» — Un trait qui fait honneur à la mémoire de Cromwel, reprit M. Duprat, c'est d'avoir offert à l'Espagne toutes les forces de l'Angleterre contre la France, à condition que l'on supprimerait le tribunal du saint-office. Il est vrai qu'il demandait aussi la liberté du commerce de l'Amérique pour la nation anglaise. Une partie de reversi avec madame Aubert, termina cette conversation. Je passai ainsi une journée très-agréable. Cet aimable consul, au moment de nous séparer, me dit: «Monsieur le chevalier, respectez l'inquisition comme les Romains respectaient leur mauvais génie. On peut, en Espagne, jouir d'une grande liberté, être fripon, voleur, athée même, pourvu que l'on fléchisse le genou devant l'idole. Je lui promis de la respecter désormais, comme le voyageur dans la Lybie respecte le sommeil du lion. J'ai renoncé, ajoutais-je, à la décoration du *san Benito*, comme à celle de la Toison-d'Or. Il me conseilla d'aller voir le mont Serrat, qui n'est qu'à huit lieues de Barcelone; il m'offrit une lettre pour un des pères avec lequel il avait quelque liaison; je l'acceptai, en le remerciant vivement de toutes ses bontés et de ses bons avis. J'eus le plaisir d'embrasser madame Aubert, qui me dit en souriant: Si vous étiez resté plus long-temps avec nous, vous auriez été le chevalier de la Vierge et le mien. — Et beaucoup plus fidèle à l'une qu'a l'autre, lui répondis-je en riant.

Je partis pour le mont Serrat au jour naissant, monté sur le fidèle Podagre, pressant son allure, car il me semblait que j'avais encore à ma poursuite tous les familiers de l'inquisition. Le chemin fut praticable jusqu'à Molinos del Reys, où je dînai; je traversai ensuite un pont de cinq cents pieds de long sur la rivière de Lobregat; de là je gravis une montagne escarpée. Je trouvai sur ma route une jeune femme chargée d'un petit enfant; elle se traînait avec peine et versait un torrent de larmes. Je lui demandai le sujet de ses pleurs et le but de son voyage. Je viens, dit-elle, de Gironne: je vais au mont Serrat, prier la *Madonne* de me rendre mon mari, esclave à Alger. Je suis à jeûn depuis douze heures, et je ne puis donner du lait à mon enfant. J'ai perdu une piastre forte (cinq livres) qui me restait, ou plutôt je crois qu'on me l'a volée: je ne puis plus me soutenir. Je descendis de cheval. Je lui fis manger un morceau de chocolat, et boire d'un vin de la Selva que j'avais dans un flacon d'osier. Ce vin balsamique et le chocolat restaurèrent ses forces. Je la fis monter sur mon cheval, malgré sa résistance, et je la suivis à pied, chargé de son enfant. Cette bonne femme ne doutait pas que la *Madonne* ne brisât les fers de son mari. Je lui laissai cette douce illusion: l'espérance est la divinité des malheureux. Nous arrivâmes au mont Serrat au déclin du jour. Je rendis à cette femme la piastre qu'on lui avait volée: elle en pleura de reconnaissance, et me promit de dire quatre rosaires pour moi. Je demandai don Pedro, l'ami de M. Aubert, et, sur sa recommandation, je fus très-bien accueilli. Il me dit que je pouvais rester trois jours dans le monastère, qui accordait l'hospitalité pendant ce temps à tout étranger, riche ou pauvre.[45] Je lui répondis que je me proposais de repartir le lendemain, après que j'aurais vu la maison. Je fus très-bien traité à soupé, et les révérends me firent boire d'un excellent vin de Malvoisie des coteaux de Sitgis;[46] et je vis que si ces bons pères étaient fort attachés au culte de la *Madonne*, ils ne négligeaient pas celui de Bacchus. Ces cénobites étaient au nombre de soixante-seize, de l'ordre de Saint-Benoît.[47] A mon lever, don Pedro me proposa de commencer notre tournée par l'église. J'y comptai quatre-vingts lampes d'argent, et quantité de chandeliers du même métal. La chapelle de la Vierge est derrière l'autel, séparée du chœur par une superbe grille. La Vierge est très-brune: elle tient l'enfant Jésus entre ses bras. Quatre cierges, dans de grands chandeliers donnés par un duc de Medina Cœli, brûlent devant elle. Un amas d'ex-voto, de jambes, de cuisses, de bras, et d'autres membres tapissent les murailles. Je me croyais en Grèce, au temple d'Esculape. Don Pedro me raconta que cette *Madonne* avait été trouvée par des bergers, en 880. La nouvelle s'en étant aussitôt répandue, l'évêque de Barcelone, suivi de son clergé, vint la prendre pour la transporter ailleurs. La procession se mit en marche; mais, après une centaine de pas, la Vierge s'arrêta d'elle-même, sans qu'on pût la faire avancer: et c'est au lieu de sa station que, depuis, on a bâti le couvent. Je trouvai, comme de raison, le miracle fort beau. Don Pedro m'ouvrit l'armoire des reliques. Vous avez là, lui dis-je, une précieuse et abondante collection. — Elle n'est pas si riche que celle de la cathédrale de Burgos, où l'on possède une cassette qui contient un morceau de la verge de Moïse, un os du prophête Zacharie, un soulier de la Vierge, une pierre du Calvaire, un peu de sable du Jourdain, et une boite de plomb remplie du sang des innocents. Ce sont là, lui dis-je, des richesses inappréciables. Il me montra deux couronnes chargées de pierreries, l'une pour la Vierge, l'autre four l'enfant Jésus. J'aperçus, au fond d'une armoire, une longue épée couverte de rouille. C'est, me dit don Pedro, l'épée dont s'arma Ignace de Loyola, pour aller combattre le Maure qui niait la virginité de Marie. Pour se préparer au combat, il fit la veille des armes, et se déclara chevalier de la Vierge. Le Maure avant refusé de se battre, Ignace vint ici déposer son épée aux pieds de la *Madonne*. On a publié que c'est dans ce couvent qu'il avait conçu le plan de sa société; mais il est impossible, à moins d'un miracle, qu'un homme aussi ignorant ait imaginé un ouvrage si admirable; voici la vérité. Nous avons, dans notre bibliothèque, un livre intitulé, *Exercices de la Vie spirituelle*, composé par le vénérable Père Cisneros, notre abbé, cousin du cardinal Ximenès; le successeur de don Cisneros le prêta à Loyola; Ignace le copia mot à mot, et lui et ses disciples répandirent le bruit qu'il le tenait de la Vierge.[48] Les Loyolistes ont fait peindre à Rome, sur le plafond de l'église de Saint-Louis de Gonzague, saint Ignace, dans le ciel, aux pieds de Jésus, et entouré d'une foule de disciples conduits par les anges. Ils ont pratiqué, dans cette même église, une ouverture devant l'autel, où leurs pénitents, leurs affidés viennent jeter les lettres adressées à ce saint; et ces pères leur font accroire qu'elles parviennent à leur adresse. C'est par ces moyens frauduleux qu'ils pénètrent les secrets des familles. Ils prétendent encore que la Vierge apparut à saint Ignace, lui recommanda son fils, et lui dit que sa société devait s'appeler la compagnie de Jésus. Je compris à ce récit que ce bon Père n'aimait pas les jésuites. L'inscription de cette pierre, ajouta don Pedro, a été gravée en son honneur.[49] J'en pris une copie. Il me conduisit ensuite aux quinze hermitages disséminés sur la montagne, dans un espace de deux lieues. A quelques pas de l'église, j'aperçus un immense rocher incliné, qui menaçait d'écraser le couvent. Je demandai au Père si la chute de cette lourde masse ne les effrayait pas. — Non; tous les matins nous disons une messe pour prier la Vierge de la tenir enchaînée. Mais dernièrement, pour nous punir de nos fautes, et réchauffer notre tiédeur, elle permit à une partie de cette roche de se détacher; et dans sa chute elle écrasa l'infirmerie et plusieurs malades. — Ce n'étaient cependant pas les malades qui avaient péché? — Non, mais c'est le secret du couvent. Nous montâmes environ six cents marches presque perpendiculaires, et nous nous reposions de temps en temps sur des sièges placés exprès pour la commodité des voyageurs. Au milieu de ces déserts et de leur aspect sauvage, j'apercevais, dans les intervalles, des tapis de verdure dont le contraste souriait à l'imagination.

C'est dans ces petites vallées qu'on a bâti quinze hermitages, ou cellules, qu'habitent quinze hermites, la plupart gentilshommes, occupés de leur salut, oublieux des vanités et des folies du monde. Chaque hermitage a une chapelle, un puits creusé dans le roc, et un petit jardin; leur vêtement est brun, et leur menton couvert d'une longue barbe. Dans la première cellule, nous trouvâmes un sexagénaire.

Jam senior, sed nuda Deo viridisque senectus.[50]

Je lui fis compliment sur sa santé, et le bonheur dont il paraissait jouir. — Oui, grâce à Dieu, je ne troquerais pas ma cellule, que j'habite depuis ma première jeunesse, pour le trône d'Espagne. J'y vis depuis quarante ans sans infirmités et sans regrets. Lorsqu'on est bien avec Dieu, le calme et la confiance régnent dans notre ame. — Permettez-moi de vous demander quel motif vous a décidé, à la fleur de votre âge, à vous ensevelir dans cette solitude? — C'est un sermon sur le jugement dernier. J'aimais le monde et ses délices; l'amour et le plaisir filaient toutes mes journées: je vivais dans le bourbier du péché, et dans l'oubli de Dieu et de mon ame. Un jour, à Valence, un grand prédicateur annonça un sermon sur le jugement dernier, honoré de la présence d'un cardinal. La curiosité, bien plus que la dévotion, m'y entraîna avec la foule. L'éloquent prédicateur commença à répandre la terreur par le tableau effrayant des supplices de l'enfer; et tout-à-coup il s'écria d'une voix tonnante: La trompette qui doit réveiller les morts, et les citer au tribunal de la justice divine, peut sonner dans huit jours, peut-être demain. Que dis-je? tremblez, misérables pécheurs! peut-être aujourd'hui, tout-à-l'heure, dans ce moment même. A ces mots, l'église retentit du son éclatant de plusieurs trompettes; l'effroi s'empare de l'assemblée; on se lève, on se précipite les uns sur les autres pour sortir; les femmes jettent les hauts cris; et moi, froissé, moulu, échappé avec peine à travers la foule, je fuis, la frayeur, le trouble et le remords dans l'ame, croyant toujours entendre la trompette du jugement dernier. Rentré dans ma chambre, je me jette au pied du crucifix, et je promets à Dieu de sortir de l'abîme du péché, et de me retirer dans son temple avec ses saints et ses lévites. Le lendemain, je quittai la maison paternelle sans voir ni prévenir ma mère. Mon père n'existait plus; et je me réfugiai dans le monastère où l'on voulut bien me recevoir.[51] — Sans doute, votre vie est austère et pénible? — Non, rien ne coûte, quand c'est pour Dieu et pour son salut que l'on se mortifie. Nous nous levons à deux heures du matin pour prier dans nos cellules; au point du jour, une cloche nous appelle à la messe de la paroisse, qui est au centre de nos hermitages. — Quelle est votre nourriture? — Le couvent nous fournit du pain, du vin, de l'huile, du sel; et, tous les trois ans, il nous donne un habit, des bas, une paire de souliers, et une somme de 90 francs pour subvenir à nos autres besoins. — Et cela peut vous suffire? — Oui, Saint Pacôme et Saint Antoine n'en avaient pas autant. J'ai pourtant encore une petite ressource: je cultive des fleurs que j'envoie aux habitants des environs, et l'on me donne en échange des légumes, du chocolat, des nippes et de la Malvoisie. Vous voyez que la manne du Ciel tombe parfois dans mon hermitage. Le temps le plus pénible est celui du noviciat. Nous servons un an comme frères lais: nous en remplissons toutes les fonctions; nous passons six autres années dans les différents emplois de la maison; ensuite, on nous donne l'hermitage le plus élevé; et, par succession de temps et à la mort de nos frères, nous descendons à la cellule la plus voisine. Je lui aurais cité volontiers ce beau vers de Corneille, s'il avait pu me comprendre:

Et monté sur le faîte, il aspire à descendre.

Il ajouta: nous fesons les mêmes vœux que les pères bénédictins; nous ne mangeons jamais de viande, toute conversation entre nous nous est défendue; et de plus, nous ne pouvons jamais quitter le monastère. Je trouvai ce dernier vœu bien cruel et bien peu raisonnable.

Nous prîmes congé de cet heureux anachorète, et nous continuâmes notre ascension. Don Pedro me montra la cellule nommée *Maureza*, où avait vécu, ou plutôt *déliré* Ignace de Loyola, et où il s'était fait armer chevalier. Nous entrâmes pour déjeuner dans un petit hermitage nommé la *Trinidad*; il est proprement arrangé: Horace y aurait volontiers chanté sa Lalagen, et Tibulle sa Délie. Dans la belle saison, c'est le rendez-vous des moines; les jours de *spaciment*, ils y viennent *indulgere genio*, et savourer la Malvoisie de Sitgis. Après le déjeuner, nous continuâmes notre route, et nous parvînmes, après trois quarts-d'heure de marche, à l'hermitage de Saint-Jérôme, le plus élevé de tous. De cette hauteur, la vue embrasse un horizon de soixante lieues. Je voyais des villes, des rivières, dont l'œil suit le cours, les îles Baléares, les flots azurés de la mer, et, dans le lointain, des vaisseaux dont le balancement animait ce vaste et magnifique tableau. Je demandai à don Pedro, qui paraissait froid et indifférent, s'il n'était pas ému de cette belle perspective. — J'y fais peu d'attention: je ne regarde que le ciel. Nous entrâmes dans cette cellule de saint Jérôme, dont la porte était ouverte. Nous y trouvâmes un jeune hermite à genoux devant l'image de la Vierge. Il nous entendit, et tourna la tête; nous le saluâmes d'un *ave Maria purissima*, il nous répondit: *Sine peccado concebida*, et il continua sa prière. Cet hermitage contenait pour tout meuble, une table, une chaise de bois, une paillasse étendue sur des planches, un grand crucifix, l'image de la Vierge, et une urne cinéraire, au bas de laquelle je lus cette inscription en vers espagnols, que j'ai traduits en vers français:

Oui j'espère que Dieu, ce Dieu de la clémence,

Aura pris en pitié ses écarts malheureux;

Il n'aura pas formé ce chef-d'œuvre des cieux

Pour l'accabler un jour du poids de sa vengeance.

Nous sortîmes au plutôt de cette cellule, pour ne pas distraire l'hermite; mais, curieux de le connaître, et de savoir quels étaient les restes précieux renfermés dans l'urne, je priai don Pedro de m'éclaircir ce mystère. Descendons, me dit-il, dans une vallée où vous serez plus au frais et plus commodément, et je satisferai votre curiosité. Nous nous assîmes sous un bouquet de vieux sapins, et don Pedro me conta l'histoire de ce jeune anachorète.

Cet hermite, qui n'a pas trente ans, est fils d'un grand d'Espagne de la première classe.[52] Nous l'appelons ici don Juan. A l'âge de vingt ans il devint amoureux de la comédienne la plus célèbre qu'ait eue l'Espagne, nommée *Françoise l'Advenant*, femme dont les talents, la beauté, l'esprit, formaient un des êtres les plus séduisants qui aient embelli le monde. Don Juan allait l'épouser, quand son père, averti de son délire, obtint un ordre pour le faire enfermer. Il était depuis six mois en prison, respirant l'amour et la vengeance, lorsqu'il trouva le moyen de s'évader. Il courut à Valence, où était sa divinité, et la trouva dans les bras de la mort. Il appela tous les médecins, fit dire des messes dans toutes les églises; lui-même allait deux fois par jour aux pieds de la Vierge, prier, pleurer pour la conservation de celle qu'il adorait; il fit même le vœu solennel d'aller à pied à Notre-Dame de Lorette, d'y faire dire vingt messes, et de réciter le rosaire trois fois par jour. Mais Dieu avait fixé le terme de la vie de cette infortunée. Elle donna, en mourant, des preuves touchantes de son repentir: elle tenait un crucifix dans ses mains, le baisait à chaque instant, le baignait de ses larmes. Deux heures avant sa mort, elle prit un cierge allumé pour faire amende honorable de ses péchés; elle demanda pardon à Dieu et aux assistants du scandale de sa vie. Son confesseur, les médecins, tous les témoins fondaient en larmes. Don Juan n'en versait plus: il était muet, stupide de douleur; il regardait tout le monde avec des yeux égarés. Dès que son amante rendit le dernier soupir, il se précipita sur le cadavre en poussant des cris de rage; mais on l'emporta dans sa chambre, froid, inanimé, et mourant. Cette comédienne avait ordonné, par son testament, qu'on l'enterrât en habit de carmelite.[53] Elle a légué une somme considérable pour des messes, quoiqu'elle ne laissât que des dettes.[54] Dieu la retira de ce monde à la fleur de son âge: elle n'avait que vingt-deux ans. Comme les médecins n'avaient pas connu sa maladie, un bruit vague se répandit que le poison avait causé sa mort; mais le poison qui l'a tuée est un amour immodéré pour le plaisir, et pour son art, qu'elle cultivait par des études forcées pendant le jour; et ses nuits étaient toutes consacrées aux bals et aux festins. Don Juan, éperdu, et la tête aliénée, s'imagina que son père était l'auteur de cette mort, et, dans son désespoir, altéré de vengeance, il osa méditer le parricide. Avant son départ, il alla au tombeau de son amante, inhumée près de Valence, viola cet asile sacré, se jeta sur le cadavre, l'arrosa de ses pleurs, lui coupa les cheveux, lui arracha le cœur, et s'enfuit, emportant ces reliques si chères, qu'il a, depuis, déposées dans l'urne qui est dans sa cellule, et desquelles, malgré son retour à Dieu, il n'a jamais voulu se séparer. Il partit ensuite pour Madrid, en habit de franciscain, défiguré par une barbe épaisse, par l'impression d'une longue douleur, et armé d'un poignard caché sous sa robe. Arrivé à Madrid, il se présente à son père, qui, pénétré d'une grande vénération pour l'habit religieux, se lève à son aspect, l'accueille d'un air riant, et veut baiser la main parricide qui va le frapper; don Juan la retire brusquement, fixe sur son père des yeux égarés, et reste immobile. L'affreux parricide, le remords, la pitié, bouleversent et brisent son ame. Le duc, étonné de son immobilité, le regarde plus attentivement, et croit le reconnaître; il s'écrie: Ah! mon fils, est-ce vous? A cette voix si connue, jadis si chère, don Juan s'enfuit épouvanté, poursuivi par les remords et les furies. Il sort de Madrid, se défait de son habit monacal, vient à Tolède sans s'arrêter, passe une nuit terrible dans une auberge, en proie à la terreur du suicide qu'il méditait. L'eau et le pain, seuls aliments, soutenaient depuis plusieurs jours ses forces défaillantes; sa tête en était affectée. Il se lève aux premiers rayons du jour, va sur les bords du Tage, s'y arrête, le regarde, s'en éloigne, y revient, et, après quelques instants d'effroi et d'incertitude, il lève les yeux au ciel, et s'écrie: Grand Dieu, aie pitié de mon ame; si je m'ôte la vie, elle est criminelle, affreuse: retiens-moi dans le purgatoire; mais ne me prive pas à jamais de ta présence et de ton saint paradis. Après cette prière, il se précipite dans le fleuve. Des blanchisseuses, qui l'observaient, jettent aussitôt les hauts cris; soudain deux hommes vigoureux plongent dans la rivière, trouvent bientôt l'infortuné don Juan, et le ramènent sur le rivage, sans mouvement, sans respiration, le corps froid, le visage livide. Un père hyeronimite survint, et le fit transporter chez un chirurgien, qui, par un sage traitement, par des frictions, et le secours de l'alkali fluor, lui rendit le mouvement et la vie. Quand le religieux charitable le vit en état de l'entendre, il chercha, par des paroles affectueuses et consolantes, à rassurer son ame, à pénétrer la cause de son désespoir; il lui parla avec tant d'onction et de douceur au nom du ciel et de la religion, que don Juan, vivement ému, lui fit le pénible aveu du désordre de sa vie, et de son projet épouvantable contre son père, disant que Dieu ne lui pardonnerait jamais ses crimes. Don Jeronimo, c'était le nom du religieux, persuadé de la miséricorde de Dieu, et animé de l'éloquence des saints, versa dans cette ame ulcérée l'espérance et les trésors de la grâce; lui fit voir la clémence et le pardon au pied du trône de l'Éternel; et, pour appaiser ses remords et ses terreurs, il écrivit au père de cet infortuné pour l'informer de son état, de son désespoir, et implorer en sa faveur quelque signe de tendresse et de bonté; mais sans lui révéler la cause de l'égarement de son fils. Le duc de ***, que la fuite soudaine de don Juan avait jeté dans le plus grand étonnement, accourut à Tolède, descendit au couvent des hyeronimites, vit le Père don Jeronimo et lui demanda le motif du désespoir de son fils. C'est l'implacable remords, lui répond le père, qui trouble sa raison et déchire son ame; mais, avant de vous en confier la cause, promettez-moi, monsieur le duc, un entier et généreux pardon de ses fautes. Le duc lui donna sa parole; alors don Jeronimo lui avoua que don Juan, le croyant l'auteur de la mort prématurée de Françoise l'Advenant, avait voulu, dans son égarement, la venger par un parricide; mais votre aspect, l'horreur de son crime, et Dieu, sans doute, ont retenu sa main: épouvanté, glacé d'effroi, accablé de son repentir, il s'est enfui, et il est venu se précipiter dans les eaux du Tage, d'où la bonté céleste a permis qu'on le retirât. Le duc, saisi, étonné d'un tel forfait, garde quelques instants le silence, et puis il s'écrie: Quoi, don Juan voulait assassiner son père! — Il n'était plus à lui, l'esprit infernal s'était emparé de son ame; mais il s'est puni d'un crime involontaire: lui pardonnerez-vous? J. C. mourant a pardonné à ses bourreaux. Si vous êtes inflexible, à votre tour vous assassinez votre fils; car le remords consumera sa vie. Le duc promit le pardon, et consentit même à voir le malheureux don Juan. Je vais le prévenir, lui dit le hyeronimite; une surprise trop vive, dans son état de débilité, pourrait lui causer une révolution trop dangereuse. Don Juan, préparé à la visite de son père, l'attendit avec terreur et attendrissement; dès qu'il l'aperçut, il tomba à ses pieds, sans prononcer, d'une voix étouffée, d'autres mots que, Pardon, pardon, je suis un misérable! Il était pâle, hideux, méconnaissable par sa longue barbe et le délabrement de ses habits. Le duc, touché, ému jusqu'aux larmes, lui tendit la main, le fit relever, le serra dans ses bras. Don Jeronimo dit alors au duc que son fils lui demandait la permission d'aller expier dans un couvent les égarements de sa vie. Le duc y consentit, et lui conseilla même de se retirer dans notre monastère. Il y est depuis sept ans; il a passé la première année dans une agitation violente. Un jour il vint me trouver: Mon Père, me dit-il en pleurant, secourez-moi, priez pour moi, engagez tous vos Pères à joindre leurs prières aux vôtres; presque toutes les nuits je vois en songe Françoise l'Advenant parée de fleurs, le visage riant, plus belle que jamais; c'est son regard, ses beaux yeux, sa taille céleste; j'entends sa voix enchanteresse; mon cœur palpite, mes sens se troublent, je brûle d'amour. Cette nuit elle m'a dit: Pourquoi m'as-tu abandonnée, moi qui t'aime si tendrement? Viens, mon ami, viens dans mes bras caressants. Alors j'ai cru la voir s'approcher, s'incliner sur mon lit. Je m'éveille en sursaut, couvert d'une sueur froide, et, troublé, éperdu, j'ai couru me jeter au pied du crucifix, où j'ai répandu un torrent de larmes. Je le tranquillisai, et lui promis mes secours spirituels et ceux de la communauté. Il ajouta ensuite: Pensez-vous que cette fille si généreuse, si sensible, le chef-d'œuvre de la nature, soit en paradis avec les anges, auxquels elle ressemblait, ou condamnée aux flammes éternelles de l'enfer? — Nous devons espérer que son repentir sincère, sa piété touchante à l'heure de sa mort, auront fléchi la miséricorde du Père des humains; et qu'aujourd'hui Françoise de l'Advenant jouit, comme Magdeleine, de la gloire et du bonheur des saints; et qu'en ce moment elle prie Dieu pour vous. Cet espoir a rétabli le calme dans cette ame sensible et souffrante. Depuis, il mène une vie sainte, édifiante et moins agitée. La cloche alors nous avertit que c'était l'heure du réfectoire. Je me mis à table avec la communauté, et, après le dîné, je pris congé de don Pedro et de ces bons pères, qui me firent présent d'une médaille bénite, et me demandèrent une inscription latine pour la porte de leur couvent. Je leur proposai ce passage que Pline applique aux Therapeutes:[55] *Gens æterna, in quâ nemo nascitur.*[56] Il me parut qu'elle ne leur plaisait pas. Je pris dans ce couvent une idée des moines espagnols; je vis qu'ils avaient adopté les principes de l'abbé de Rancé, supérieur de la Trappe, qui interdit à ses moines la science, et toute lecture, hors celle de la Bible, affirmant que la science ne convient pas aux religieux.[57]

Je partis pour Tarragone. Ce qui me frappa dans cette route, ce fut de voir des femmes travailler la terre, le hoyau ou la bêche à la main. La nature, sans doute, s'indignait de leurs travaux; leur visage noir et flétri repoussait le regard du voyageur.

Tarragone est située sur une éminence hérissée de rochers. Cette ville, peu populeuse aujourd'hui, fut jadis une colonie de Scipion, et le siège du gouvernement romain. Ses pauvres et tristes habitants foulent la cendre des maîtres du monde. Les vainqueurs, les vaincus, sont confondus dans la même poussière.

Les anciens Tarragonois furent les premiers qui élevèrent un temple à Auguste, et brûlèrent de l'encens devant sa statue. Est-ce la reconnaissance ou la vile adulation qui fit un dieu de l'auteur des proscriptions? Mais ce dieu prétendu paya leur flatterie d'une ironie piquante. Les députés de cette ville lui disaient qu'un palmier avait germé sur son autel; cela prouve, répond Auguste, que vous y sacrifiez souvent. C'est à Tarragone, au milieu du dix-septième siècle, qu'un concile indigné de l'usage immodéré du tabac, défendit, sous peine d'excommunication, aux ecclésiastiques d'en prendre en poudre lorsqu'ils officiaient au chœur; et en pipe, avant la communion, et même une heure après.

Je quittai Tarragone, après un fort mauvais repas, car je n'avais trouvé à la *venta* que la *cama è el fuego* (la chambre et le feu). Ce sont souvent les seules ressources des auberges d'Espagne.

On arrive à Tortose par un chemin pénible, à travers des dunes et des terres incultes. Mon cheval suait, fatiguait. *Macte animo* (courage), lui disais-je, mon cher Podagre; ce soir nous serons à Tortose, tu te reposeras dans une belle écurie, et je te donnerai l'avoine de ma main; et si tu meurs avant moi, je te ferai bâtir, comme l'empereur Adrien fit pour son cheval, un beau sépulcre orné de ta statue. On ne doit pas être surpris de cette petite harangue que j'adresse à mon cher Podagre; Mézence, dans l'Énéide, tient à son cheval Rhæbé un discours fort touchant. Dans Homère, Achille et Hector parlent aussi à leurs chevaux; ceux d'Achille pleurèrent sa mort. Virgile dit la même chose du cheval de Pallas.[58] J'avais une grande tante qui s'entretenait avec son épagneul, comme elle aurait fait avec un savant. Et pourquoi non? Malgré Descartes et Buffon, les bêtes diffèrent des automates; elles ne sont point bornées à une seule impulsion mécanique, qu'on appelle instinct; elles ont de la mémoire, et même de l'imagination, car il en faut pour construire un nid, inventer des ruses pour surprendre sa proie, ou éviter des piéges; et quand la philosophie aura connu et défini l'ame des hommes, elle pourra définir celle des bêtes.

Les heures, en voyage, coulent aussi lentement que celles qu'on passe dans l'antichambre des grands, ou dans leurs cercles pompeux. Toutes les fois que je demandais à quelle distance j'étais de tel endroit, on me répondait: Vous en avez encore pour une heure, pour deux. C'est ainsi que les Espagnols évaluent les distances. Mais les heures étaient de cent vingt minutes; les chemins, les auberges, tout était détestable. *Sed levius fit patientiâ, quidquid corrigere est nefas.*[59] D'ailleurs l'espérance m'aiguillonnait, et chaque lieue faite, chaque heure de ma vie consumée, me rapprochait de ma chère Séraphine. On dit: Le mieux, l'ennemi du bien; et moi je dis: Le mal, l'ami du bien. Parvenu dans la plaine de Tortose, j'en goûtais mieux l'aspect charmant. Que l'automne est beau dans ce pays! Il lève sa tête, comme le dit Horace, couronnée de pampres et de fruits.[60] Quelle sérénité dans l'air! Quelle douce température! Je croyais me promener dans un jardin entrecoupé de plants d'oliviers, de figuiers, de caroubiers et de vignes. Les vendanges étaient ouvertes; les chants d'allégresse retentissaient; hommes, femmes et enfants coupaient, en chantant, les longues grappes d'un raisin noir, en chargeaient les mulets. Les vendangeurs m'en offraient de bonne grâce, et j'acceptais de même. Je ne connais pas de fête de ville aussi agréable, aussi intéressante que cette fête champêtre, dont la nature fait tous les frais.

J'arrivai le samedi soir à Tortose; mon cheval était fatigué, et mon hôte me pressa beaucoup de le laisser reposer le dimanche. Il y a, me dit-il, dans cette ville cent choses à voir, entr'autres une belle relique que la sainte Vierge a donnée à la cathédrale. Sa digne moitié joignit ses instances aux siennes.

C'était une femme d'un puissant embonpoint, qui aimait bien trois choses, l'argent, la *Madonne* et les hommes. Elle m'apprit que les femmes de Tortose, dans les cérémonies du mariage, prenaient le pas sur les hommes, parce qu'elles avaient fait des prodiges de valeur en défendant la ville contre les Maures. L'on avait fondé pour elles un ordre militaire, dont la décoration était un scapulaire sur lequel était peinte une hache de couleur écarlate.

Pour me reposer de mes fatigues, je comptais donner au sommeil une partie de la matinée; mais à peine le soleil pointait sur l'horizon, que mon hôte frappa à ma porte, en criant: *Senor capitano, la misa.* Je le donnai au diable avec sa messe; mais, si j'avais refusé de l'entendre, j'aurais été réputé *Judeo* ou *Moro*, et l'on m'aurait peut-être lapidé comme saint Paul et saint Étienne le furent jadis; et, depuis la leçon reçue à Barcelone, je ne marchais plus que sous les ailes de la Prudence. J'allai donc à la *misa*, et, quand elle fut dite, mon hôte me conduisit à la sacristie, pour me faire voir la fameuse relique dont la *Madonne* avait gratifié cette église. La sacristie était pleine d'hommes et de femmes à genoux. Un prêtre, revêtu de son étole, debout au milieu d'eux, leur appliquait sur les tempes, sur le front et sur la bouche un ruban enchâssé clans une boîte enrichie de diamants. Mon *posadero* (hôte) s'agenouilla en entrant, et me tira par la manche pour m'engager à l'imiter; je fléchis le genou, et le prêtre, à mon tour, promena le saint ruban sur mon visage, cérémonie que j'essuyai avec de grands sentiments de componction. Mon dévot aubergiste, dont le nom n'a pu rester dans ma mémoire, m'assura que toutes les fois qu'il avait été frotté du saint ruban, il lui était arrivé quelque chose d'heureux dans la journée. Il était vêtu de l'habit du dimanche, et traînait une longue rapière, qui, sans doute, avait appartenu à quelque *Visigoth*. Je lui demandai si, en Espagne, il était permis aux hôteliers de porter l'épée. *Si senor, a mi*, répondit-il fièrement; *sono nobile come el re* (je suis noble comme le roi).[61] — On le voit à votre air. — Je suis Biscayen; et tout le monde sait que les Biscayens descendent de l'ancienne noblesse cantabre, qui s'est conservée pure et sans mélange avec le sang maure ou juif; de plus, Philippe II, notre grand roi, a anobli toute la Biscaye. — C'est un beau privilège, qu'avait ce monarque, d'anoblir dans un jour, et d'un seul mot, les cordonniers, les barbiers, les paysans de toute une province.[62] On raconte qu'un Biscayen vint à Madrid; il était grand, sec, costumé à l'antique, et traînant à son côté une longue épée; il rencontre sur l'escalier Charles III, bon prince, qui marchait sans pompe;

Par l'amour de son peuple, il se croyait gardé.

Le Biscayen s'arrête devant lui sans mot dire; le roi le regarde, comprenant qu'il voulait lui parler. Le Biscayen alors lui dit: «*Sois Carlo tercero, mi amo è mi senor?*» (Êtes-vous Charles III, mon maître et mon seigneur?) — *Soi.* (Je le suis.) Alors, le Biscayen lui présentant un placet, ajoute: *Leed e hazed justicia.* (Lisez et faites justice.) Le roi prit le placet, et répondit: *lo hare.* (Je le ferai.) Et en effet une justice prompte lui fut rendue.

La noblesse et la dévotion de mon hôte le Biscayen n'altéraient point son penchant à la friponnerie. Il avait devant moi donné la *celada* (l'orge) à mon cheval;[63] et comme mon attachement pour ce camarade de voyage m'inspirait pour lui une attention fraternelle, je revins bientôt après à l'écurie pour voir s'il mangeait avec appétit; je trouvai mon gentilhomme qui remportait la ration du pauvre Podagre. «*Senor* Hidalgo, lui dis-je, ce n'est pas aujourd'hui jour de jeûne pour mon cheval.» Il me répondit froidement que, par erreur, il lui avait donné double mesure; et pour mieux me prouver sa méprise, il me la porta en compte. Il me fit assez bonne chère en poisson, que l'Èbre, qui baigne les remparts de la ville, fournit en abondance. Mais son *pescado* (poisson) était assaisonné avec une huile détestable, qu'il soutenait être délicieuse: en Espagne, la force et le piquant de l'huile en constituent la bonté. Mon cher *posadero* s'était établi à table avec moi; il daigna boire à la santé du roi de France, le premier roi de l'Europe après Sa Majesté catholique, qui est, disait-il, notre seigneur. — Dites votre roi. — Non, il n'est que notre seigneur; les Biscayens sont libres et nobles: voilà pourquoi nous sommes riches et gais; au lieu que les Castillans sont froids, silencieux, pauvres et paresseux. Allons, monsieur le Français, de la joie, et buvons libéralement. Il remplissait mon verre et le sien du vin qu'il me fesait payer. Il me fit ensuite l'éloge de chaque plat apprêté par sa femme. A propos d'elle, s'écria-t-il, l'avez-vous remarquée? c'est un beau morceau de femme; et de plus, sa vertu égale sa beauté. Elle ne voit personne que le père don Ambrosio, qui nous fait l'amitié de venir tous les jours, et qui l'entretient dans les bons principes: cependant malgré les vertus de cette moderne Lucrèce, et les bons principes que lui inspirait le révérend père Ambrosio, il n'a tenu qu'a moi de terminer, cette journée par une fête d'amour. A l'heure où toute l'Espagne fait la méridienne, dame Catalina pénétra dans ma chambre, *tacito pede*, rouge comme du corail, et parée de tous les attraits d'une Vénus de quarante ans. En me voyant un livre à la main, elle s'écria: *que santo!* Elle s'imaginait qu'on n'ouvrait un livre que pour dire ses prières. Elle s'assit à mes côtés, en me déclarant qu'elle aimait beaucoup les Français, qu'ils avaient un air, une tournure bien agréable et bien piquante, et que son mari dormait en attendant l'heure d'aller à l'église. C'est un très-galant homme, lui dis-je, que votre mari. — *Senor, si e un hombre di Dios* (c'est un homme de Dieu). — Il est bien heureux d'avoir une femme aussi honnête, aussi vertueuse que vous; vous devez bien l'aimer.— *Senor si, muchissino* (infiniment). — Continuez, *las almas christianas le ayudaran en todas sus empressas.*[64] Ces mots et mon air grave glacèrent son imagination, et éteignirent son goût pour les Français; elle se retira plus rouge que la pleine lune à l'horizon, en me disant qu'elle allait à l'église, et qu'elle était venue pour voir si je n'avais besoin de rien. — Non, *senora*, que de vos prières. Je ne fus pas obligé de faire de grands efforts pour faire le petit Joseph devant cette grosse Putiphar.

Au coucher du soleil, mon Biscayen, l'épée au côté, la tête haute, fier comme un Romain montant au Capitole, me conduisit à la promenade. Les environs de Tortose sont charmants. Nous nous promenâmes en bateau sur l'Èbre, au milieu d'une foule de petits bâtiments qui animent cette scène, et annoncent l'activité du commerce. Mon cher *posadero* me demanda si Paris était beaucoup plus grand que Tortose? — Oui, un peu plus. — Si le roi de France se confessait souvent? — Plus souvent que Frédéric II, roi de Prusse. — Si les Françaises étaient fidèles à leurs maris? — Oui, tout autant que la vôtre. — Si elles aimaient et respectaient les moines? — Oui, comme à Rome on respecte les imans et les derviches. — Je ne le croyais pas; je n'avais pas si bonne opinion des Français. Il me parla ensuite de la cérémonie religieuse du matin, du ruban de la *Madonne*, qui portait bonheur à ceux qui le touchaient. Il était en ce moment si content de sa situation et de lui-même, qu'il s'écria tout joyeux: *Espagna es el mejor pays del mundo*.[65] Mais au retour de notre promenade, son hilarité se changea en tribulation. Sa femme accourut au-devant de lui tout éplorée, et lui annonça que leur valet d'écurie avait enfoncé l'armoire, et emporté leur argent et leur vaisselle. A cette nouvelle foudroyante, le dévot Biscayen s'écrie, écumant de rage: *A los diablos san francesco, san Joseph*. Il s'arrache son scapulaire, le déchire, le foule aux pieds en criant: *All inferno nuestra senora d'astocha, di Tortosa, del carmen e su cinta* (son ruban). A ces imprécations, je m'échappe en riant, et en songeant à quoi tenait la dévotion d'un Espagnol. Le lendemain je me levai avec l'aurore pour aller coucher a Morviedro. Mon Biscayen, qui n'avait pas dormi, et n'avait pas encore pardonné à la *Madonne* le vol de son cher trésor, me présenta, dans sa mauvaise humeur, un compte fort exagéré. J'osai me permettre quelqu'objection; mais il me répondit qu'un *hidalgo* n'avait qu'une parole; d'après cela, il me fallut payer. Cependant il me recommanda d'entendre la messe avant mon départ, et de prendre une escorte parce que la route de Morviedro était infestée de brigands. Mon cher hôte, lui dis-je, je n'en prendrai point, j'ai, pour moi, Dieu et mon épée. *Vaya usted con Dios*, fut sa réponse.

Le chemin de cette ville était au milieu des montagnes élevées, couvertes de pins, de caroubiers, de divers arbustes et de nombreux troupeaux. A l'opposite, mes regards se promenaient sur une mer vaste et tranquille. Cet ensemble m'offrait souvent des tableaux intéressants, et je m'arrêtais pour les contempler et en jouir. Que le tableau le plus parfait est faible, mesquin, auprès de ces magnifiques paysages de la nature!

Le midi brûlait la terre; Podagre et moi étions haletants. J'entendis le murmure d'un ruisseau qui descendait de la montagne; j'y courus, je mis pied à terre. J'enviai le bonheur de mon cheval, qui se désaltérait en buvant cette eau limpide, tandis que je n'avais pas même, comme Diogène, une tasse de bois; je m'en passai comme lui, et je bus dans le creux de ma main: ce qui, n'en déplaise à ce fameux cinique, me fesait regretter le superflu, *chose si nécessaire*. Je m'assis au bord de ce ruisseau qui courait d'un pas si rapide, et je lui adressai ces vers de madame Deshoulières:

Ruisseau, nous paraissons avoir un même sort;

D'un pas précipité nous courons l'un et l'autre;

Vous à la mer, nous à la mort.

J'étais assis à l'ombre de quelques caroubiers; la mer était devant moi, le ruisseau coulait à ma gauche; non loin, et à ma droite, un troupeau de moutons dormait à l'ombre des rochers; le chien, le berger dormaient également, *comme aussi sa musette*. Enchanté de la beauté de ce paysage, ému, attendri du calme, du silence de la nature, et du souvenir de ma chère Séraphine, je me mis à traduire deux vers touchants d'une églogue de Virgile:

Là, des bosquets, une prairie;

Là, d'un ruisseau l'aimable cours;

Là, je voudrais, belle Délie,

Auprès de toi finir mes jours.[66]

Mais un souvenir douloureux versa la tristesse dans mon ame; je me rappelai la tendre et malheureuse Cécile. Chère amie, m'écriai-je, où es-tu? Dans le ciel. Vois-tu mes regrets, entends-tu ma voix? Pourquoi, si jeune, as-tu quitté la terre, dont tu étais l'ornement? Et des larmes abondantes coulaient de mes jeux. Le cœur soulagé par cette effusion, je continuai ma route. Le soleil était au bord de l'horizon, je gravissais les montagnes à pied, lorsque j'aperçus trois hommes sur la hauteur, qui paraissaient m'attendre. A mon approche, l'un d'eux passa de l'autre côté du chemin, sans doute pour m'envelopper; je ne pouvais ni reculer, ni courir; la montée était rude, escarpée. Je passai dans le bras la bride de mon cheval, et je tirai un pistolet de ma poche, tins mon épée nue à la main, et m'avançai d'un pas ferme, les jeux toujours attachés sur ces hommes, les détournant cependant parfois à droite et à gauche, pour voir si le ciel ne m'enverrait aucun secours; mais le silence, la solitude, l'ombre et la terreur régnaient autour de moi. Alors, comme Henri IV, je recommande mon ame à Dieu, et laisse mon cœur à Séraphine, après quoi je hâte mon pas, et marche vers l'homme qui était seul. Quand je fus près de lui, il tendit son chapeau, en me disant: *dad* (donne). Passe de l'autre côté, lui criai-je, ou je te tue; *dad* fut sa réponse. Soudain je fonds sur lui l'épée à la main. Effrayé, il s'enfuit vers ses complices, et, tous les trois réunis, ils viennent sur moi, je décharge mon pistolet sur le plus avancé; et sans doute je lui cassai la cuisse, car il tomba en criant: *Jesus, santa Maria, piedad, son muerto*. A cet aspect, ses deux compagnons restèrent immobiles, et je les attendis: mais voyant qu'ils ne bougeaient pas, et qu'ils étaient occupés auprès du blessé, je continuai mon chemin, non sans tourner la tête à chaque pas pour observer leurs mouvements; mais ils n'osèrent me suivre. Ils relevèrent leur camarade en m'adressant un torrent d'injures; les *demonio*, les *diavolo* sifflaient à mes oreilles. Lorsque je fus à cent pas d'eux, je remontai à cheval, car j'avoue que je me sentais affaibli. J'aurais payé bien cher un verre d'eau-de-vie. J'arrivai nuit close à Morviedro, accablé de fatigue; je demandai, en entrant à l'auberge, un verre de vin, ce qui rétablit mes forces. Je ne voulus point parler de mon aventure, pour ne point comparaître devant la justice, qui, en Espagne, a les mains agiles, et la démarche lente et tortueuse.

Mon hôte me promit à souper *huevos estrellados* (des œufs brouillés), et un plat délicieux d'escargots; je ne connaissais point ce ragoût, très-commun dans cette contrée. On les mit dans un poêlon hermétiquement fermé. Ces malheureux animaux, cuits vivants, produisirent, par leurs sifflements, le même bruit que l'eau bouillante. Je souffrais de leur supplice, et ne pus me résoudre à en manger; et je soupai légèrement avec des *huevos estrellados*.

Je résolus de sacrifier quelques heures de la matinée pour parcourir Morviedro, jadis la fameuse Sagonte, que Tite-Live nous peint si riche, si puissante, si fidèle aux Romains. Lorsque je vis ses habitants tranquilles occupés de leurs affaires et de leurs plaisirs, je songeai au terrible Annibal, qui la prit, après huit mois de siège, l'an de Rome 526. Les malheureux Sagontins, après s'être nourris de la chair de leurs enfants, formèrent l'affreuse résolution de mourir tous ensemble, et de laisser leur cendre confondue avec celle de la ville. Ils dressent un vaste bûcher au milieu de son enceinte, y portent leurs meubles, leurs trésors, y mettent le feu, et s'y précipitent, hommes, femmes, enfants et les esclaves même. Annibal, au lieu de richesses, n'y trouva que cendres et débris. C'est par cette scène sanglante que commença la seconde guerre punique.[67] O malheurs de la guerre! «Si l'on vous contait, dit la Bruyère, que tous les chats d'un grand pays se sont assemblés dans une plaine, et qu'après avoir miaulé tout leur saoul, ils se sont jetés les uns sur les autres, et ont joué ensemble de la dent et de la griffe, et qu'il est demeuré, de part et d'autre, dix mille chats sur la place, qui ont infecté l'air à dix lieues à la ronde, ne diriez-vous pas: Voilà le plus abominable sabat dont on ait jamais ouï parler?» Ce sabat dure en Espagne depuis trente siècles. Phéniciens, Carthaginois, Romains, Vandales, Goths, Maures, Espagnols, Français, Allemands, se sont disputé cette riche proie, ont inondé de leur sang cette terre riante et fertile, pour en jouir pendant quelques jours, et la transmettre ensuite de main en main à la postérité leur héritière. Aujourd'hui je marche sur leurs cadavres, je foule leur poussière sous mes pieds; les tombeaux, les monuments même de leur orgueil n'existent plus.

Quando quidem data sunt ipsis quoque fata sepulchris.[68]

En réfléchissant ainsi, j'arrivai près d'un couvent de trinitaires, bâti sur les ruines du temple de Diane, et avec ses matériaux.

Des prêtres fortunés foulent d'un pied tranquille

Le tombeau de Caton et la cendre d'Émile.

Ici ont passé, me disais-je, les Émile, les Fabius, les Acilius, ce Caton, qui gouvernait l'Espagne, et ce grand Scipion, qui, n'ayant pu lui enlever son gouvernement, renonça aux affaires publiques. J'aperçus des inscriptions latines gravées sur des pierres tombales; pendant que je cherchais à les déchiffrer, je vis auprès de moi l'un de ces trinitaires: je l'abordai pour lui demander quelques éclaircissements sur ces inscriptions. Le révérend me répondit qu'il n'entendait pas l'arabe, et qu'il ne s'occupait pas de ces bagatelles écrites par les Maures, qui étaient des chiens, et dont Mahomet était le dieu. Emerveillé de cette réponse, je lui demandai ce qu'il pensait des anciens Romains. Ils adoraient, me dit-il, des statues de pierre et de bois, des serpents et des crocodiles. J'admirai la vaste érudition du révérend, et, pour m'égayer, je lui demandai si Luther était mahométan? — Non, c'était un apostat né du commerce de sa mère avec un incube; il avait renoncé à sa part de paradis pour vivre cent ans dans le bourbier du libertinage: à sa mort, le diable, qui se tenait auprès de son lit, a emporté son ame.

Auprès du lit se tapit le mâtin

Ouvrant la griffe; et lorsque l'ame échappe

Du corps chétif, au passage il la happe.

Cependant ce bon moine avait certain savoir: il m'apprit que les vignes de Morviedro produisaient un *vino generoso*; que l'on n'en buvait pas d'autre dans le couvent; que le pays était couvert de caroubiers, arbres très-agréables, toujours verts, dont les fleurs sont rouges; que la carrouge est un fruit long et plat, dont la pulpe est fade et douceâtre; et qu'on en nourrissait les chevaux et les bestiaux.[69]

Je voulus aller visiter les ruines d'un amphithéâtre, monument des Romains. Le trinitaire offrit de m'y accompagner. Il me fit remarquer, à la porte de la ville, la tête d'Annibal gravée sur une pierre. A l'aspect de cet auguste visage, je me rappelai Trébie, Trasimène, Cannes, et Rome, cette fière Rome, vaincue, humiliée, tremblant au seul nom d'Annibal, selon moi, le plus grand, le plus habile, le plus intrépide des capitaines, parce qu'il fit de grandes choses avec de faibles moyens. Lorsqu'il descendit en Italie il n'avait plus que vingt mille hommes d'infanterie, et six mille chevaux; et c'était Rome qu'il allait attaquer. Pendant treize ans il a lutté contre cette puissance formidable, loin de sa patrie, abandonné par elle, avec une armée composée d'un ramas de toutes les nations, qu'il sut enflammer par l'enthousiasme de la gloire, et enchaîner par la sévérité de la discipline. Ce héros était hardi dans ses plans, intrépide et calme au milieu des plus grands dangers, et doué d'une présence d'esprit admirable; presque impassible, comme Charles XII, il bravait l'inclémence de l'air; il dormait sur la terre, lorsqu'il en avait le temps; l'aliment le plus grossier était sa nourriture; il marchait le premier au combat, et se retirait le dernier. Les Romains l'ont accusé de perfidie, de cruauté, d'irréligion; mais c'est la haine et la vengeance qui ont colorié ce portrait:

j'aurais volontiers gravé, sur l'effigie de ce grand capitaine, ce vers qu'Horace fit pour Auguste:

Nil oriturum alias, nil ortum tale fatentes.[70]

Mais après celui-là j'aurais voulu y inscrire ce vers philosophique de Juvénal:

Expende Annibalem, quot libras in duce summo invenies.[71]

Je vis dans notre promenade la vénération que l'on avait pour mon trinitaire; tous ceux que nous rencontrions lui cédaient le haut du pavé. Deux jeunes villageoises charmantes, vinrent appliquer leurs lèvres de rose sur sa main crasseuse et tannée.[72] Je ne trouvai à cet amphithéâtre que des décombres qui attestent son antique magnificence, des arcades presque entières, d'autres dégradées, et une citerne bien conservée; il pouvait contenir neuf mille spectateurs. Mon imagination me représentait sur ces sièges déserts, silencieux, ces fiers Romains assistant aux jeux scéniques. Le trinitaire me reprocha mon admiration pour ces vieux monuments, disant que c'était l'ouvrage des païens, que la religion devait anéantir.[73]

Nous retournâmes à son église, sur laquelle je lus cette inscription: *oy se sacca las animas*.[74] J'en demandai l'interprétation au révérend père: cela signifie, me dit-il, que ceux qui viendront aujourd'hui dans notre église, et réciteront quatre fois le rosaire, retireront une ame du purgatoire: il y avait déjà cent personnes. Voilà donc, dis-je au père, cent ames qui sortiront aujourd'hui du purgatoire. — *Senor si*, répondit-il gravement: dans ce moment je vis entrer une jeune fille très-jolie, mais pâle, les yeux baissés et baignés de larmes; elle s'approcha du bénitier, remplit une petite tasse d'eau bénite, alla se mettre à genoux auprès d'un tombeau, et après avoir récité quelques prières, l'arrosa de cette eau religieuse, et se retira ensuite à pas lents, et traînant sa douleur. Le moine m'apprit que la mère de cette fille reposait depuis un mois dans ce tombeau, et que chaque goutte d'eau bénite qu'elle y avait versée, avait éteint quelque flamme du purgatoire. — Il est fâcheux, répliquai-je, que cette eau miraculeuse n'éteigne pas les incendies de la terre. Ce cénobite, en me quittant, m'offrit sa main à baiser. — Les Français, lui dis-je, ne baisent que la main des jolies femmes. — Oh! s'écria-t-il, je sais que les Français sont un peu manichéens. — Qu'est-ce, mon père, qu'un manichéen? — C'étoient des hommes qui ne croyaient pas en Dieu, et qui croyaient au diable.[75] Mais sachez que les papes ont attaché des indulgences à ces marques de respect pour les religieux. — Mon père, les nègres d'Afrique ont des prêtres qu'ils appellent *marbuts* ou *marabous*, auxquels ils baisent le pied par respect. Lorsqu'un nègre s'est acquitté de ce devoir, le marabou lui prend la main, l'ouvre, crache dedans, et avec sa salive, lui frotte le nez, la bouche, le front et les yeux. Ce récit fit froncer les sourcils épais du révérend; mais pour l'adoucir, je lui donnai quelqu'argent pour les ames du purgatoire. Alors il me dit, que les *animas beneditas* (les ames bienheureuses) prieraient Dieu pour moi.

Le lendemain, au point du jour, mon hôte me conduisit à un hermitage peu éloigné de la ville, et situé sur une haute montagne. C'était une petite hutte de terre couverte d'*esparto*, environnée de caroubiers, de figuiers, d'amandiers, et de quelques orangers. Au milieu de ce petit verger, une source d'eau vive arrosait quelques plantes potagères. Pendant que je parcourais cette retraite agréable, qui paraissait être l'asile du repos et de la piété, que je respirais un air pur et salubre, je vis descendre l'hermite du haut de la montagne; il marchait d'un pas ferme, quoiqu'il comptât un siècle de vie. Il vint à nous; je le félicitai sur sa bonne constitution, et sa longévité. Oui, me dit-il, je suis centenaire; il y a quarante ans que je vis dans cet hermitage que j'ai créé et embelli. — Et vous pouvez être heureux loin de la société des hommes et de leurs secours? — Oui, beaucoup plus que lorsque j'étais au milieu d'eux, investi de besoins, et agité de passions. Je vis ici avec Dieu et la nature; mes occupations sont la prière et mon jardin; et mes plaisirs, la promenade et le repos. Mes fruits, mes légumes me nourrissent; je reçois quelquefois un peu d'huile et du pain de la générosité des habitants de Morviedro, et ces secours suffisent à mon existence. Je lui offris de l'argent, et il me refusa. Réservez, me dit-il, cette aumône pour les pauvres: le surperflu m'embarrasserait. Il aurait pu dire, comme le Rat de La Fontaine:

J'ai, dans mon hermitage,

Le vivre et le couvert; que faut-il davantage?

C'est la réflexion que je fis en le quittant. Ah! dis-je, toutes les ames sensibles et vertueuses, froissées, contristées par les crimes, la méchanceté et l'orgueil des hommes, iraient, comme ce bon hermite, se réfugier dans les montagnes, dans les déserts, si les vertus et la sensibilité de quelques individus ne les consolaient, ne les retenaient au milieu d'eux par les liens de l'amitié.

De Morviedro à Valence la route est tantôt sur des montagnes, et tantôt dans des vallées très-agréables. Elle était couverte de moines, de femmes sur des mulets, conduites par des *arrieros* (des muletiers), et escortées de troupeaux de *borricos* (ânes). Je m'arrêtai pour dîner dans la fameuse chapelle de Notre-Dame de la *Cueva-Santa* (de la Sainte-Grotte), située au milieu des montagnes. Quelques prêtres desservent cette chapelle, et, en même temps, tiennent auberge. Si vous étiez venu, me dit l'un d'eux, le 28 septembre, jour de la fête de la Vierge, vous auriez vu une foule immense, et vous auriez joui d'un spectacle touchant; des malades accouraient chercher la santé, des mères venaient prier la Vierge pour celle de leurs enfants, des épouses, pour en avoir. Je lui demandai si la *Madonne* fesait beaucoup de miracles. — Sans doute; mais ils sont plus rares depuis quelques années: les hommes sont trop dépravés; la foi s'affaiblit. Il me proposa, en attendant le dîné, de me mener à la *Cueva-Santa*. Je le suivis; il y entra le premier ventre à terre, et y pénétra en rampant. Je fus obligé de ramper aussi; mais ce n'était pas devant des hommes. L'obscurité, favorable à la dévotion et à l'amour, m'empêcha de voir cette *Madonne*. Au sortir de la grotte j'allai dîner. Ces bons pères me régalèrent d'un *guisado*, qu'ils me vantèrent beaucoup; celait une fricassée de poulets, cuite à la poêle, dans l'huile, avec des tomates, et force poivre. L'appétit seul me força de manger de ce ragoût détestable pour un Français. Quand je payai ce repas, on me demanda pour la Vierge, et je donnai pour la Vierge.

Je ne pus aller coucher qu'à Segorbe, éloigné seulement de *dos leguas* de la *Cueva-Santa*. Cette ville est assise sur le penchant d'une colline, entre deux montagnes, au bord de la rivière de *Toro*; elle est environnée de jardins bien cultivés, et contient cinq à six mille habitants. Le séjour m'en parut agréable; un philosophe et un amant doivent s'y plaire: en qualité d'amant, je disais à la belle Séraphine: *Hic tecum vivere amem.*[76]

Le lendemain j'arrivai de nuit à *Bexis*; le *posadero* me demanda en entrant à l'auberge, si j'étais *christiano*. Sur ma réponse affirmative, son visage s'épanouit, et il me dit, en me touchant la main: *Los almas christianas se allegran de ver à un hermano.*[77] Je lui demandai pour mon souper des truites que nourrit la rivière de *Toro*, que l'on m'assurait être excellentes. Il me promit d'en chercher, en m'assurant que j'aurais un souper de roi. Je m'assis, en attendant le festin, devant le foyer de la cuisine, au milieu d'une troupe de chats et de chiens. Crébillon le Tragique se serait délecté dans cette société; mais je n'ai pas le même attachement pour mes frères les animaux, malgré le pacte que Dieu a daigné faire avec eux. La conversation de mon hôtesse vint égayer mon loisir; je sus bientôt quelle était de Saragosse; qu'elle en était à son troisième mari; qu'elle avait aimé le premier, détesté le second, et avait de l'amitié pour le troisième. Elle me raconta un miracle de son pays, arrivé du temps de son aïeule. Un gentilhomme très-jaloux surprit sa femme avec son amant qui sauta par la fenêtre, et échappa au fer vengeur de l'époux; dans sa fureur, il fond, l'épée à la main, sur sa femme, qui, épouvantée, tombe à genoux, en implorant le secours de la Vierge. A peine eut-elle commencé sa prière, que le mari reste sans pensée, sans mouvement; l'épée lui tombe des mains; ensuite, revenant à lui comme d'un songe, il demande à sa femme à quel saint elle s'était recommandée. A Notre-Dame d'Atocha, dit-elle; et j'ai fait vœu d'aller, à Madrid, visiter son église,[78] si elle daignait me sauver de votre courroux. — Allez accomplir votre vœu, madame; je ne m'y oppose pas. Aussitôt la *senora* partit pour Madrid, remercia la *Madonne*, et fit ensuite exécuter un tableau qui représentait son aventure, qu'elle appendit dans la chapelle de la Vierge. C'est un très-beau miracle, lui dis-je; on voit que la Vierge d'Atocha protège les ames tendres. L'hôte vint m'annoncer le souper.

Quel souper! Don Quichotte n'en a jamais fait de si mauvais! On me servit des *pimientos* très-piquants, des tomates assaisonnées à l'huile de la lampe, et une soupe ou pâtée d'ail.[79] Cependant il fallait manger, sous peine de mourir d'inanition: je me décidai à vivre encore. Solon prétend que la nourriture est, comme les autres drogues, une médecine contre la maladie de la faim. Mon hôte vint au milieu du repas m'assurer que je devais être content, qu'il m'avait donné un souper de cardinal. *Voire*, même d'un pape, lui répondis-je. J'expédiai bien vite ce festin de cardinal, pour aller oublier mes fatigues dans les bras de Morphée. Sancho Pança s'écrie: Béni soit le sommeil! il enveloppe un homme comme un manteau. Mais ma chambre était semblable à celle que décrit Gresset:

Près d'une gouttière livrée

A d'interminables sabats,

Où l'université des chats,

A minuit, en robe fourrée,

Vient tenir ses bruyants états.

J'eus beau invoquer le sommeil, il me refusa ses pavots. D'ailleurs, l'âcreté de l'huile, la force de l'ail et des pimientos, avaient prodigieusement irrité mon gosier. Par bonheur, je m'étais pourvu d'une cruche d'eau au *large ventre*: je l'épuisai pendant la nuit. Qu'elle fut lente! Je craignais qu'un nouveau Josué n'eût arrêté la marche du soleil. Enfin, un rayon de lumière m'annonça le jour; je me levai, et j'allai compter avec mon hôte, qui me fit payer chèrement son souper de cardinal. Je demandai à déjeûner avant de partir, mais ce pieux Posadero voulut qu'auparavant j'allasse entendre la messe, parce que c'était la fête de je ne sais quel saint: j'aimai mieux me passer de l'un et de l'autre.

Les agréments de la route me dédommagèrent de ce mauvais gîte. Après avoir traversé des montagnes couvertes de plantes aromatiques, de pins et de verdure, je descendis dans une vallée: le soleil était ardent, et la marche pénible: j'arrivai enfin à la rivière de Canales qui promène ses eaux limpides sous des berceaux charmants, entre des bords parés de fleurs. A cet aspect, je m'écriai: *o qui me gelidis in vallibus Hœmi sistat!*[80] mais je préférai la vallée où j'étais, à celle de l'Hémus.[81] Je mis pied à terre, et m'assis à l'ombre de deux beaux arbres. J'y respirai la fraîcheur de l'eau et de l'ombrage. Quand je suis seul, disait Cardan, je suis plus que jamais avec les personnes que j'aime,[82] et moi j'étais aussi avec la belle Séraphine. Je la voyais, je lui parlais, je lui jurais l'amour le plus tendre. J'entendais sa voix douce et touchante; elle pénétra dans mon cœur. Mon rêve fut interrompu par la présence d'un homme dont le vêlement bizarre m'inspira quelque méfiance; je me levai, et je l'attendis. Une barbe noire et épaisse ombrageait son menton; il avait la tête rasée; sa robe était de bure; un rosaire à gros grains pendait à sa ceinture, et il tenait dans sa main une figure de bois qu'il appelait la *Madonne*: il m'invita à la baiser. Je lui dis que je ne baisais pas du bois. Alors il me demanda de l'argent. Quel est votre métier? lui dis-je. — Je n'ai point de métier; je suis hermite, et je vis de ce que l'on me donne. — Et pourquoi vivez-vous d'aumônes, puisque vous êtes sain et robuste? — Pour gagner le Ciel. Nous jeûnons, nous nous mortifions, nous prions pour les autres. — Vos prières ne sont pas entendues; je ne vous crois pas plus de crédit dans l'autre monde que dans celui-ci: n'avez-vous jamais exercé d'autre profession? — J'ai été soldat, puis déserteur; je me suis marié, j'ai quitté ma femme; j'ai eu des enfants, je les ai envoyés à l'hôpital. — Et pourquoi cette barbarie? — Pour m'en débarrasser, et en faire des gentilshommes. — Comment cela? — Tous les enfants trouvés sont nobles.[83] Aujourd'hui, libre de tout lien, de toute affection, je ne suis plus occupé que mon salut. — Et du soin de vivre aux dépens des autres. Et votre métier est-il bon? — Jadis il était meilleur; mais la religion s'affaiblit tous les jours, les charités diminuent; et sans quelques bonnes femmes, nous ferions de longs jeûnes. Dans ce moment, mon cheval s'étant détaché, je courus après lui; à mon retour, je vis cet orang-outang s'éloigner à grands pas, je lui criai: Bon voyage, seigneur hermite! Mais je m'aperçus qu'il m'emportait un mouchoir que j'avais laissé sur l'herbe. Je montai à cheval, et je l'atteignis bientôt: il nia effrontément son vol; mais, lui ayant appliqué deux coups de fouet sur les épaules, il jeta le mouchoir, et se sauva à toutes jambes. En réfléchissant sur cette aventure, je me disais: Si un musulman ou un chinois, désirant embrasser la religion chrétienne, venait en Espagne pour la connaître, quelle idée pourrait-il en avoir? La barbarie de l'inquisition, l'ignorance et la vie scandaleuse ou mondaine de la plupart des moines, la superstition, la dévotion des habitants, associée à la galanterie, à la dissolution des mœurs, une foule de *Madonnes* de bois ou de métal, arrivées miraculeusement par les airs, fesant tous les jours des miracles, couvertes de pierreries, habillées, endimanchées dans leurs niches; ensuite les indulgences de l'église, les bulles des papes pour lever des impositions sur le peuple, le brigandage des hermites; sans doute tout éloignerait cet aspirant d'une religion dont il ne pourrait démêler la sainteté à travers les abus et les momeries qui la défigurent.

Je reviens aux hermites. Ils fourmillent en Espagne, et mettent à contribution la piété des habitants et des voyageurs, et volent quand l'occasion se présente.

Pendant que je me livrais à ces réflexions, des nuages s'amassaient sur ma tête; j'encourageai Podagre de la main et de la voix à doubler le pas; mais il n'aimait pas à presser son allure. J'ai connu beaucoup d'hommes, qui, sous ce rapport, ressemblaient à mon cheval. Cependant l'éclair brille, le tonnerre roule et gronde, un vaste et noir nuage s'entr'ouvre, et un torrent d'eau fond sur moi et mon cheval, *ruit arduus aether*. Je n'apercevais pas une chaumière où me réfugier. La foudre, avec un fracas horrible, traverse le chemin à dix pas de moi, et va briser un chêne, vieux enfant de la terre. Podagre, effrayé, se cabre et me désarçonne. J'étais, *sub dio*, sous le poids de la pluie, enveloppé de ténèbres et d'une odeur sulfureuse; les nuages, poussés par les vents, se heurtaient, se déchiraient: le spectacle était grand, sublime; si j'avais été poète ou peintre, j'aurais pu l'admirer, en jouir; mais j'étais plus tenté de maudire l'orage que de l'admirer, je ne songeais qu'à rassurer mon bucéphale et à presser son pas. La pluie ne cessa que lorsqu'elle eut pénétré mon manteau et mon habit. Alors parut l'arc-en-ciel, ce gage éternel de la promesse du Tout-Puissant; un rayon pâle perça les nuages. A son heureuse clarté, au silence des éléments, je crus voir la nature sortir du chaos; insensiblement une douce sérénité remplaça les ténèbres, et bientôt le soleil déploya toute sa magnificence. Alors Podagre et moi, bien trempés, bien mouillés, poursuivîmes notre route d'un pas tranquille et d'un cœur plus joyeux.

Arrivé à la *venta* d'un village près de Lyria, j'entrai dans le vestibule, où des muletiers déchargeaient leur marchandise. Cette pièce servait de magasin, de salon et de chambre à coucher; de-là, j'allai dans la cuisine où ces messieurs apprêtaient leur souper; j'aidai l'hôte à préparer le mien, qui consistait en un plat de morue et des œufs aux tomates, que je mangeai au bout de la table, avec cette brillante compagnie. Je jouis de leur aimable conversation, dans laquelle les jurements, l'orage du jour et les miracles des saints ne furent pas oubliés.

Peu soucieux de passer la nuit avec mes convives, je demandai une chambre à mon hôte. Je n'en ai qu'une seule à vous offrir, me dit-il; elle est au haut de la maison; mais personne n'oserait y coucher, toules les nuits elle est occupée par un revenant. — Et quel est ce revenant? — Nous croyons que c'est ma grand'mère qui y est morte depuis deux ans, et je serai obligé de vendre ma maison à mon voisin, qui en a grande envie. — Eh bien, mon cher hôte, donnez-moi cette chambre; j'y coucherai, je ne crains pas les esprits féminins. — Oh! d'aussi braves que vous ont eu peur. — J'en suis persuadé; mais j'ai un secret pour chasser les esprits. Mon hôte consentit à me céder la chambre, en plaignant mon entêtement. Je savais cependant que Pline le jeune, Plutarque, Tacite, l'église et mon aïeule croyaient aux revenants; on m'avait appris au collège que l'ombre de Samuël, évoquée par la sorcière d'Enden, avait apparu à Saül, qui le reconnut à son manteau. J'avais lu depuis, dans des historiens très-véridiques, que Brutus avait vu, dans sa tente, un spectre, grand et hideux, qui venait lui annoncer sa mort; qu'un fantôme, sur les bords du Rubicon, s'était présenté à Jules César, et avait traversé le fleuve en sonnant de la trompette. Je me rappelai aussi que le génie de Rome, pâle et triste, avait apparu devant Julien, dit l'Apostat, la nuit dans sa tente, pendant qu'il écrivait. Mais tant d'exemples fameux et attestés ne pouvaient vaincre mon incrédulité, en fait de revenants et de fantômes. Cependant le *posadero*, par pitié pour moi, me donna un petit vase d'eau bénite, en me disant: lorsque le revenant ou l'esprit paraîtra, couvrez-lui la face de cette eau sacrée, et il s'enfuira aussitôt.

Cette chambre ensorcelée était jadis un colombier; je voulus en fermer la porte; mais elle n'avait ni verroux, ni serrure, ce qui m'embarrassa un peu, car je soupçonnais que le lutin était un être matériel et vivant; mais apercevant une table boiteuse et une chaise de bois, j'imaginai d'en faire une barrière: j'adossai la table contre la porte, mis sur cette table la chaise en équilibre, de sorte qu'au premier mouvement, elle devait culbuter et m'avertir de l'approche du revenant. Je me couchai ensuite tout habillé sur un matelas étendu par terre, mon épée auprès de moi. Bientôt un paisible sommeil s'empara de mes sens et de mon ame qui extravagua tout à son aise.

Vers l'heure où le coq commence à chanter, je fus éveillé en sursaut par le fracas de la chaise tombante; je crie: qui va là? Personne ne me répond; je me lève l'épée à la main, je cours à la porte; elle était entrouverte. Je compris alors que le revenant s'était enfui, et avait eu peur des vivants. Je replaçai ma table, et dormis tranquillement le reste de la nuit. Le lutin n'osa plus revenir. Dès que le jour parut, je n'eus qu'à secouer mes oreilles pour me trouver prêt à partir. L'hôtelier me demanda des nouvelles de l'esprit; je lui répondis que c'était un bon diable, qui avait eu plus de frayeur que moi, ce qui l'étonna beaucoup. Il admira mon prétendu courage, et attribua la fuite de l'esprit à la vertu de l'eau bénite.

J'allai coucher, sans encombre, à Lyria, petite ville située entre deux montagnes. Je demandai en arrivant des nouvelles du château de Lyria, habité par le seigneur Gil-Blas de Santillane; mais il n'était pas sur la carte topographique du pays, non plus que la belle maison de plaisance de M. de Volmar est sur la carte de Clarens. Je trouvai dans la *posada*[84] deux jeunes époux qui venaient de Valence. La femme était très-jolie, quoique pâle et un peu maigre.

Un dix avec un sept

Composait l'âge heureux de ce divin objet.

Le mari était de petite stature, sec et couleur de bronze; il avait une physionomie sournoise qui repoussait, et son esprit me parut aussi peu aimable que sa figure. Il damnait impitoyablement l'antiquité, tous les philosophes anciens et modernes, tous les protestants; mais il ouvrait la porte du paradis aux papes Alexandre VI, Boniface VIII, et au roi Philippe II, morts dans le giron de l'église. Ces jeunes gens étaient mariés depuis quatre mois, sans l'aveu du père de *dona Rosalia* (ainsi s'appelait la jeune femme); mariages si fréquents en Espagne, et presque toujours si malheureux. Son époux, don Sanche, la menait à Saragosse pour la présenter à ses parents. Comme la jeune femme me parut très-agréable, je lui proposai de réunir nos mets, et de souper ensemble. Ils avaient apporté une volaille de Valence, et moi j'allai chercher des côtelettes de mouton. Je me chargeai de l'apprêt de ces viandes. Jadis Achille prépara, de ses mains victorieuses, le souper qu'il donna aux députés d'Agamemnon. Je mis les côtelettes sur des tuiles, et les tuiles sur la braise; je suspendis la volaille à une ficelle, je la fis tourner devant le feu, en présentant tantôt une face, et tantôt l'autre: c'est ainsi que l'on rôtit encore les viandes dans la plupart des *venta* de l'Espagne. Pendant ce temps-là, les époux se caressaient, le mari me paraissait fort empressé, fort tendre; j'enviai leur bonheur, et pensai que bientôt la même félicité m'attendait à Cordoue. Le souper préparé, nous nous mîmes à table où nous appelait l'appétit.

Le *posadero* nous apporta deux bouteilles de vin *rancio*, que produit un vignoble peu distant d'une chartreuse qui est à six milles de Lyria.[85] Pendant le repas, dona Rosalia sembla dérider son front, qu'obscurcissait une teinte de mélancolie; elle eut des saillies heureuses, un enjouement aimable, et surtout des expressions de sensibilité qui annonçaient celle de son ame. Je ne sais quel auteur prétend[86] que, pour rendre un repas agréable, il faut au moins être trois, comme les Grâces, ou neuf, comme les Muses. Nous étions le nombre des Grâces; mais ce que cet écrivain n'ajoute pas, c'est qu'il faut avoir voyagé, fatigué tout le jour, souper à côté d'une jolie femme, et boire du vin rancio, pour trouver le festin délicieux. Dans notre conversation, nous ne traitâmes ni des sujets de philosophie, ni d'histoire; mais don Sanche me parla de la vierge de son pays, de ses miracles; me conta qu'il avait vu à Madrid Notre-Dame d'Atocha, et la magnifique procession de la Fête-Dieu. Voici sa description.

«Toutes les paroisses, tous les religieux y assistent; les rues par où elle doit passer sont ornées des plus belles tapisseries du Roi et des riches particuliers; les balcons, dont on a enlevé les jalousies, sont couverts de tapis, de superbes carreaux et de dais magnifiques; sur les rues sablées et jonchées de fleurs, on étend des voiles: l'eau dont on les arrose y maintient la fraîcheur. Les reposoirs sont décorés avec la plus grande magnificence. Le roi, un cierge à la main, marche après le Saint-Sacrement, vêtu d'un habit de taffetas noir, brodé sur toutes les tailles d'une soie bleue et blanche; il porte son manteau autour de son bras, à son cou un collier d'or garni de pierreries, d'où pend un petit mouton en diamants; il a des boucles de diamants à ses souliers et à ses jarretières; un large cordon qui entoure son chapeau jette un très-grand éclat. Le chapeau est retroussé, et orné d'une perle de la grosseur d'une petite poire. On assure que c'est la plus belle de l'Europe. Le monarque est suivi de toute sa cour, de tous ses conseils, de ses trois compagnies des gardes en uniformes. Les dames remplissent les balcons, parées de leurs plus beaux habits et de toutes leurs pierreries; elles tiennent dans les mains des corbeilles de fleurs ou des flacons d'eau de senteur qu'elles répandent sur la procession.»

Ce récit et nos réflexions à ce sujet nous fesaient oublier l'heure du sommeil; mais l'hôte vigilant vint nous avertir que tout dormait déjà dans la *posada*, et qu'il fallait nous retirer dans nos chambres. Je fis mes adieux à dona Rosalia, qui me témoigna tout le plaisir que lui avait fait ma rencontre, et le regret qu'elle avait de notre séparation éternelle.

Je n'avais, le lendemain, que six lieues à faire pour me rendre à Valence: j'attendis dans mon lit que l'aurore eût séché ses pleurs, et je résolus de profiter d'une belle matinée pour aller me promener à une grange nommée la *Torre*, où croît le fameux rancio.

Je trouvai devant cette grange deux sœurs, jeunes filles, l'une âgée de quatorze ans, et l'autre d'un an de plus. Celle-ci tricotait des bas, l'autre épluchait des herbes: je croyais voir deux jeunes Grecques, telles que l'histoire ou la poésie nous les dépeint: un modeste habit de bure noire enveloppait leur taille légère et flexible; une rédizilla verte renfermait leurs beaux cheveux noirs. Sous cette humble coiffure, brillait un visage ovale, une peau blanche et de grands yeux noirs et pleins de feu; leur physionomie respirait la gaîté de leur âge, et la sérénité de leur ame: elles se levèrent à mon approche, et je leur dis en les abordant: «je ne croyais pas trouver deux anges dans cette solitude.» Elles rougirent, et ce charmant coloris de la pudeur les embellit encore; elles appelèrent leur mère, qui accourut et me demanda ce que je désirais. — Je suis un étranger, lui dis-je, curieux de voir ce pays, et je déjeûnerais volontiers avec des figues et du raisin, si je ne vous incommodais pas. Elle envoya aussitôt ses deux filles chercher ces fruits, du pain et une bouteille de vin. Ces mets furent servis sur une table de pierre. La mère s'assit auprès de moi, ses deux filles se tenaient à l'écart; mais la maman leur dit: allons, approchez-vous; monsieur l'étranger a l'air d'un brave homme, je le vois à sa mine, elle ne me trompe jamais: quand j'épousai le pauvre défunt votre père, je le regardai avant tout entre les deux yeux, et je dis à part moi: c'est un homme de bien, c'est celui qu'il me faut, et j'ai bien deviné. Elle me demanda mon pays, et lorsque j'eus répondu que j'étais Français, les deux sœurs ouvrirent leurs grands yeux, et me considérèrent comme un être d'une nature étrange. Après m'avoir assez regardé, elles me demandèrent si les Français étaient *christianos*, s'ils étaient baptisés, s'ils allaient en paradis. Je leur répondis que nous étions *buenos christianos*, et que le paradis étoit peuplé de Français, ce qui parut leur faire plaisir, et leur inspirer plus d'intérêt pour moi; mais, me dit la mère, vous avez beaucoup de huguenots en France. Pourquoi ne les chassez-vous pas? — Où voudriez-vous les envoyer? Les recevriez-vous en Espagne? — *Valgame dios*, s'écria-t-elle! cette peste en Espagne! *All inferno! All inferno!* Je me vis damné sans rémission, mais j'en appelai au futur concile. Le déjeûné fini, j'offris de l'argent à la mère; elle le refusa en me disant: *somos Espagnoles* (nous sommes Espagnoles); elle entendait par ces mots que les Espagnols accordaient l'hospitalité sans aucune vue d'intérêt. En effet, cette nation est hospitalière et généreuse, surtout dans les contrées méridionales: vertu qu'elle a sans doute héritée des Maures. J'avais un petit étui d'ivoire, garni de deux viroles d'or; je le présentai à la sœur aînée, qui le refusa avec embarras, et en regardant sa mère; je vis bien que l'offrande lui plaisait, et pour la décider, je lui dis que l'étui avait touché le corps de la Vierge du Mont-Serrat; à ces mots, la mère lui conseilla d'accepter, ajoutant que cette relique lui porterait bonheur. Je quittai ce charmant trio, fort satisfait de mes promenades, et enchanté d'avoir vu ces deux sœurs, qui, sans exagération poétique, étoient deux roses brillantes que le hasard avait fait naître dans un désert. Au surplus, ces figures célestes ne sont pas rares en Espagne.

Je fus témoin en rentrant à Lyria, d'une cérémonie bizarre. Un *arriero* (muletier) avait un mulet malade, qui depuis vingt-quatre heures ne mangeait pas; cet *arriero*, après avoir essayé tous les remèdes possibles pour réveiller son appétit, le crut ensorcelé; et pour détruire le charme, il le conduisit à la porte de l'église, où on le chargea de rosaires, d'images de saints: une vieille édentée prononça une kyrielle de *pater* et d'*avé*, et l'aspergea d'eau bénite, de la tête aux pieds. Le soir, l'animal mangea, et l'on ne douta plus de son ensorcellement.

La journée avançoit, et je me hâtai d'aller à mon auberge pour monter à cheval et me rendre à Valence. Le *posadero* m'attendait à la porte, pour me dire que la senora avec laquelle j'avais soupé la veille, me priait de monter dans sa chambre. Je fus étonné du message; je la croyais déjà bien loin: je la trouvai les cheveux épars, les yeux rouges et chargés de pleurs. Le plus grand désordre régnait dans son habillement; cet abandon, sa douleur, ses larmes l'auraient défigurée, si la jeunesse et la beauté ne lui eussent imprimé un charme difficile à obscurcir. En me voyant elle s'écria: Jésus, Jésus, que *desdicha* (quel malheur)! Surpris, ému, je lui demandai le motif de ses larmes. — Ah! le malheureux m'a quittée, s'est enfui, s'écria-t-elle en sanglotant; il a emporté mon argent, mes bijoux; je suis perdue; senor, tuez-moi, tuez-moi. — De qui parlez-vous? — D'un traître, de mon époux, d'un lâche qui m'abandonne... J'essayai de la consoler, et lui dis que don Sanche était sans doute dans le voisinage, qu'il reviendrait, et que j'allais prendre des informations de l'aubergiste et des voisins. L'hôte me dit qu'il était retourné à Valence, qu'il reviendrait dans la journée, et me ramènerait le cheval que je lui avais prêté. «Ah! m'écriai-je, mon cheval, mon fidèle compagnon! c'en est fait, je ne le reverrai plus! Mon cher Podagre, tu perds un bon maître, qui t'affectionnait, qui le chérissait! Je désespérais avec raison de le revoir: le cheval, les bijoux, l'argent emportés prouvaient que ce malheureux avait pris congé de nous pour long-temps. Je retournai vers *dona Rosalia*; et pour adoucir sa douleur, je lui donnai l'espérance que je n'avais pas; je lui dis que son mari était allé à Valence, et que sans doute il reviendrait dans la journée; je lui promis de plus de ne pas l'abandonner. Croyez-vous qu'il revienne, s'écriait-elle souvent? Hélas! non, je l'ai perdu pour jamais! — Et moi mon cheval, ajoutais-je tout bas! — Jésus, Jésus, que *desdicha*! c'était le refrain de cette infortunée. — S'il ne revient pas, lui répliquai-je, vous serez trop heureuse d'être débarrassée d'un pareil monstre. — Ah! le Ciel me punit d'avoir désobéi à mon père, le meilleur des pères; de m'être mariée malgré lui. Mon père, Sainte Vierge, pardonnez-moi, ayez pitié de moi! En exhalant ses plaintes, un ruisseau de larmes coulait de ses beaux yeux, et je la laissai pleurer. Lorsque je crus que cette effusion l'avait un peu soulagée, je lui proposai de dîner. — Non, non, je veux mourir. — Pour qui? Pour un ingrat, un misérable, vous renoncez à votre père que vous aimez, et qui sans doute vous regrette? Voulez-vous ajouter au chagrin que lui a causé votre mariage, la douleur éternelle de votre mort? Croyez qu'un père aime toujours son enfant, et qu'il vous recevra avec plus de tendresse et de bonté, que si vous étiez heureuse: ces paroles parurent rattacher son ame à la vie. Dînez, me dit-elle, je prendrai un bouillon. On me servit dans sa chambre; le repas de la veille avait été si gai, si agréable; mais l'heure de la joie amène celle de la douleur, comme le jour amène la nuit.

L'après-dînée elle voulut aller à l'église pour prier la *Madonne* de lui rendre son époux. Je l'y accompagnai. Elle s'agenouilla, récita son rosaire. Chaque *ave Maria* était interrompu par des sanglots. J'étais touché de sa dévotion. Quel consolant refuge que le sein de la divinité! Ses prières, sa confiance en la *Madonne* ayant ranimé son espoir, elle me proposa d'aller sur le chemin de Valence, au-devant de son époux. Hélas! ajouta-t-elle en soupirant, peut-être la bonne Vierge me le rendra. Elle prit mon bras; elle était si faible, que je la traînais; ses yeux cherchaient au loin si elle n'apercevait pas l'objet de ses pleurs; le pas d'un cheval, d'un mulet la fesait tressaillir; mais bientôt, désabusée, elle retombait dans ses angoisses. La voyant si débile, je lui proposai de s'asseoir sur une petite éminence couverte de gazon; nous étions au milieu d'une prairie où paissait un troupeau de moutons; l'air retentissait de leur bêlement et du murmure des tourterelles perchées sur nos têtes. Ce moment m'aurait paru délicieux sans la tristesse et les pleurs de cette jeune femme; mais, pour elle, la nature était morte. Les objets qui nous environnent prennent la teinte de notre ame: le plus beau jour est sombre et nébuleux pour l'homme infortuné. Cette jeune épouse tomba dans une profonde rêverie, qui se termina par une effusion de larmes. Sa tristesse passa dans mon ame; je sentais cette tendre mélancolie qui nous attache au sentiment de la douleur; je partageais celle de cette infortunée, ensuite je songeais à cette aimable Cécile, objet éternel de mes regrets. Tout-à-coup le hennissement d'un cheval fait tressaillir dona Rosalia. Ah! s'écrie-t-elle, c'est lui! c'est lui! Elle se lève précipitamment, fait quelques pas, regarde, et, ne voyant qu'un inconnu, ses genoux fléchirent; je la soutins, et elle me dit: Non, ce n'est pas lui; il ne reviendra pas; je me rappelle à présent qu'hier, en se couchant, il me dit: Demain tu peux te reposer; nous partirons tard; la journée est fort courte:

pendant que tu dormiras, je préparerai tout pour notre voyage. Oui, l'ingrat me trompait! c'en est fait! Oh, sainte Vierge! *piedad! piedad* (pitié)!

La nuit approchant, je lui proposai de retourner à Lyria, ce qui redoubla ses peines. Il n'est donc plus d'espoir, disait-elle; je ne le reverrai plus! Sainte Vierge, pourquoi ne me le rendez-vous pas? La Vierge, lui dis-je, vous le refuse par bonté, par pitié pour vous: cet homme, si lâche, si cruel, vous aurait rendue la plus malheureuse des femmes. Elle m'apprit que, depuis son mariage, son père n'avait jamais voulu la voir; que don Sanche lui avant proposé de venir à Saragosse, dans sa nouvelle famille, elle y avait consenti. Elle ajouta: Avant mon départ j'écrivis à mon père pour le supplier de me permettre d'aller recevoir sa bénédiction; il est resté inflexible: seulement il m'envoya mille piastres, qui, sans doute, ont tenté l'avarice de don Sanche. Hélas! je suis seule sur la terre; je n'ai plus ni père ni époux! Je lui offris de la ramener chez son père; je lui représentai qu'elle n'avait pas d'autre asile, d'autre appui. — Et s'il me rejette, malheureuse! que vais-je devenir? — Un père punit une fille coupable; mais il ne l'abandonne jamais. Si la justice et la sévérité prononcent le châtiment, la tendresse paternelle parle, et l'adoucit. Vous n'avez donc plus de mère? — Hélas! non; je l'ai perdue depuis trois ans. Enfin, fixant son incertitude, calmant son anxiété, je la décidai à aller se jeter aux pieds de son père; je promis de l'accompagner, et de négocier son pardon; ensuite je l'invitai à se coucher: et moi, privé de mon cher Podagre, j'allai louer deux mules pour notre voyage.

La jeune Rosalie, livrée à elle-même dans le silence et les ténèbres de la nuit, ne put jouir des douceurs du sommeil; sa vive imagination, lui représentant ses malheurs, mit le désespoir dans cette ame faible et sensible. Au point du jour l'hôte vint m'éveiller et me dire que la *senora* me demandait. Dès quelle m'aperçut elle s'écria: Je n'en puis plus, je suis morte! Son visage était enflammé, et sa main brûlante. Vous avez la fièvre, lui dis-je; mais ne vous alarmez pas, ce n'est qu'une fièvre éphémère. — Comme Dieu voudra: appelez-moi, je vous prie, un confesseur et un médecin. — Je vais chercher le médecin; et quant au confesseur, attendez que la fièvre soit calmée. L'aubergiste se chargea d'amener le docteur don Alphonse, son parent; il fait, me disait-il, des cures admirables; il guérit la fièvre en trois jours, le mal aux dents en cinq minutes, la sciatique en trois semaines, la goutte dans un mois; *valga me Dios!* il ressusciterait un mort. — Allons, courez bien vite chercher ce grand médecin. J'aurais désiré de m'en passer; je n'avais pas grande opinion d'un Esculape de Lyria; mais le spécifique le plus puissant pour toutes les maladies, c'est de complaire au malade, et de lui inspirer de la confiance. Le docteur Alphonse arriva bientôt; il entra dans la chambre de Rosalie avec la gravité d'un muphti, ou d'un docteur de Salamanque, en disant: *Dios vos bendiga* (Dieu vous bénisse). C'était un petit homme d'environ soixante ans; le visage long, maigre et couleur de cuivre; son nez, très-saillant, était chargé du signe doctoral, de larges lunettes; une vaste cape enveloppait son corps chétif; et un grand feutre, à bords rabattus, couvrait la moitié de son visage. Cette figure grotesque appelait le rire. Il tâta silencieusement, pendant près d'un quart-d'heure, le pouls de la malade; après quoi il dit qu'avec l'aide de la *Madonne* et de ses remèdes, elle guérirait promptement. Il ordonna un vomitif, et une saignée sur la main; car c'est ainsi qu'on saigne en Espagne. Mais je lui dis: Mon cher docteur, épargnez le sang humain; attendez encore. Eh quoi, me répondit-il avec humeur, qu'elle soit morte? — Au contraire, pour l'empêcher de mourir. — De quoi vous mêlez-vous? — D'empêcher les bévues; voilà une piastre pour votre peine. L'aspect de l'argent produisit sur lui le même effet que le gâteau d'Énée sur le dogue des enfers. Notre docteur sourit, tendit la main, reçut la piastre, et se retira en disant: *Dios guarde a usted* (que Dieu vous garde); à quoi je répondis: *Va usted con dios*, mais ne reviens pas. Un Spartiate, à qui l'on demandait d'où venait la cause de sa bonne santé, répondit, de mon ignorance en médecine. J'étais précisément dans ce cas-là; le bon sens me disait qu'il ne fallait à dona Rosalia que du repos, de la limonade et des bains de pieds, et surtout il fallait calmer sa tête et lui rendre l'espérance; je lui parlai de son père, du plaisir qu'il aurait à la revoir, à lui pardonner; et, pour appuyer mon discours de l'influence de l'imagination, je lui prêtai mon reliquaire, doux présent de Séraphine. Appliquez-le, lui dis-je, sur votre poitrine; il a guéri plus de fièvres que tous les médecins du royaume de Valence. *An virtus, an dolus?* Je crois cette petite supercherie très-permise: la relique, la limonade, les bains de pieds appaisèrent par degrés l'ardeur de la fièvre; si je l'avais abandonnée au charlatanisme de ce prétendu docteur, elle aurait eu la même destinée qu'un Français eut à Valence; son médecin lui fit rendre l'ame à force de vomitifs. Il est vrai qu'il fut aidé, dans cette expédition, par cinq à six moines, qui tourmentèrent le malade à tel point, qu'il succomba autant par leur importunité, leurs exhortations, que par la secousse des vomitifs; mais à sa mort ils s'écrièrent: *A quel ès in Cielo* (Oh! pour celui-là, il est dans le Ciel).

Lorsque je vis dona Rosalia dans une situation plus tranquille, j'offris d'aller le lendemain chez son père pour lui peindre son état, sa douleur et son repentir, et je la flattai de l'espérance de le toucher et de l'amener à Lyria. — Dieu le fasse! Donnez-moi mon rosaire, je vais prier la *Madonne* d'avoir pitié de moi, et de me rendre la tendresse de mon père. Je ne la quittai point du reste de la journée; je lui servis de garde, de médecin. Elle m'inspirait l'intérêt le plus tendre. Je la voyais abandonnée de l'univers, couchée sur un méchant grabat, dans une chambre sans meubles; elle-même sans coiffe, les cheveux épars, mais parée de ses attraits, de sa jeunesse, de sa douleur. Je l'entendis soupirer, réciter son chapelet, prononcer le nom de son époux, invoquer la *Madonne*. Pour moi, je lisais auprès de son lit, et de temps en temps je lui donnais de la limonade. J'avais chargé le *posadero* de me trouver une garde pour la nuit et pour le lendemain. Il m'amena une vieille femme qui d'abord, pour m'inspirer de la confiance, me montra une attestation signé de son confesseur, qui la certifiait *esclava de la santissima Trinidad* (esclave de la Sainte Trinité). Par cette affiliation elle est obligée de réciter tous les jours un certain nombre de prières, de parer de fleurs l'image de la *Madonne*, d'allumer des cierges devant elle, et de donner telle somme à son confesseur, chargé de la recette pour la *Trinidad*. D'après la lecture de ce certificat, je la félicitai de cette aggrégation, et lui dis que j'espérais qu'une femme de la *Santa Trinidad* serait aussi charitable que pieuse. A deux heures de nuit, je quittai la malade, et recommandai à la garde de la faire boire souvent. Je dormis peu, dona Rosalia encore moins; mais la garde l'amusa par des contes de sorciers et de revenants. Au point du jour j'entrai dans sa chambre, et lui annonçai que j'allais partir pour Valence. Ah! s'écria-t-elle, que la Vierge et votre bon ange vous accompagnent! Dites à mon père que s'il m'abandonne, je mourrai; il me tuera. L'hôtelier vint m'avertir que *la mula è el moço* (le muletier) m'attendaient à la porte. Je fis mes adieux à Rosalie, en la conjurant de se tranquilliser, de se livrer à l'espérance. Je montai la mule, et je partis. C'est alors que je regrettai encore plus mon cheval; j'étais accoutumé à la douceur de son allure, à sa société. Pauvre Podagre, disais-je, qu'es-tu devenu? es-tu bien nourri, bien soigné? Ah! sans doute tu me regrettes!

Cependant la *huerta de Valencia* (le jardin de Valence) (c'est ainsi que les habitans nomment leur pays), fixa toute mon attention. Je ne voyageais pas, je me promenais dans une plaine verdoyante, entrecoupée de ruisseaux limpides, qui y répandaient la fraîcheur; je respirais l'air pur et frais d'une belle matinée, j'admirais la richesse de la végétation, la variété de la culture; je traversais, au chant harmonieux des oiseaux, des champs de vignes, d'oliviers, des villages et des hameaux. O charme ineffable d'un beau ciel, du luxe de la campagne, quelle ame à votre aspect n'est ravie, enchantée, ne remonte, par reconnaissance, au Créateur de ces merveilles! *El moço de mulas*, bavard infatigable, interrompait souvent mes jouissances, ma douce rêverie, par ses questions et ses récits. Il croyait m'obliger, car cette espèce d'hommes croit le silence un état de souffrance, et met le bonheur dans le parlage. Il me vanta beaucoup la *huerta* de Valence, m'assurant que c'était le plus beau royaume de l'Espagne et de toute la terre; que la sainte Vierge l'aimait beaucoup, que l'on y jouissait de tout ce que l'on peut désirer, que les femmes étaient les plus belles du monde, et que, grâces à Dieu, elles aimaient le plaisir, et n'étaient pas sauvages. Il me conta ensuite que l'année précédente, il régnait dans le pays une sécheresse calamiteuse; que les plantes, les arbres périssaient; que l'on n'aurait pas trouvé dix gobelets d'eau dans le *Guadalaviar*; mais qu'enfin les prêtres s'étaient décidés à faire sortir sainte Thècle, et à la promener dans la ville; qu'à son apparition, les nuages s'étaient assemblés et avaient versé une pluie abondante. — Ce miracle est fort beau, lui dis-je; il paraît que cette sainte a beaucoup de crédit dans le ciel. — Il n'en faut pas douter, c'est une des plus grandes saintes du paradis. Elle a été vierge et martyre; son père la fit jeter dans une chaudière bouillante, elle en sortit sans la moindre brûlure; on l'enferma avec un lion, et le lion ne lui fit pas la moindre égratignure; enfin le bourreau lui coupa la tête... — Ce bourreau, lui dis-je, était donc plus puissant que le lion? — Non; mais Dieu a voulu donner à sa bien-aimée la palme du martyre. Nous avons encore à Valence un très-grand saint qui a fait des miracles étonnans; c'est Saint-Vincent Ferrier, le pasteur de la ville. Depuis qu'il a habité Valence, le tonnerre n'y tombe plus. — Pourquoi cela? — C'est que le bon saint le lui a défendu. — Il est plus heureux que les rois, il est obéi après sa mort. — Voici un autre miracle qu'il opéra dans la ville. Une femme avait envoyé son fils, âgé de douze ans, chercher un plat de riz au safran qui cuisait au four. Des camarades de l'enfant voulurent le lui enlever; l'enfant le défendit avec courage, mais en se déballant le plat lui échappa des mains, et le riz fut perdu; de-là les cris, les pleurs, le désespoir. Enfin, ce petit bon homme, qui avait souvent ouï parler à sa mère de Saint-Vincent, de ses miracles, plia ses deux petits genoux, invoqua le saint, qui lui envoya sur-le-champ un plat de riz, assaisonné comme le premier; il y avait la même quantité, la même dose de safran. Toute la ville fut témoin de ce miracle. — Ce saint, lui dis-je, serait fort utile dans une ville assiégée, ou dans une longue navigation.[87] Cet homme passa du récit des miracles à celui de sa vie. Il m'apprit qu'il avait été palfrenier du marquis de Las Minas, vice-roi de Catalogne; qu'il aimait beaucoup le vin de ce pays; qu'il avait épousé la fille d'un cabaretier: avant le mariage, me dit-il, elle me paraissait douce, bonne et jolie; un an après, elle devint jalouse, acariâtre et laide; mais je la quittai bientôt et je revins à mes mulets. Cependant lorsqu'elle partit pour l'autre monde, je fis dire trois messes pour le repos de son ame, si elle peut se reposer. La loquacité de cet homme m'étonnait encore moins que la vigueur de ses jambes; j'avais beau presser le pas de sa mule, il la suivait d'un pas aussi rapide, sans cesser de parler. Il fesait ainsi, toujours trottant et parlant, jusqu'à vingt lieues par jour. Il avait déjà commencé une histoire de voleurs; heureusement nous étions à la porte de la ville, nommée Del Réal; nous entrions dans le magnifique Alhameda.[88] Je fus frappé d'étonnement. C'est une des plus belles promenades de l'Europe. Quelles superbes allées! quel luxe de végétation! J'étais environné de platanes, d'orangers, de grenadiers, de cinnamomes, et de quantité d'autres arbustes exotiques aussi beaux, aussi magnifiques que dans leur patrie. L'Alhameda est divisé en cinq grandes allées: celle du centre est pour les voitures; les quatre autres latérales, entrecoupées de canaux bordés de fleurs, sont destinées aux gens de pied. Des bancs, des pelouses, des gazons, y offrent tous les agréments et toutes les commodités possibles; des chanteurs, des joueurs d'instruments animaient ce tableau ravissant, et le parfum des fleurs achevait d'enivrer mes sens d'une volupté nouvelle. Dans mon erreur, je m'oubliais, j'habitais un monde nouveau. Mais l'approche d'un convoi funèbre suspendit cet enchantement. Je mis pied à terre pour le voir défiler. Cinq cents flambeaux allumés s'avançaient, suivis de quatre cent moines qui psalmodiaient des cantiques; bientôt parut un cercueil découvert, où était une jeune femme en habit de carmelite, et couverte de croix et de reliques; un nombre infini de pages, de valets, de carrosses, suivaient ce superbe convoi. Cependant trente cloches à l'envi retentissaient dans les airs. Curieux de savoir quelle était cette jeune carmelite, conduite si pompeusement à son dernier asile, je m'approchai d'un homme âgé, et je lui demandai le nom de cette religieuse. — Ce n'est point une religieuse, me dit-il, c'est la marquise de Florida: son amant a été tué en duel; elle n'a pu survivre à sa perte, et elle a ordonné par son testament qu'on l'enterrât dans cet habit religieux. — Cette marquise était donc veuve? — Point du tout. Son mari vient de passer en grand deuil dans le premier carrosse; il la regrette infiniment; car c'était une aimable dame qui avait beaucoup de religion, et pas la moindre fierté; elle était si charitable, que plusieurs fois elle a vendu ses diamants pour venir au secours des pauvres. La vie n'a été pour elle que le songe d'un moment; et, pour comble de malheur, c'est son frère qui a tué le comte del Rio son amant. Cependant cette tendre sœur l'a vu à l'article de la mort, lui a pardonné, et lui a laissé un legs considérable. J'espère que Dieu l'aura reçue dans son saint paradis. — Oui, je l'espère aussi; et j'ajoutai, en le quittant:

Le paradis est fait pour un cœur tendre:

Et les damnés sont ceux qui n'aiment rien.

Quand le convoi fut passé, je continuai mon chemin, et j'allai descendre dans une auberge de la place San Domingo. J'envoyai aussitôt chercher un barbier: quel barbier! Je crois que lorsqu'il me rasait d'un côté, la barbe repoussait de l'autre; mais *festina lente* est l'adage des Espagnols. Cependant ce flegmatique Figaro m'apprit qu'il devait jouer le soir sur un théâtre de la ville, dans la tragédie de Zaïre, traduite en espagnol; qu'on lui donnait un *duro* (cinq francs) par représentation. — Et quel rôle faites-vous? lui dis-je. — Je suis Orosmane. Et soudain il quitte ma barbe, et me débite vingt vers de suite. Seigneur Orosmane, c'est fort bien; mais par l'ame de Zaïre, expédiez l'autre côté de ma barbe. — Encore ce bout de scène, et je suis à vous. Et le voilà qui me hurle cette longue tirade: *Madame, il fut un temps où mon ame charmée...* Ses gestes, ses contorsions, répondaient à sa déclamation emphatique. Je fus obligé d'attendre patiemment la fin de la tirade. — Eh bien! me dit-il, enchanté de lui-même, monsieur le Français, êtes-vous content? — Oui, très-content; mais je le serais davantage, si vous finissiez ma barbe. — M'y voilà. A Paris, joue-t-on ce rôle comme moi? — Pas tout à fait, mais on rase plus vite. Enfin, à l'aide du rasoir et du temps, ma barbe fut achevée. Cependant il fallut encore essuyer le coup de poignard qu'il devait donner à Zaïre; il entre en fureur, écume en beuglant: *Ce mot me rend toute ma rage.* Mais à ce vers,

C'est moi que tu trahis; tombe à mes pieds, parjure;

forcené, les yeux hors de la tête, je crus qu'il allait immoler un taureau. Après ce coup de poignard il se calma, rentra dans lui-même, et me demanda si c'était là jouer la tragédie? — Oui, ma foi, j'ai cru entendre un vrai Scythe, un sauvage de la Tartarie: il faut récompenser vos talents; voilà deux pecettes (quarante sous), êtes-vous satisfait? — *Senor, si*, rien si vous voulez: je fais des barbes pour mon plaisir. Enfin, poudré, rasé, lavé, je me rendis chez don Inigo Flores, père de l'infortunée Rosalie. Il fesait la sieste, et son domestique, n'osant l'éveiller, me pria de revenir dans deux heures. Toute l'Espagne dort l'après-midi; Valence jouit alors du calme et du silence de la nuit; fenêtres, portes, jalousies, tout est hermétiquement fermé: chaque maison devient le palais du Sommeil.

Ignavi domus, penetralia somni.

On conte que Turenne, voulant faire passer un convoi de vivres dans une ville assiégée par les Espagnols, attendit l'après-dînée, parce que, dit-il, c'est le temps où les commandants font la méridienne; et en effet son convoi parvint heureusement.[89] Entre cinq et six heures on prend le chocolat et l'eau glacée.

Je retournai à mon auberge, où, après mon dîné, j'écrivis au père de Séraphine pour lui annoncer mon arrivée à Valence, et le motif qui m'obligeait d'y séjourner quelques jours.

A l'heure prescrite je retournai chez don Inigo Flores; je fus ravi de voir, dans les rues, des jeunes filles, des femmes, la plupart d'une jolie figure, assises devant leurs portes, les unes filant ou dévidant de la soie, les autres préparant des feuilles de mûriers. Celles-ci coiffées d'une rédizilla, les autres d'un chapeau de paille qui couvrait les tresses de leurs beaux cheveux noirs; nombre d'elles avaient des mules pour chaussures, et portaient un jupon court, qui laissait voir la finesse de leurs jambes.[90] La décoration des maisons donne un nouveau charme à ce tableau. Les toits sont en terrasse, et la plupart sont de jolis jardins garnis d'arbustes et de fleurs; on y voit aussi de petites tourelles, qui servent de colombiers.[91] Les balcons même ressemblent à de petits parterres; ajoutez à cette riante peinture un cordon de jolies femmes respirant, dans un climat voluptueux, la gaîté, le plaisir, l'amour et la fraîcheur d'une belle soirée des premiers jours d'automne. Je trouvai que les habitants avaient raison d'appeler leur ville la *belle Valence*; il n'est point de ville en France, excepté Marseille, qui ait un air si riant et si animé; mais Marseille est bien loin d'avoir un si beau terroir. Je me rappelle qu'à Paris je ne voyais que des figures tristes, des hommes courant dans les rues, l'air inquiet, affairé, comme si l'ennemi les poursuivait; et des femmes mal chaussées, barbotant dans les rues, avec des physionomies aussi froides que si elles allaient à confesse. Mais me voici à la porte du père de dona Rosalia. On m'introduisit dans son cabinet. Je vois un homme d'une taille médiocre, âgé d'environ cinquante ans, l'œil vif, le teint brun, porteur d'une physionomie douce et sereine. Il prenait son chocolat; il me fit asseoir, et m'en offrit: j'acceptai. Un vieux domestique, couleur d'olive, en veste et en papillotes,[92] l'apporta avec un verre d'eau très-fraîche, et des bâtons *d'azucar esponjado*.[93] Je ne connaissais pas encore ces bâtons de sucre; don Inigo me dit qu'il fallait les tremper dans l'eau, et les manger avant de boire le chocolat. Pendant que je le savourais il ne me fit aucune question; mais il me regardait attentivement, très-étonné sans doute de voir un visage si *nouveau* pour lui. Quand j'eus rendu ma tasse: Monsieur, me dit-il en français, avez-vous quelque lettre de crédit sur moi; puis-je vous être bon à quelque chose? — Non, monsieur; c'est un motif plus intéressant qui me procure l'honneur de vous voir. Vous avez une fille aimable et malheureuse. — Ma fille! je n'en ai plus: elle a fui ma maison, sa patrie; elle a quitté son père! — Je vois avec douleur le ressentiment qui vous anime contre elle. Il est juste; dona Rosalia a blessé votre tendresse, oublié son devoir, vos bontés; mais le malheur l'accable, et la pitié doit réveiller dans l'ame d'un père l'indulgence et l'amour. — Vous m'étonnez beaucoup; d'où la connaissez-vous? comment savez-vous ses malheurs? Je lui contai alors l'abandon, la perfidie de son gendre; les pleurs, le désespoir, la maladie de sa fille: ce bon père m'écoutait, attentif, immobile, tantôt ses yeux attachés sur moi, et tantôt à la terre. Lorsque j'eus fini, il s'écria: Ainsi Dieu punit les enfants ingrats! — Mais Dieu pardonna à ses ennemis. — Où avez-vous laissé cette infortunée? — A Lyria, dans son lit, en proie à une fièvre violente, et à ses remords. — Je vais lui envoyer un médecin. — Votre présence sera le spécifique le plus efficace; le siège de la maladie est dans l'ame: vous seul pouvez y verser un baume salutaire, et l'arracher à la mort. Elle implore son pardon, vous supplie d'écouter son repentir, et de lui tendre une main paternelle: si je retourne sans vous, c'en est fait, vous n'aurez plus de fille. — Allons, Dieu l'a assez punie; j'irai la chercher; et si son repentir est sincère, j'oublierai sa conduite, et lui rendrai ma tendresse: nous partirons au point du jour. Il m'offrit alors un logement chez lui: je le refusai d'abord, parce que le refus, je ne sais trop pourquoi, est toujours le premier mouvement dans pareilles circonstances; mais il insista, et j'acceptai. Il me proposa, en attendant l'heure du souper, de me faire voir la ville. En la parcourant il me demanda comment je la trouvais. Elle mériterait, lui dis-je, l'épithète de *belle* qu'elle porte, si ses rues étaient moins étroites et moins tortueuses. — Ce sont les Maures qui l'ont ainsi bâtie. Cette ville, comme tant d'autres, a éprouvé bien des révolutions: Scipion l'enleva aux Carthaginois; Pompée la détruisit, Sertorius la réédifia; les Goths et les Maures se la disputèrent, et l'inondèrent de leur sang; Rodrigue, surnommé le Cid, chassa ces derniers en 1025; mais ils la reprirent après sa mort, et la gardèrent jusqu'en 1238, époque où Jacques, roi d'Aragon, la reconquit pour toujours. Je lui demandai quelle était sa population. De quatre-vingt-dix à cent mille hommes, me dit-il; l'heureuse température du climat, la beauté et la richesse de la campagne, attirent bien du monde, et surtout beaucoup de noblesse. Jadis elle était plus populeuse; mais Philippe III, par un faux esprit de religion, en chassa cinquante mille Maures. On leur permit d'emporter leurs meubles; mais on retint leurs enfants pour les élever dans la religion chrétienne. Cette cruelle proscription a coûté, à l'Espagne, neuf cent mille citoyens très-industrieux et très-actifs, et cette plaie profonde n'a jamais pu se fermer.[94]

Valence, dit-il encore, a donné deux papes de la maison de Borgia, Célestin III et Alexandre VI. — Vous devriez rayer ce dernier de vos fastes. Les couronnes, les tiares n'effacent jamais les crimes aux yeux de la postérité. Vantez-moi plutôt votre climat, la magnificence de votre terroir. — Vous avez raison; nous vivons peut-être sous la température la plus heureuse de l'Europe. Pendant les trois mois d'été, la chaleur serait très-vive si elle n'était tempérée par les vents de la mer.[95] Le reste de l'année est un printemps continuel, non le printemps froid et nébuleux de Paris et de Rouen, où j'ai voyagé pour mon commerce, mais le printemps chanté par les poètes, et qui nous rappellerait l'âge d'or, si nous avions des ruisseaux de lait, des bergers poètes, et les mœurs pures et simples de ces heureux pasteurs. Mais la nuit s'avance, allons souper; nous devons nous lever matin pour aller au secours de cette infortunée. Il m'en parla pendant tout le repas. Je voyais que l'amour paternel se réveillait, agitait son ame pure et sensible. Qu'il est facile et doux de pardonner à l'homme malheureux! «Ma fille, me disait-il, n'avait que douze ans lorsque j'eus le malheur de perdre sa mère. Le vide que cette mort fatale laissa dans mon ame, fut remplacé par ma tendresse pour ma fille. Je l'en aimai davantage; je lui prodiguai mes soins et mes caresses; je lui confiai mon bonheur pré et avenir. Je voyais avec transport cette plante si chère naître et s'embellir de jour en jour; je remerciais le Ciel du présent qu'il m'avait fait. Une passion fatale, fruit de nos climats, autorisée par l'exemple, protégée par la religion et la loi, a perverti cette ame si pure. Une faute a flétri sa jeunesse et son innocence. Souvent je lui disais: Ma chère Rosalie, dans mes pensées, dans mes désirs, c'est ton bonheur seul qui m'occupe: prends garde d'écouter la voix de la séduction, de suivre l'exemple contagieux des enfants aveugles et dénaturés, qui profitent de l'erreur de la loi, et de l'appui blâmable de la religion, pour braver l'autorité des parents, et contracter des nœuds mal assortis. Fais choix d'un homme honnête et bien né, et je ne calculerai pas sa fortune. Pendant que je lui répétais ces discours, elle aimait déjà un misérable commis, que je chassai bientôt de chez moi, parce que je suspectais sa probité et ses mœurs. La passion de ma fille s'en irrita. Le traître employa tous les moyens de séduction pour se venger de moi et pervertir une fille très-jeune et sans expérience. L'église, par un abus et une extension de pouvoir contraire aux bonnes mœurs et à l'harmonie de la société, les a unis sans mon consentement. Le malheur ou le libertinage sont les fruits ordinaires de ces mariages illicites.» Ce bon père, en me parlant ainsi, laissait échapper des larmes. J'étais surpris de ses principes et de la pureté avec laquelle il s'exprimait dans la langue française. Je lui laissai entrevoir ma surprise. «Vous êtes étonné, me dit-il, de voir un Espagnol exempt des préjugés de la superstition, et parlant votre idiome avec quelque facilité. Mais sachez que je suis une espèce de métis; ma mère était française, et son plus grand plaisir dans mon enfance, était de me faire bégayer sa langue. De plus, à l'âge de vingt-quatre ans, mon père m'envoya en France, à Londres, en Hollande, soit pour achever mon éducation, soit pour m'instruire dans la théorie du commerce. Mais j'abuse de votre complaisance; on croit trop aisément intéresser les autres en leur parlant de soi. Nous devons abréger notre sommeil, et vous avez besoin de repos.» Il me conduisit à ma chambre. Je fus surpris de son élégance, de sa propreté; les murs et le parquet étaient revêtus de carreaux de faïence; les meubles de bois d'aloès et de palmier, présentaient une forme agréable; mon lit était de fils de sparte et d'aloès, et d'une élasticité délicieuse. Il était sans rideaux et la chambre sans cheminée; elles sont très-rares à Valence. En revanche il y avait une fontaine dans la cuisine, ainsi que dans toutes les maisons de la ville.

Nous partîmes à l'aube matinale, et arrivâmes à Lyria sur les onze heures. On sonnait une messe. Je vais l'entendre, me dit don Inigo; pendant ce temps allez prévenir ma fille de mon arrivée; mon apparition subite pourrait aggraver sa maladie. Dès que Rosalie m'aperçut, elle s'écria: Eh quoi! sans mon père! Il m'abandonne; il est inexorable. — Non; c'est le meilleur des pères, et il viendra, vous le verrez. — Et quand? — Aujourd'hui... tout à l'heure; il entend la messe. — Ah! je respire! — Comment vous trouvez-vous? — J'ai pleuré hier toute la journée; j'ai prié Dieu; cependant j'ai un peu dormi cette nuit; et si je revois mon père, s'il me rend son amour et ses caresses, sans doute ma santé reviendra. — Eh bien, préparez-vous à le recevoir; je vais le chercher à l'église. La messe finie, don Inigo me demanda des nouvelles de sa fille. — Votre présence et vos bontés vont lui rendre les forces et la vie.

Quand nous entrâmes dans la chambre, son air était grave et peut-être sévère, mais son cœur palpitait et sa main tremblait dans la mienne. Dona Rosalia était assise sur une chaise: le désordre de sa parure, de ses cheveux épars; ses beaux yeux pleins des pleurs du repentir, de la tristesse, de la douleur; son visage décoloré, rappelaient le fameux tableau de Le Brun, où, sous les traits de la Valière, il a peint Magdeleine adressant au ciel sa prière et ses remords.

Dès que Rosalie aperçut son père, elle courut pour se jeter à ses pieds; mais, débile, tremblante, prête à tomber, je la soutins et la fis asseoir. Elle voulait parler, mais les larmes, les sanglots, étouffaient sa voix. Son père ému, la prit, la pressa dans ses bras, en l'appelant ma fille, ma chère fille! Embrassez votre père, lui dis-je; il vous rend ses bontés, il vous pardonne. A ces mots, elle se lève, l'embrasse, le serre par de douces étreintes, et leurs larmes et leurs caresses se confondirent. Pour terminer cette scène si touchante, je dis à don Inigo qu'il fallait penser au dîné, et à notre retour; il me pria de m'en charger, et d'y songer pour eux. Après un léger repas, nous montâmes en voiture. Rosalie voulut dire un mot en faveur de son époux: Ne m'en parle jamais, s'écria son père, si tu crains de m'offenser; c'est un misérable qu'il faut oublier, et qui périra d'une mort funeste. Prions Dieu seulement qu'il lui fasse miséricorde, et que sa mort soit plus sainte que sa vie.

Don Inigo voulut non seulement que je logeasse chez lui, mais il me pria instamment de séjourner huit à dix jours à Valence pour qu'il pût jouir du plaisir de me voir et de me témoigner sa reconnaissance. Veuillez m'aider, me disait-il, à consoler ma fille. Vous l'avez sauvée, achevez votre ouvrage; la présence de son bienfaiteur effacera le souvenir du misérable qui l'a séduite et outragée: vous lui ferez aimer l'existence, comme un beau jour fait aimer la nature. Dona Rosalia, d'un ton plein d'intérêt, joignit ses instances à celles de son père; elle me disait: Je vous dois mon père et la vie; ajoutez à ce bienfait celui de votre présence, du moins pour quelque temps. J'hésitai; l'amour m'appelait à Cordoue, pressait mon départ; mais enfin l'amitié, les prières de deux êtres intéressants fixèrent mon irrésolution; je promis de rester huit jours. Rosalie m'en remercia avec ce son de voix, ces paroles douces et pénétrantes qui sortent du fond d'une ame sensible et vivement émue.

Le lendemain de notre arrivée était un dimanche; don Inigo me mena à la cathédrale pour entendre la messe; quoique protestant, j'allai avec plaisir adorer, dans son temple, le Père, le Créateur de tous les hommes, si bien peint dans cette expression: *celui qui est*. Cependant j'avais quelques peines à dissimuler ma croyance, à emprunter le voile de l'hypocrisie; à la vérité j'étais obligé de feindre, et non de mentir. Henri IV disait que la religion ne se dépouille pas comme une chemise, car elle tient au cœur.

Je vis sur la porte de la cathédrale la liste des livres défendus par le saint-office; en première ligne étaient Rousseau, Voltaire, Raynal et l'Encyclopédie. Quelques livres espagnols avaient aussi les honneurs de l'index. Cette cathédrale est une des plus riches de l'Espagne: le maître-autel est d'argent; une vierge de six pieds, du même métal, occupe une niche couverte de bas-reliefs représentant divers incidens de la vie de J. C. L'autel a trente pieds de haut et dix-huit de large, et les peintures qui décorent les portes de cet autel sont d'un prix inappréciable. Philippe IV disait que si l'autel était d'argent, les portes étaient d'or. Cependant l'affluence qui remplissait l'église fixait mon attention. Les femmes étaient assises sur leurs jambes, et sur un tapis de sparterie qui couvrait le pavé de l'église; elles avaient un éventail et un rosaire à la main; tour-à-tour elles s'éventaient, récitaient un *avé*, promenaient leurs regards sur tous les jeunes gens, et leur parlaient des yeux, ou par signes. Je marquai à don Inigo mon étonnement de ce mélange de dévotion et de coquetterie. Le chapelet, me dit-il, est un hochet pour nos femmes; elles le portent à leur ceinture, le laissant traîner jusqu'à terre; elles le récitent dans les rues, parfois en jouant ou en médisant du prochain, et elles ne font l'amour qu'avec un scapulaire sur la poitrine, et le rosaire à la main. Les hommes l'attachent à leur cou. — C'est apparemment, lui dis-je, un talisman qui gagne le cœur de l'objet aimé? — Les Espagnols prétendent que le scapulaire et le rosaire sont deux des plus beaux présents que leur ait fait la Vierge. Lorsque l'on éleva le *vénérable*,[96] la scène changea. Un grand bruit se propagea dans l'église: c'était le roulement des coups de poings que les femmes se donnaient sur la poitrine, ou plutôt sur des corps de baleines, espèce de cuirasse qui réfléchit les sons, mais qui ne garantit pas des traits de l'amour. Ce bruit, mêlé à un silence profond, l'attitude de tous les assistants courbés vers la terre, leurs longs soupirs rendaient cette scène auguste et touchante. Mais l'élévation finie, tout le monde se redressa, les femmes s'assirent de nouveau sur leurs jambes, et le jeu des prunelles recommença. On peut comparer cette manière d'entendre la messe, si l'on peut comparer le profane au sacré, à la conduite des Italiens à l'opéra, qui causent, promènent leurs yeux de tous cotés pendant le récitatif, et se taisent et se recueillent pour écouter l'ariette.

Après la messe, don Inigo me conduisit dans la chapelle de Saint-Pierre, ornée de beaux tableaux; de là dans la sacristie, où est le riche dépôt des vases d'or et d'argent, et des reliques. Parmi celles-ci on me montra un calice d'agate, qui avait, dit-on, servi à J. C. lorsqu'il fit la scène avec ses disciples; une chemise d'enfant, sans coutures, faite par la sainte Vierge même; des gouttes de son lait; un peigne auquel étaient encore attachés quelques-uns de ses cheveux, et une dent de Saint-Chrysostôme, de quatre doigts de long et de trois de large. Quelle terrible dent! dis-je tout bas à don Inigo. — Taisez-vous, reprit-il, elle n'est pas aussi dangereuse que celle de l'inquisition. Deux hommes petits, maigres, le teint olivâtre, l'un vêtu d'un habit couleur de rose, et l'autre d'un bleu céleste, s'approchèrent pour baiser les reliques. Je demandai à don Inigo quels étaient ces seigneurs, dont la couleur et l'élégance des habits contrastaient si bizarrement avec leurs tristes figures; je crois voir des singes revêtus des vêtemens d'Adonis. — Ces prétendus seigneurs sont de simples artisans. Ici chacun se costume à sa guise; en fait d'habillement, on n'admet aucune distinction: l'homme du peuple vit de pain et d'oignons, et porte sur lui, le dimanche, les économies de l'année.

En sortant de la cathédrale, il me dit: Vous n'avez point en France d'églises si belles et si riches; mais vous avez des chemins, des ponts, des canaux, des manufactures. — Je m'aperçois à ce discours qu'il y a du sang français dans vos veines; ou plutôt que vos lumières, la justesse de votre esprit, vous font démêler les abus de la superstition d'avec le vrai culte, et la solide piété. En effet don Inigo était un sage pieux sans ostentation, et attaché à la religion de ses pères en homme éclairé, sans adopter les momeries des moines, et le respect ridicule que l'on rendait à leur robe. Je n'en reçois point chez moi, me disait-il, je ne baise jamais leurs mains crasseuses; mais, comme je ne veux point me brouiller avec l'inquisition, je les salue du plus loin que je les aperçois; et comme les petits présens réchauffent l'amitié, j'envoie de temps en temps du café et du chocolat aux pères dominicains, les premiers de l'ordre: d'ailleurs je remplis tous mes devoirs, j'observe les préceptes de l'église, je me garde bien de fronder les opinions, les abus; en Espagne on n'en demande pas davantage. Mais pour vous prouver quelle vénération les Espagnols portent à un ministre de la religion, je vais vous raconter un crime horrible commis en Andalousie par un carme déchaussé; crime qui méritait la mort. Il aimait éperdument une jeune fille, sa pénitente; sans doute il n'avait pas expliqué sa passion. Cette jeune personne, au moment de se marier, vint se confesser à lui. Il entendit sa confession, lui dit la messe et la communia de sa main; ensuite ce monstre alla l'attendre à la porte de l'église, et l'assassina de trois coups de poignards, dans les bras de sa mère. Il fut pris; mais le roi apprenant qu'il était prêtre, n'osa le condamner à la peine de mort, et l'envoya aux présides de Porto-Ricco.

Nous revînmes au logis; nous trouvâmes dona Rosalia presque sans fièvre; je l'en félicitai. Ah! s'écria-t-elle, je n'en serai pas plus heureuse! — Vous vous trompez: vous avez devant vous un long avenir. Tout change: la douleur s'éteint, le plaisir renaît; le Ciel vous combla de trop d'agréments, vous donna une ame trop belle, trop sensible, pour vous refuser le bonheur. — Hélas! où le trouver? Aujourd'hui, je ne puis plus aimer. Don Inigo rentra pour nous annoncer le dîné.

On nous servit une *oilla podrida*. C'est un pot au feu composé de mouton, de saucisses, de lard; d'une poule, et de légumes, Cette *oilla podrida* mérite un rang distingué dans la hiérarchie des mets. On nous servit aussi un plat de morue à l'ail. Voilà, me dit mon hôte, un poisson qui coûte à l'Espagne trois millions de piastres par an, tribut que nous payons aux Anglais; et ce qui est bien plus singulier, c'est que nous fournissons le sel qui va saler le poisson à Terre-Neuve.

Après le dîné don Inigo m'engagea d'aller faire la sieste, et ajouta: Je vous mènerai ce soir au *refresco* de la duchesse Éléonore Silva, dont le mari est grand d'Espagne de la première classe, et gentilhomme de la chambre de Sa Majesté catholique, actuellement de service à Madrid; c'est lui qui donne à boire au roi, à genoux: le *refresco* sera très-brillant. — Je vous suivrai volontiers chez cette belle duchesse; quant à la méridienne, je m'en dispenserai: la vie est trop rapide pour l'user dans le sommeil. Je sais que l'empereur Auguste dormait l'après-dînée; mais l'aurore le trouvait souvent éveillé, et la tête encore embarrassée des vapeurs du vin. — Ici nos médecins nous ordonnent la sieste, et nous assurent qu'Hippocrate et Galien dormaient une heure ou deux après leur dîné. Nous avons hérité cette coutume des Maures; j'ai contracté l'habitude de ce sommeil, et vous savez qu'elle se change en besoin.

Le soir nous partîmes pour le *refresco*. Il était annoncé depuis quinze jours. C'est le grand festin des Espagnols. Don Inigo me présenta à la *duquesa*; elle était nonchalamment couchée sur un canapé appelé *estrade*; au-dessus de cette estrade était un dais et une image de la Vierge. La duchesse m'accueillit d'un sourire gracieux, et me dit: *Senor cavallero, me alegro di ver que su merced sta bueno.*[97] A quoi je répondis: *Viva, Su Excellenza mill' anos.* Et là finirent nos compliments et notre conversation.

J'examinai cette excellence des pieds jusqu'à la tête. C'était une femme de trente ans, d'une taille au-dessous de la médiocre, elle avait une physionomie vive et spirituelle, des yeux noirs pleins de feu et de volupté; son pied, qui me parut mignon, était renfermé dans un soulier de brocart d'or, dont les talons avaient quatre pouces de hauteur, ce qui la fesait marcher de mauvaise grâce et avec peine; on voyait alors, à travers les longues franges de sa basquine, jusqu'au mollet de sa jambe; son cou, ses oreilles, ses bras étaient chargés de diamants; une couche épaisse de rouge enluminait son visage et ses épaules très-découvertes; dix ou douze jupons de velours et de satin enveloppaient son corps; un long cordon de laine blanche, attaché à sa ceinture, descendait jusqu'à terre; il avait plusieurs nœuds, à chacun desquels brillait un bouton de pierres précieuses. Je demandai à don Inigo ce que signifiait ce cordon. Les dames, me dit-il, le portent en l'honneur de leurs patrones; ce sont des vœux qu'elles font ou dans leurs couches, ou dans d'autres maladies; souvent ces vœux sont formés en faveur de l'amour, car les Espagnols s'adressent à la Vierge et aux saints pour les prier de favoriser leurs inclinations, comme les païens invoquaient Vénus et son fils. Nous étions dans une grande salle destinée à ces fêtes; je vis arriver successivement quatre-vingts personnes des deux sexes. Les hommes se plaçaient à la gauche, et les femmes à la droite; chacune d'elles, après une profonde révérence, allait embrasser la *senora duquesa*, et ensuite saluait et embrassait les autres femmes, rangées en demi-cercle; les embrassades terminées, elle occupait la chaise vacante après la dernière venue. Je remarquai un grand Espagnol enveloppé dans sa cape jusqu'au nez, ayant sur sa tête un vaste chapeau orné d'un large ruban d'or, assis en face de la duchesse, et fixant sur elle des regards fréquents et langoureux. On m'apprit que c'était un de ses soupirants, mais qui n'était pas encore au nombre des heureux. Il fait, me dit-on, son purgatoire, en attendant son admission dans le paradis. Ce spectacle m'amusait beaucoup; cependant j'étais fâché de me voir éloigné du cercle des femmes qui, la plupart, me paraissaient jolies.

Que fesons-nous ici, me disais-je tout bas, séparés des brebis comme des moutons attaqués de la clavelée? ne nous reçoit-on que pour faire nombre, et pour pouvoir dire: Nos numeri sumus fruges consumere nati?[98] Quand l'assemblée fut complète, le gouverneur des pages, en habit blanc, armé d'un grand flambeau, entra, mit un genou en terre, et dit à voix haute: Vive le *saint-sacrement*; et l'assemblée répondit en chœur: *A jamais*. Après lui vinrent les pages, chacun muni d'un flambeau; ils fléchirent le genou, posèrent les flambeaux sur une table, et se retirèrent; ils revinrent bientôt, les uns apportant du chocolat chaud ou à la glace, fait à l'eau ou avec du lait; d'autres étaient chargés de plats de confitures, d'*azucar esponjado*, de gâteaux et de grands verres d'eau à la glace. A cette vue, la conversation qui languissait, se ranima; on s'abreuva de chocolat; je vis des femmes qui en prenaient jusqu'à six tasses. J'étais auprès d'un père franciscain, qui avait les formes athlétiques, et qui jouissait d'une brillante réputation auprès du sexe; lorsqu'il eut fait passer par son œsophage sept à huit tasses de chocolat, quantité de confitures et de biscuits, il me demanda si les dames françaises étaient aussi jolies que celles d'Espagne. A Valence, lui dis-je, j'oublie les dames françaises; et si vous étiez en France, vous ne songeriez pas aux dames espagnoles. Il me demanda ensuite des nouvelles de Voltaire; je lui répondis qu'il jouissait d'une bonne santé. — On dit qu'il craint terriblement la mort; il prêche l'athéisme, et il a peur du diable; il mériterait d'être brûlé à petit feu comme un certain Vanini. — Quel est, mon Père, ce Vanini? — C'est un athée, un anabaptiste, un antechrist, qui fut condamné au feu par les pères du Concile de Constance.[99] Je félicitai le révérend de sa vaste érudition. J'ai brillé, me dit-il, sur les bancs; j'ai dans ma tête tous les miracles qui se sont opérés et qui s'opèrent tous les jours; je connais toutes les reliques de l'Espagne, et les vertus de chacune; je suis prieur de l'ordre, et je disputerais à tous les prieurs du monde, à tous les évêques, l'art d'arranger une procession, et de célébrer une fête solennelle avec magnificence. Dans ce moment on fit repasser des plats de confitures, et le révérend, en ayant fait sa provision, s'enfonça dans un large fauteuil pour achever la collation tout à son aise.

A table hier, par un triste hasard,

J'étais assis près d'un moine cafard.

Ce qui m'étonna dans ce *refresco*, autant que la science du franciscain, ce fut de voir les hommes et les femmes remplir de confitures leurs poches, leurs mouchoirs, ou des cornets de papier. Don Inigo m'invita à faire de même, en m'assurant que c'était l'usage. Je me contenterai, lui dis-je, d'en mettre dans un petit cornet pour l'offrir à votre aimable fille. Jadis les Grecs envoyaient à leurs amis ou à leurs maîtresses des plats du festin; mais je n'étais ni Grec, ni Espagnol, et l'usage ne me parut pas assez noble pour l'adopter.

En France, quatre-vingts personnes assemblées, et animées par une excellente collation, parleraient à peu près toutes à la fois, et produiraient un bruit pareil à celui d'un torrent un peu éloigné; en Espagne, le silence n'est interrompu que par des entretiens particuliers. Savez-vous, me dit à voix basse un hidalgo qui était à mes côtés, quel est ce père de Saint-François avec qui vous causiez? — Non, mais il a l'air d'un élu, d'un enfant de la Grâce. — Il l'est aussi; vous voyez cette jeune femme qui porte un long rosaire de corail, auquel est attachée une croix de diamants et qui a un reliquaire en pierreries sur la poitrine: c'est sa bien-aimée; et de plus, il est le confesseur du mari. — Je vois, lui dis-je, que les moines ont ici le paradis sur la terre, et les clefs de celui de l'autre monde. — C'est ce même moine qui a fait le mariage de la fille de don Inigo Flores. — Comment cela. — Dona Rosalia aimait un commis de la maison de son père, qui, s'étant aperçu de cette inclination, ou par d'autres motifs, chassa cet homme de chez lui. Les amants, irrités, enflammés par les obstacles, s'écrivirent, se donnèrent des rendez-vous. Don Sanche passait une partie de la nuit sous le balcon de sa maîtresse; il profita de la faiblesse et de l'inexpérience de cette jeune personne pour la déterminer à se réfugier dans les bras de l'église, et à l'épouser sans l'aveu de son père. Cet homme était lié avec ce franciscain, de Saragosse comme lui; après avoir combiné, arrêté leur plan, ils l'exécutèrent ainsi. Un soir don Inigo donnait une *merienda* (un goûter) à quelques amis; dona Rosalia descendit furtivement dans une salle basse, ouvrit la porte de la maison à son amant et au père don Raphaël, qui, après quelques formalités d'usage, leur donna la bénédiction nuptiale; ensuite dona Rosalia rentra dans l'assemblée, s'efforçant de dissimuler, sous un air de sérénité, le trouble et l'agitation de son ame. Le lendemain, deux députés du couvent vinrent chez don Inigo, réclamer sa fille au nom de son époux don Sanche; don Inigo, fort étonné, la fit appeler; elle vint pâle et tremblante; mais rassurée, encouragée par la présence des deux franciscains, elle avoua son mariage. Don Inigo, irrité, opposa la plus vive résistance; mais il fallut fléchir sous la toute-puissance de l'église. Les moines lui dirent, pour le consoler, que c'était la volonté de Dieu, que les mariages étaient écrits dans le ciel. — Non pas les mauvais, répondit-il. Je compris alors pourquoi ce mariage avait été si malheureux. Ils le sont presque tous en Espagne; mais les maris se consolent avec leurs maîtresses, et les femmes avec leurs *cortejos. Quæ fuerunt vitia, mores sunt.*[100]

Après la colation, on annonça le bal. Le *bastonero*[101] nomma les danseurs du menuet; les bals commencent toujours par cette danse, qui s'exécute avec plus de gravité que de grâce. Les femmes dansent les yeux baissés comme les villageoises des environs de Paris. Ces graves menuets élevaient déjà les vapeurs de l'ennui, lorsqu'une guitare, unie à deux violons, fit entendre le riant *fandango.* Cet air national, comme une étincelle électrique, frappa, anima tous les cœurs: femmes, filles, jeunes gens, vieillards, tout parut ressusciter, tous répétaient cet air si puissant sur les oreilles et l'ame d'un Espagnol. Aussitôt les danseurs s'élancent dans la carrière; les uns armés de castagnettes, les autres fesant claquer leurs doigts pour en imiter le son: les femmes surtout se signalèrent par la mollesse, la légèreté, la flexibilité de leurs mouvements et la volupté de leurs attitudes; elles marquent la mesure avec beaucoup de justesse, en frappant le plancher de leurs talons: les deux danseurs s'agacent, se fuyent, se poursuivent tour-à-tour; souvent la femme, par son air de langueur, par des regards pleins du feu du désir, semble annoncer sa défaite. Les amants paraissent prêts à tomber dans les bras l'un de l'autre; mais tout-à-coup la musique cesse, et l'art du danseur est de rester immobile: quand elle recommence, le *fandango* renaît aussi. Enfin la guitare, les violons, les coups de talons, le cliquetis des castagnettes et des doigts, les mouvements souples et voluptueux des danseurs, les cris, les applaudissements des spectateurs, remplirent l'assemblée du délire de la joie et de l'ivresse du plaisir.[102] Le vainqueur de Goliath sautant, dansant devant l'arche sainte; les douze prêtres Saliens de Rome dansant et s'agitant dans leurs promenades religieuses, auraient paru froids, inanimés devant le voluptueux *fandango*. Mon cher hôte me demanda ce que j'en pensais. C'est une danse, lui dis-je, très-agréable, et digne d'être exécutée à Paphos où à Gnide, dans le temple de Vénus. — Elle nous vient des Maures. Quelques-uns prétendent qu'elle nous a été apportée de la Havane, et nos Esculapes nous l'ordonnent pour le maintien de la santé. C'est un des aphorismes de l'hygiène. Les docteurs arabes assurent que cet exercice prévient les maladies inflammatoires; les Grecs le recommandaient aussi comme utile à la santé; mais leurs danses étaient plus brillantes que les nôtres, et moins lascives. — Il me paraît que l'on vous ordonne ici le *fandango*, comme certains docteurs prétendent que l'on ordonne la danse aux gens piqués de la tarantule. — On raconte sur le *fandango* une anecdote singulière. On prétend que la cour de Rome, scandalisée de son indécence, résolut de le proscrire sous peine d'excommunication. Un consistoire fut convoqué pour lui faire son procès; on allait prononcer la sentence de mort, lorsqu'un cardinal dit qu'il ne fallait pas condamner un coupable sans l'entendre, et qu'il votait pour que le *fandango* parût devant ses juges: la raison, l'équité avaient inspiré cet avis. L'on manda deux danseurs espagnols des deux sexes; ils dansèrent devant cette auguste assemblée: la grâce, la vivacité, la volupté de ce duo commença par dérider le front des pères; une vive émotion, un plaisir inconnu pénètrent leurs ames; ils battent la mesure des pieds, des mains: la salle du consistoire devient une salle de bal; chaque éminence se lève, danse en imitant les gestes, les mouvements des danseurs: et d'après cette épreuve, le *fandango* obtint sa grâce, et fut rétabli dans tous ses honneurs. — Ce conte est plaisant, il faut le mettre à coté de celui du concile de Trente, où dansèrent, dit-on, les pères de l'église, dans un bal que leur donnait Philippe II.

Après le *fandango*, vinrent les *séguidillas*, espèce de contredanse où les acteurs sont au nombre de huit, et dans laquelle on figure quelques mouvements du *fandango*. Mais tout-à-coup la contredanse fut interrompue par un quart de conversion générale; toute l'assemblée se tourna en même temps vers la porte de la maison, et s'agenouilla dans un profond silence; plusieurs même se prosternèrent, leurs fronts touchaient la terre. Je ne savais si c'était l'étoile de Vénus, ou la lune naissante que l'on adorait: je fléchis cependant mes genoux comme les autres; au bout de cinq minutes, chacun se releva, et la joie et la danse recommencèrent. Surpris de cette cérémonie, j'en demandai l'explication à mon voisin. Quoi! me répondit-il, n'avez-vous pas entendu la sonnette qui passait dans la rue? — Pardonnez-moi; on sonnait donc pour vous faire mettre à genoux. — Oui, le *vénérabile* (le viatique) passait dans ce moment devant la maison. Avec le temps, je me suis habitué à cet acte religieux. J'ai vu au spectacle, au bruit de la sonnette, tous les spectateurs, tous les acteurs, soit maures ou païens, ou jouant les démons, se précipiter à genoux, et y rester jusqu'à ce que le viatique se fût éloigné; et dans une tragédie sanglante où trois hommes étaient étendus morts sur le théâtre, je les vis se relever subitement, s'agenouiller au son de la bienheureuse clochette, et refaire les morts quand le *vénérabile* eut passé.

La fête finit à une heure du matin. J'avoue que le reste de la nuit, j'eus le *fandango* dans la tête, et surtout une jeune personne qui avait effacé ses compagnes par la grâce et la légèreté de sa danse.

Le lendemain, je pris le chocolat avec don Inigo et sa fille, dans un cabinet retiré, qu'il nommait sa librairie; je fus étonné d'y trouver les ouvrages de Voltaire et de Rousseau. — Vous êtes là, lui dis-je, en compagnie peu orthodoxe, et qui pourrait vous envoyer dans les geoles du saint-office. — J'ai prévenu le danger. Il est des accommodements avec les saints inquisiteurs: une somme d'argent donnée adroitement et à propos, endort la vigilance de ces argus; ainsi ne craignez rien pour moi. — J'avoue que depuis ma réclusion à Barcelone, je tremble au nom de l'inquisition, ou à la vue d'un dominicain, comme Jacques premier, roi d'Angleterre, tremblait à l'aspect d'une épée nue. Je crois voir l'ombre de Torquemada ou de Saint Dominique me poursuivant la torche à la main. — Vous haïrez bien plus cet ordre, quand vous saurez qu'ils avaient jadis à Valladolid, dans leurs cloîtres, la statue de votre célèbre Bourgoing, prieur des Jacobins,[103] panégyriste du régicide Clément, et selon ses confrères martyr de J. C.; mais enfin cette statue a disparu.[104] — Je désirerais savoir quels sont les cas ou les crimes qui ressortissent du tribunal de l'inquisition; car il est bon de connaître les écueils, les rescifs de la mer sur laquelle on navigue. — Ce sont les soupçons d'hérésie, ce qui va très-loin; la magie, les maléfices et les enchantements, les injures au saint-office, ou à quelqu'un de ses membres, et les propos scandaleux; leur juridiction s'étend sur ceux qui lisent des livres défendus, ou qui les prêtent; sur ceux qui passent une année sans se confesser et communier; et sur ceux qui n'entendent pas la messe les jours d'obligation. — Vous m'effrayez; car dans cette caverne, comme dans celle du lion, on voit bien comment on y entre, on ne voit pas par où l'on peut en sortir.

L'amitié, les caresses de don Inigo raffermissaient la santé de sa fille; mais la mélancolie était encore sur son visage et dans le fond de son cœur. Après le déjeûné son père la renvoya pour me confier ses projets et sa situation. Il y a trente ans, me dit-il, que je suis dans le commerce, qui était aussi l'état de mon père. Il ne m'avait laissé que les débris d'une fortune considérable, détruite par la guerre avec les Anglais. Il est cruel, pour des particuliers, d'être sacrifiés à l'ambition et au délire des rois. Après la mort de mon père j'ai continué son commerce; j'ai établi une manufacture de soie et d'eau-de-vie: vous savez que la soie et l'eau-de-vie sont deux des principales productions du royaume de Valence.[105] Par mon travail, et surtout par mon économie, j'ai élevé ma fortune jusqu'à la somme de cent mille piastres; je pourrais l'accroître et devenir millionnaire: mais un million n'ajouterait rien à mon bonheur. Une grande fortune n'est qu'un grand esclavage, a dit je ne sais quel auteur;[106] qui ne sait pas être heureux avec une honnête et douce aisance, ne le sera jamais avec tous les trésors du Mexique et du Pérou. J'ambitionne aujourd'hui une jolie maison de campagne. Mon goût diffère beaucoup de celui de mes compatriotes, presque insensibles aux charmes d'une belle nature, et aux douceurs d'une vie paisible et solitaire: aussi généralement, en Espagne, *los sitios* (les maisons de campagne) sont abandonnées. La situation de ma fille me confirme dans mon plan de retraite. Déplacée dans la société, le cœur flétri par l'infortune, elle n'a plus d'autre asile qu'un couvent ou la campagne. Je n'aime pas les entraves; un couvent me priverait d'elle; et cet isolement absolu, cette retraite forcée, en aigrissant sa douleur, feraient de sa vie un supplice continuel. Je ne suis pas fâché de l'abandon de son indigne époux; je ne le hais pas, mais je le méprise: on peut pactiser avec la haine, mais jamais avec le mépris. J'ai toujours lu son ame dans sa physionomie. Je ne puis concevoir par quelle fatalité ma fille, bien élevée, pensant noblement, ayant du goût, de la délicatesse, a pu aimer un être si dissemblable. Mais elle n'avait pas seize ans, et son active sensibilité a saisi le premier objet qui a pu l'occuper; elle est tombée dans les filets de la séduction le bandeau sur les yeux. Il règne dans ces climats une dissolution de mœurs étonnante; c'est pourtant le pays où la religion semble avoir fixé son trône inébranlable: mais on croit effacer par des observances minutieuses, par le bavardage des prières, des chapelets, les infractions à la morale, à la religion, et les crimes même. J'ai pardonné à ma fille; je ne lui reprocherai jamais sa faute; je voudrais que le divorce fût autorisé; mais l'église romaine, trop rigoureuse, le défend, et ne se prête pas assez à la faiblesse et à la fragilité des hommes. Le divorce est de toute antiquité; la loi des Hébreux l'a toujours permis; et les protestants, plus sages que nous, l'ont adopté. J'aurais été trop heureux si j'avais eu un gendre de votre mérite. Mais où voit-on un climat sans nuages? dans quelle île, dans quel coin de la terre trouve-t-on ce souverain bien, cherché si long-temps par les anciens philosophes, et qu'ils découvriront lorsqu'ils auront découvert la pierre philosophale? Je passerai dans mon asile champêtre le règne de la chaleur, que tempèrent les vents de la mer. Dans ce climat, chaque saison a son caractère: l'hiver a deux mois d'existence; mais sans neige et sans frimas. On prétend qu'on n'a vu ici de la gelée et des brouillards que deux fois en cinq siècles. Notre printemps s'annonce dès le mois de février. C'est le vrai printemps chanté par les poètes. Alors les amandiers se parent de fleurs, les champs se couvrent de légumes, les orangers parfument l'air. Mars fait éclore toutes les richesses promises; les oiseaux préparent leurs nids; tandis qu'en France, à cette même époque, vous n'avez encore que l'espérance des beaux jours, et que le printemps arrive escorté des vents du nord, de la pluie et souvent de la gelée. Dans les équinoxes, le vent d'ouest nous apporte quelques ondées; à peine avons-nous dans l'année dix-huit à vingt jours de pluie. Je vais acquérir un petite maison de campagne, avec un jardin de dix arpents; c'est assez pour me contenir. Le monde ne pouvait suffire à Alexandre, et la plus petite urne contiendrait aujourd'hui sa cendre. J'espère ne pas me repentir dans ma retraite, comme jadis Charles-Quint dans celle du monastère de Saint-Just:[107] c'est par inquiétude qu'il avait désiré le repos, si fatigant pour l'activité de son ame. J'y cultiverai mon jardin, ma fille, et je m'occuperai de mon salut. Je suis bien éloigné d'adopter cet amas de superstitions qui dégrade notre nation aux yeux de l'étranger, ni ces austérités monacales, inspirées par le fanatisme, et non par un Dieu de bonté et de clémence; mais je suis soumis de cœur et d'ame à la religion romaine. Si parfois le doute vient inquiéter ma raison, je l'ecarte bien vite, et prie Dieu de soutenir ma foi. Le scepticisme est un état pénible: il fatigue l'ame, la laisse sans consolation et sans appui. Pour dissiper les nuages qui troublent mon esprit, je songe aux Augustin, aux Chrysostôme, aux Saint Bernard, qui, après de mûres réflexions et de longues études, étaient convaincus des vérités du christianisme. Le premier bienfait de la religion est de consoler des peines présentes par l'espérance d'un bonheur à venir; le second est de nous faire envisager avec indifférence et pitié les succès des méchants et les caprices de la fortune; le troisième bienfait est de nous attacher à la morale, à la vertu par un lien plus serré et plus solide: j'ai renoncé pour jamais à un second mariage; je vivrai comme notre bon roi, sans femme et sans maîtresse.[108] Je ne pourrais être amoureux d'une femme âgée, et une jeune femme ne m'aimerait pas; d'ailleurs, par un second hymen je blesserais les intérêts de ma fille. J'écoutai ce discours avec étonnement et admiration; don Inigo m'y développait la sagesse et la beauté de son ame.

Je lui confiai, à mon tour, mes engagements avec don Pacheco, mon amour pour sa fille, et l'embarras où me jetait ma religion, dont je leur avais fait mystère. Il convint que cet obstacle était difficile à surmonter. Jacques Ier, roi d'Angleterre, ajouta-t-il, ayant demandé une infante d'Espagne pour son fils Charles, l'infante déclara qu'elle se ferait religieuse, plutôt que d'épouser un hérétique. Je vous exhorte pourtant à ne pas vous décourager; l'amour et la raison ont dénoué de plus grandes difficultés: mais je vous ai retenu assez long-temps pour vous parler de moi; allons voir la tour de la cathédrale, le *Micalet*, qui tire son nom de Saint Michael. Cette tour est octogone; elle a cent cinquante pieds de hauteur, et vous serez ravi de la beauté de la perspective dont on jouit à cette élévation. Nous y allâmes. La vue est superbe; mon regard embrassait toute la *Huerta* de Valence, arrosée par le Quadalaviar, et une infinité de canaux; je voyais des montagnes verdoyantes, les flots azurés de la mer, les vaisseaux luttant contre les ondes, *l'albufera*; et, sous mes pieds, une ville vaste et populeuse, et pleine de mouvements. Je ne pouvais me lasser d'admirer ce brillant tableau; mais je m'aperçus que don Inigo, qui avait tant vu le soleil, attendait la fin de mon ravissement, et je ne voulus point abuser de sa complaisance. En revenant je lus l'affiche de la comédie, qui méritait quelque attention. *A l'impératrice du Ciel, mère du Verbe éternel, nord de toute l'Espagne, consolation, fidèle sentinelle, et rempart de tous les Espagnols, la très-sainte Marie; c'est à son profit, et pour l'augmentation de son culte, que les comédiens de cette ville joueront la comédie héroïque des Rois maures en guerre avec les Espagnols.* Je serais curieux, dis-je à don Inigo, d'assister à cette représentation au bénéfice de là Vierge; en France, les comédiens ne sont ni aussi généreux, ni aussi galants. — La Vierge aura bien petite part de la recette, mais elle s'en contentera. A côté de cette affiche j'en lus plusieurs autres. *Aujourd'hui il y a prône et musique chez les franciscains.* — *Après demain on vendra à l'enchère un mulet, une image de la Vierge, et une naissance* (une crèche). — *Ce soir, à huit heures, la procession des rosaires.* — *On a volé une petite boîte d'or, qui contient les cheveux d'une dame; si celui qui l'a prise veut la faire rendre par son confesseur, on lui donnera la valeur de la boîte.* Je dis à don Inigo: C'est sans doute un amant qui a fait cette perte. — Oui, c'est le *cortejo* de la femme de notre corrégidor. Mais allons dîner; ce soir je vous mènerai au théâtre.

La table de don Inigo n'était pas somptueuse; mais les mets étaient bons et salubres: le poisson, les légumes, les oranges, les melons, les figues et la *oilla podrida* composaient son dîné. — La plupart de ces mets, me disait-il, seraient un grand luxe à Paris; mais à Valence ils sont à très-bas prix. Pour deux liards l'on a une grande assiette de figues; ce plat de légumes me revient à quatre sous; le poisson n'est guère plus coûteux; et, ce qui est inappréciable, c'est que l'on peut se livrer sans crainte à son appétit: la pureté et l'élasticité de l'air, le vin stomachique d'Alicante, la légèreté des aliments et surtout des légumes, facilitent la digestion; aussi nous jouissons en général d'une santé et d'une longévité peu communes. Vous trouverez dans ce royaume quantité de vieillards de quatre-vingts ans qui ont encore toute la vigueur de la virilité. On en a vu pousser leur carrière jusqu'à cent vingt ans, et même jusqu'à cent quarante.

J'ai connu à Candie une femme qui a vécu vingt-quatre lustres avec l'usage de tous ses sens, excepté l'ouïe; mais un phénomène plus étonnant, c'est qu'à l'âge de quatre-vingt dix-sept ans, ayant été obligée de faire couper ses beaux cheveux, à cause d'une blessure à la tête, ils repoussèrent en très-peu de temps, aussi beaux, aussi touffus qu'auparavant. On cite une femme d'une longévité plus extraordinaire, morte à l'âge de cent quarante-deux ans, et qui n'a perdu l'ouïe et la vue que deux jours avant sa mort. Jusqu'à l'âge de cent onze ans, elle fesait, toutes les semaines, un chemin d'environ cinq lieues; son aliment favori était le lait de chèvre. Toutes ces longévités vous prouvent l'excellence de notre climat. — Je vois qu'ici sont les Champs-Élysées et le séjour des bienheureux. La présence de Rosalie, son air timide et touchant où se peignaient la douleur, le repentir de sa faute, la négligence même de sa parure, répandaient le charme le plus doux sur ces repas de famille. Dona Rosalia n'avait ni la taille majestueuse, ni l'éclat de beauté de Séraphine; mais elle portait une de ces physionomies où se réfléchissaient la sensibilité, la grâce, la candeur et toute la beauté de son ame. Séraphine était Vénus ou Junon, et Rosalie Psyché, ou plutôt elle ressemblait à cette aimable Cécile que j'avais tant aimée, et que mon amitié regrettait encore aussi vivement qu'aurait pu faire l'amour heureux.

Vers le soir, après la méridienne, don Inigo me mena au spectacle; la salle n'avait qu'un amphithéâtre et un *patio* (parterre)[109] encombrés d'une tourbe oisive, dont la plus grande partie était en bonnets de nuit et en manteaux, et qui, aspirant leurs *cigaros*, remplissaient la salle de fumée et d'odeur de tabac; c'est pourtant à cette lie nationale que les acteurs cherchent à plaire. Souvent ils lui adressent la parole en lui donnant des épithètes flatteuses. Le sujet de la pièce qui attirait tout Valence, était une comédie héroïque, dont les acteurs sont les Maures et les Espagnols qui se font la guerre, où, dans un dialogue vif, ils s'accablent de sarcasmes et d'injures. Les spectateurs riaient d'un rire inextinguible et la salle retentissait de leurs applaudissements. Il faut, dit-on, hurler avec les loups, j'ajoute qu'il faut rire avec les fous; mais le rire m'était impossible, j'aurais plutôt hurlé. Ce qui fatiguait mes oreilles encore plus que la déclamation des acteurs et les éclats de rire du *patio*, c'était la voix du souffleur qui répétait la pièce presque aussi haut que les comédiens. Ceux-ci, plus occupés du public que de leurs rôles, promenaient leurs regards sur les loges: je m'aperçus que la *graciosa* me souriait tendrement; je crus un moment que c'était une distinction particulière, et je lui répondais d'un aimable sourire et par des battements de mains: mais mon amour-propre fut bientôt détrompé. Je vis que les regards et le sourire de cette nymphe s'adressaient encore plus souvent aux membres du *patio*: lorsqu'il applaudissait, l'acteur le remerciait par un profond salut. Mais voici ce qui enivra de joie tous les spectateurs: un roi Maure entra à cheval dans le parterre, qui s'ouvrit, fit place; et ce prince, du haut de son coursier, débita une belle harangue à ses ennemis (les acteurs Espagnols); cette scène fit beaucoup plus d'effet sur ces bons Ibériens, que le cinquième acte de Rodogune, ou le quatrième de Mahomet n'en font à Paris. Les pièces Espagnoles sont divisées en trois journées; après la première, on joue une *saignete* ou un *intermès*; c'est un véritable intermède. C'est Thalie en goguettes; on joue dans ces pièces tous les états de la société: médecins, juges, et surtout les maris dont la jalousie, les infortunes amusent singulièrement le parterre et échauffent la verve des auteurs comiques:

Bocace, Molière, La Fontaine jettent le sel à pleines mains sur les accidents du mariage. L'auteur des fables nous dit:

Tout homme, en trompant un mari;

Pense gagner indulgence plénière.

D'où vient donc ce plaisir malin que causent leurs disgrâces? C'est que la jalousie a toujours un côté ridicule; que nous sommes enclins à l'indulgence pour les fautes de l'amour et pour un sexe dont la faiblesse fait notre bonheur; et que la plupart des hommes voudraient être à la place de l'amant favorisé. La représentation fut terminée pa une *tonadilla* et un *volero*. Dans la *tonadilla*, une actrice seule chante une aventure galante et souvent scandaleuse, accompagnée de réflexions triviales. Le *volero* est une danse encore plus lascive que le *fandango*; la femme agace et fuit son danseur, revient, feint une tendre langueur, paraît se rendre et s'échappe encore.

Et fugit ad salices et se cupit ante videri.

L'amant, par ses regards, par ses gestes, exprime la vivacité de ses désirs; la musique, tantôt lente, tantôt animée, ralentit ou réchauffe leur ardeur: le moment du bonheur paraît approcher; les amants se joignent, s'entrelacent et la toile tombe.[110] Le *fandango*, disent les Espagnols, enflamme; le *volero* enivre; le premier peint la jouissance, et le *volero* la tendresse récompensée. Cependant des ecclésiastiques, de jeunes filles assistent à ce spectacle auprès de leur mère. J'ai vu depuis à Cordoue, jouer plusieurs pièces. L'une est Saint Amaro: au premier acte le saint monte en paradis, y reste deux cents ans; il va à la Chine, en enfer; enfin, un député céleste vient l'enlever au ciel.

Nec Deus intersit, nisi dignus vindice nodus.

Dans une autre comédie, un saint enchaîne le diable avec un rosaire, et le diable pousse des hurlements horribles, ce qui édifie beaucoup les spectateurs. Une autre *famosa jornada*, représente Saint Antoine récitant son *confiteor*; au *mea culpa*, les spectateurs se mettent à genoux et se donnent de grands coups sur la poitrine. A la mort du grand Gustave-Adolphe, roi de Suède, tué à la bataille de Lutzen, les Espagnols témoignèrent une joie excessive et indécente; un auteur fit à ce sujet une tragédie qui dura pendant douze représentations: le roi y assistait tous les jours.

On m'a conté qu'à Madrid, un des grands plaisirs du roi et de sa cour, au spectacle, est de jeter à la tête des dames des œufs vidés et remplis d'eau de senteur. La salle est embaumée par cette aspersion.

Comme je dois, en ma qualité de voyageur, présenter les Espagnols dans toutes leurs situations, je parlerai d'un autre spectacle auquel j'assistai le lendemain de la comédie. C'était un vendredi: don Inigo étant occupé, j'allai seul au collège du *Corpus Christi*, pour voir un crucifix que l'on ne découvre que ce jour de la semaine; j'y trouvai un grand concours d'hommes et de femmes. On chanta le *miserere*; pendant ce chant mélancolique, on tira d'abord un des rideaux qui cachaient le crucifix: il en a trois; quelque temps après on replia le second; et à la fin du *miserere*, quand l'attendrissement était au comble, le dernier voile tomba, et le christ fut visible. Aussitôt les pleurs, les gémissements, les sanglots retentirent dans toute l'église. Je suis persuadé que la plupart de ces dévots si tendres, si affligés, étaient la veille à la comédie, et riaient aux éclats aux scènes libidineuses de la *tonadilla*, de la *saynète* et du *volero*, ce qui prouve que cette nation, bien plus que les autres peuples, a besoin d'émotion, n'importe la cause.

Je revenais chez don Inigo fort occupé de cette scène religieuse, lorsqu'au commencement de la rue où je demeurais, j'entendis tousser sur un balcon; je levai la tête, et vis, à travers une jalousie, une femme qui avançait la main, et jouait de l'éventail. Ce jeu est un langage intelligible pour les gens du pays, mais encore très-obscur pour moi; cependant je crus devoir un signe de politesse à cette belle inconnue; je saluai de la main, suivant l'usage du pays, et je n'y pensai plus.

L'après-dînée, mon hôte et moi, nous allâmes, dans un *volante*,[111] au bourg de Burjazot, situé sur une jolie colline, embellie par de charmantes maisons, dont chacune a son jardin. Le bourg est entouré d'un petit bois, au milieu duquel jadis était un chêne dont les rameaux couvraient l'espace de terre qu'une paire de bœufs peut labourer dans un jour. Ses branches avaient quarante-huit pouces de diamètre, chacune formait un gros arbre; on les avait étayées par des piliers, qui donnaient à son enceinte l'air d'un cloître agreste; cependant le tronc principal n'avait que quinze pieds de tour: il a péri en 1670. Burjazot est très-fréquenté à cause de la salubrité et de la fraîcheur de l'air. Nous entrâmes d'abord dans l'église où est le tombeau de Françoise l'Advenant, cette fameuse comédienne, la maîtresse de l'hermite du mont Serrat. Pendant que don Inigo disait un *de profundis* pour cette belle et infortunée courtisane, je lisais son épitaphe en latin, composée par un prêtre; j'ai rimé la fin de cette inscription:

Le riche en son palais, le pauvre en sa chaumière,

La pleurent tous les jours;

Jadis l'idole des amours,

Elle n'est aujourd'hui que cendre et que poussière.

Le souvenir de la tendre Cécile me poursuivit au pied de la tombe de cette moderne Aspasie:

L'une et l'autre ont vécu ce que vivent les roses,

L'espace d'un matin.

Mais la tendresse maternelle a tué Cécile, et l'autre n'était ni épouse, ni mère, ni peut-être amante. L'impression de la beauté et des talents de cette comédienne, me dit don Inigo, était si prodigieuse, que tous ceux qui la voyaient et l'entendaient s'enivraient de plaisir et d'amour. Elle est morte en sainte, après avoir vécu en Épicurienne.

Pour honorer ses mânes, je fis deux fois le tour du tombeau, comme jadis Alexandre avait tourné deux fois autour de celui d'Achille.[112] Enfin, après avoir jeté un dernier regard sur ce dernier asile où dormaient tant de grâces, de beauté et de talents, je dis à ses précieux restes:

Ossa quieta precor tutâ requiescite in urnâ.[113]

Au sortir de l'église, nous montâmes sur une belle terrasse de trois cent vingt-quatre pieds carrés; elle contient trente-sept puits bâtis, en forme d'entonnoir, par les Maures, pour y tenir leurs grains en réserve. Ils conduisent à un grand magasin voûté de cent quatre-vingts à cent quatre-vingt-dix pieds carrés; il est revêtu de faïence: c'est encore le magasin le plus considérable de Valence.

De cette terrasse nous allâmes dans une petite maison, asile modeste d'un villageois. Une femme, encore jeune, accueillit don Inigo comme un père, lui baisa la main, et lui dit que son époux était à la ville. — J'aurais voulu le voir; je vais cependant vous donner votre pension, qui écheoit dans six jours. Il m'apportera le reçu à son premier voyage à Valence. Il lui compta cinquante piastres, et cette jeune femme les reçut les yeux remplis de larmes, en le nommant son bienfaiteur, son père. Adieu, ma chère Antonia, lui dit don Inigo; vous ne m'avez pas d'obligation: j'acquitte une dette sacrée. En sortant il me dit: Voulez-vous que nous marchions un peu? la voiture nous suivra. Il ajouta: Vous m'avez paru étonné de ce qui vient de se passer; vous le serez bien davantage si je révèle le secret de cette dette. J'expie une grande faute de ma jeunesse. Il en coûte à l'amour-propre de faire de pareils aveux; mais ils sont moins pénibles lorsque le repentir a suivi la faute. J'avais vingt ans; deux passions entraînaient mon ame, l'amour du plaisir et du jeu; mon père, homme très-charitable, me confiait souvent les aumônes qu'il distribuait aux indigents; plusieurs fois j'avais été chargé de porter de l'argent au père d'Antonia, bon et honnête villageois attaché depuis long-temps à ma famille, et qui même lui avait rendu des services. Mon père, apprenant qu'il était dangereusement malade, me remit cinquante piastres pour les lui porter. Ce même jour j'allai à une partie de jeu: le vent de la fortune me fut contraire, et mes fonds furent épuisés. Séduit par l'espérance, je hasardai le dépôt confié, l'argent du pauvre: il se fondit dans ce creuset infernal. Trop coupable, trop honteux pour m'en ouvrir à mon père, j'attendis le retour de la fortune, ou l'échéance de ma pension, pour m'acquitter envers le malheureux que la mort menaçait, mais que je croyais plus éloignée. J'en frémis encore après trente ans écoulés. Ce retard lui coûta la vie: privé d'argent, au lieu de faire venir un médecin de Valence, comme il le désirait, il eut recours au chirurgien de son village, le plus inepte et le plus opiniâtre des hommes, qui le saigna, resaigna jusqu'à ce qu'il le vit bien mort. Lorsque la nouvelle de cet événement parvint à mon père, et qu'il apprit que l'argent n'avait pas été remis, il me fit appeler, et me demanda si j'avais porté les cinquante piastres à Burjazot. Je rougis, et restai interdit. Répondez, je vous prie; d'où vient cet embarras? — De ma faute et de mes remords. J'ai joué cet argent, et, croyant que rien ne pressait, j'attendais d'en avoir pour remplir vos charitables intentions. — Descendez dans votre conscience; cet homme est mort faute de secours. — Ah, grands dieux! que je suis coupable! Je veux réparer mon crime — Comment? — D'abord en renonçant au jeu, et en portant demain cet argent à la fille de l'infortuné que j'ai laissé périr. Mon père me répondit froidement: *Veremos* (nous verrons). J'allai sur-le-champ vendre ma montre, que j'avais fait venir de Londres, et que j'aimais beaucoup, et j'en portai le produit à la jeune Antonia. Mon père le sut et ne m'en dit rien; ma mère voulut la remplacer par une autre: mon père s'y opposa, et ce ne fut que six mois après qu'il m'en présenta une du même prix, en me disant: J'ai différé pour vous laisser le mérite d'une bonne action: se priver pour donner, voilà le vrai bienfait. Les aumônes qui ne coûtent aucun sacrifice, comme celles des grands seigneurs, ne sont que des miettes de leur table qu'ils laissent tomber. L'aumône est ordonnée par toutes les religions. Le Coran dit que l'Être-Suprême attachera, à celui qui la refuse, un effroyable serpent, qui piquera sans cesse la main avare qui repoussa les pauvres. Il ajouta: Les passions vous entraînent, vous maîtrisent; j'en serais vivement affecté, si je n'avais découvert dans le fond de votre ame de la sensibilité et des sentiments de probité et d'honneur: ces deux barrières, j'ose l'espérer, opposeront toujours une forte résistance à l'entrée du vice et de l'improbité. Cette leçon ne s'est jamais effacée de mon souvenir. A la mort de ce père tendre et vertueux, j'assurai à Antonia, par un contrat, la rente annuelle de cinquante piastres. Un négociant de Cadix associa, dit-on, la Vierge à son commerce:[114] moi, j'y ai associé les pauvres pour un sixième; et lorsque je manque à quelque observance de ma religion, je me punis par une amende à leur bénéfice. — Mon cher hôte, lui dis-je, si j'étais pape, je vous ferais canoniser après votre mort, quand même vous auriez déjeûné la veille de Noël, ou mangé une aile de poulet dans le carême.

Je me promenais souvent tout seul dans la ville avec un plaisir infini. Je voyais une foule d'hommes, de femmes, riants et animés, marchant d'un pas léger et rapide; j'entendais le chant des ouvriers, les voix des marchands d'orgeat, d'eau et de fruits; le son des orgues portatives, des tambourins et des triangles qui se mêlaient à ces voix. Le lieu de la scène ajoutait encore un charme nouveau à cet agréable mouvement des acteurs: les toits des maisons où voltigent des pavillons de soie de diverses couleurs, les orangers, les citronniers, les lauriers-rose, les plus belles fleurs qui étalent leur pompe sur les terrasses, éclairées d'un soleil pur et brillant, tout cet ensemble formait pour moi un spectacle nouveau et délicieux. Trop heureuse Valence! ô climat fortuné! où le plaisir, la gaîté et l'amour semblent animer tous les individus; où la nature, déployant ses richesses et sa fécondité, offre à nos yeux un vaste et magnifique jardin! Un jour, au retour de cette promenade charmante, en passant devant la maison de la belle inconnue qui m'avait salué de l'éventail, je jetai les yeux sur son balcon; elle y était derrière sa jalousie, et le jeu de l'éventail recommença; ensuite elle étendit ses deux bras, et ses doigts me parlèrent un langage très-obscur pour moi, mais très-usité et très-intelligible pour un Espagnol. J'ai vu depuis des enfants de sept à huit ans, des deux sexes, se parler d'amour avec cet idiome symbolique. Me trouvant dans un accès de gaîté et de contentement, je répondis à ma belle inconnue, qui cachait sa tête et ne montrait que ses bras, par des signes et de grandes salutations; alors elle me jeta un rosaire. Ah! dis-je, cette beauté s'intéresse à mon salut. Je le pris, et, curieux de la connaître, j'entrai chez un quincaillier logé vis-à-vis de chez elle, et, après avoir acheté quelque bagatelle, je lui demandai quelles étaient les personnes qui occupaient la grande maison en face de chez lui. — C'est un vieux gentilhomme qui a deux filles, l'une très-jolie, et l'autre passablement laide, mais fort éveillée, et voulant à toute force se donner un mari. Je pensai alors que c'était la jolie qui me fesait ces agaceries, ne pouvant supposer qu'une fille laide osât méditer la conquête d'un officier français, encore moins espérer d'en faire un époux. Je rentrai chez don Inigo, qui me dit: Je vous attends, venez m'aider à consoler ma fille; elle a reçu une lettre de ce misérable, qui lui dit qu'il va s'embarquer pour l'Amérique, et qu'il l'exhorte à l'oublier entièrement. Cette lettre a rouvert sa blessure; elle veut mourir, se retirer dans un couvent: elle vous voit avec plaisir, elle a de la confiance en vous; allez calmer sa douleur; écartez le projet du couvent, qui ferait son malheur et le mien. Je montai aussitôt chez Rosalie; je la trouvai, cette fatale lettre et son mouchoir à la main pour essuyer ses pleurs. Dès qu'elle m'aperçut elle s'écria: C'en est fait, l'ingrat m'abandonne pour toujours; et j'ai pu l'aimer, lui sacrifier tout! suis-je assez malheureuse! Sans lui répondre, d'un air triste et pénétré, je m'assis auprès d'elle. Après un court silence, elle ajouta en sanglotant: Il part, il s'embarque pour les Indes! — Eh bien, qu'il parte; il vous reste un bon père, le meilleur des pères; il vous reste votre jeunesse, une figure charmante, une fortune aisée: avec tant d'avantages vous pouvez encore cueillir des fleurs dans le champ de la vie. — Mais je suis trahie, je n'ai plus d'époux, je ne puis plus aimer! Je compris à ces mots qu'une jeune Espagnole ne voit de jouissances, de bonheur que dans l'amour: elle ne respire que pour aimer. Une Française n'oublie, en aimant, ni les douceurs de la fortune, ni le soin de sa parure, ni les triomphes de la vanité. N'avez-vous pas, lui dis-je, un père digne de tout votre amour? Vous soignerez sa vieillesse, l'embellirez de vos grâces, de vos caresses, de votre tendresse. — Hélas! je l'espère: sa félicité sera ma consolation. Je lui parlai alors de son projet de couvent, qui affligeait son père. Un couvent, lui dis-je, à moins d'un délire de dévotion, est le séjour de l'ennui et des regrets et quelquefois du désespoir. Je la désabusai, et calmai même ses angoisses, en lui présentant le tableau d'un avenir plus doux, plus fortuné.

Don Inigo me fit appeler pour me mener chez une de ses parentes, qui le fesait prier de venir assister à son accouchement. Je suis bien aise, me dit-il, que vous voyiez cette cérémonie. En entrant dans la chambre de dona Pepa, travaillée des douleurs de l'enfantement, je dis avec don Inigo: *Ave Maria purissima*; tous les assistants répondirent: *sine peccato concebida*. Un moine franciscain entra immédiatement après nous, portant sous sa tunique un petit saint de bois qu'il posa sur une table, et entoura de quatre cierges allumés. Il prit ensuite une ample tasse de chocolat, dans laquelle il trempa force biscuits et de l'*azucar esponjado*; son estomac fortifié par cette collation, il se prosterna aux pieds de la statue, un rosaire à la main, pour lui demander la prompte délivrance de la dame; il s'interrompait souvent, en défilant ses grains, pour lui annoncer le terme prochain de ses douleurs; mais l'accouchement était lent et laborieux. Le moine suait, s'agitait et jetait sur son saint des regards d'indignation; enfin l'enfant vit la lumière, et assura le triomphe du moine et de son saint. Le révérend me dit en confidence que, sans ses prières et l'intervention du saint, la *senora* Pepa aurait souffert beaucoup plus long-temps. Je lui répondis que je n'avais connu jusqu'à ce jour que sainte Lucine qui présidât aux accouchements. *Ferte opes Lucina.* Nous ne connaissons pas, me répondit-il, cette sainte en Espagne: elle est donc française? — Non, elle est née en Grèce, où elle a eu des autels. C'est une sainte si puissante, qu'on lui a vu empêcher un accouchement pendant vingt-quatre heures.[115] Quand la *senora* fut délivrée, on éteignit les cierges, et l'on fit entrer les enfants de la maison, l'un âgé de cinq ans, l'autre de six, tous deux habillés en franciscains. Je demandai à don Inigo si c'étaient des enfants de la balle. — Non, à leur naissance les parents ont fait vœu de leur faire porter l'habit religieux pendant un certain nombre d'années. Depuis, j'ai vu souvent de ces petits moinillons polissonnant dans les rues. Ceux-ci s'emparèrent de la statue, en jouèrent, la promenèrent, tandis que le patron du saint savourait, avalait des confitures, et s'abreuvait d'un excellent vin. *Passato il pericolo, gabbato il santo.*

Lorsque nous eûmes quittés l'accouchée, don Inigo me demanda ce que je pensais du moine et de son saint. Je les compare, lui dis-je, à une cérémonie toute aussi singulière qui se passe à Rome. Quand un personnage distingué ou opulent est attaqué d'une maladie dangereuse, il envoie sa voiture aux pères récolets, et les fait prier d'apporter chez lui *il bambino* (c'est un petit Jésus de bois). Deux récolets aussitôt montent dans le carrosse, mettent entre leurs jambes le *bambino* paré comme un nouveau marié. Arrivés dans la chambre du malade, ils le placent à côté de son lit, et restent dans sa maison, à ses frais, jusqu'au dénouement de lu maladie. Ce *bambino* est l'unique patrimoine de ces pères; mais c'est pour eux une source intarissable de richesses, car il est toujours en course: on se l'arrache, on se bat à la porte du couvent pour le posséder.

Don Inigo me proposa le jour suivant une promenade à Beninamet, charmant village à demi-lieue de Valence. Nous verrons, me dit-il, la maison de campagne que j'y veux acheter; elle est auprès de la délicieuse retraite du chanoine don Pedro Mayoral, que nous visiterons en passant. Ma fille viendra avec nous: puisque la maison que je désire avoir doit être son asile, il faut qu'elle lui convienne. J'acceptai cette partie avec plaisir. A peine avions-nous fait quelques pas dans notre voiture, que nous fûmes arrêtés par la rencontre du viatique. Il était précédé de quantité d'hommes qui portaient des cierges, de six hautbois maures nommés *douzainas*, et d'un petit tambour qui s'accorde avec ces instruments. Nous mîmes pied à terre, et don Inigo céda la voiture au porte-dieu et à ses deux acolytes, et nous allâmes à l'église attendre son retour. Mon hôte, qui soupçonnait mon étonnement, me dit que c'était l'usage en Espagne; que les plus grands seigneurs s'y soumettaient; les cochers même, ajouta-t-il, refuseraient de marcher: ils croient qu'il y a des indulgences attachées à cette cérémonie. L'Espagne, lui dis-je en souriant, est le pays des indulgences; on ne peut pas s'y damner: mais ce n'est pas le prêt de votre carrosse qui me surprend; je sais que tout homme raisonnable doit respecter les usages d'un pays, surtout ceux qui tiennent à la religion; mais ma plus grande surprise est d'avoir vu entrer le cortège du viatique dans la maison du malade: tout ce monde va-t-il aussi dans la chambre? — Oui, sans doute. — Je me flatte qu'ils n'y jouent pas du hautbois et du tambour? — Non, ils cessent en entrant; le prêtre asperge le moribond d'eau bénite, et implore pour lui la miséricorde divine. — Il devrait aussi l'implorer pour qu'elle lui accordât la force pour résister à ce fracas.

Au retour de la voiture nous partîmes pour Beninamet. Quelle charmante situation! Nous traversions des jardins, des vergers peuplés de jolies maisons; nous rencontrions de jeunes et charmantes paysannes élégamment chaussées. Leurs souliers, que l'on nomme *alpargates*, sont une légère semelle de chanvre ou d'*esparto* goudronné; le quartier de la chaussure n'a qu'un pouce de hauteur; mais des rubans bleus, ou couleur de rose, se croisent, et les attachent au mollet. Les jours de fête on les orne de franges et de nœuds: une jolie jambe et une jolie chaussure sont des piéges pour la volupté. La maison du chanoine don Pedro Mayoral est bâtie sur une éminence, au milieu des bosquets d'orangers et de citronniers qui embaumaient l'air de leur parfum. Nous trouvâmes le chanoine en bonnet blanc, une serpette à la main; il nous accueillit avec aisance et bonté; sa physionomie calme et heureuse me prévint en sa faveur. Voilà, dis-je, un homme qui est bien avec sa conscience. Je croyais voir le vieillard du Galèse, peint par Virgile,[116] ou celui de la Henriade.

Un vieillard vénérable avait, loin de la cour,

Cherché la douce paix dans cet obscur séjour.

Le fortuné chanoine nous fit asseoir sous un berceau d'orangers, dont les fruits colorés, mêlés aux fleurs, formaient sur notre tête un dais odoriférant. Je lui dis: Voilà les pommes du jardin des Hespérides. Oui, répondit-il; mais je ne suis point le dragon qui en défend les approches: je vous prie, au contraire, d'en accepter. Il cueillit alors les plus belles oranges, qu'il nous offrit, en commençant par la jeune Rosalie. Vous avez, lui dis-je, de grandes obligations à Hercule, qui, le premier, a transplanté ce beau fruit dans l'Ibérie, et qui sépara les montagnes qui liaient l'Espagne et l'Afrique. — J'ignore s'il a séparé les montagnes, mais je sais positivement que ce sont les Portugais qui, les premiers, nous ont apporté de la Chine ces pommes d'or si renommées; comme le citronnier nous vient de la Médie, et le grenadier de l'Afrique; d'autres disent de Chipre. Je lui parlai alors du bonheur dont il devait jouir dans son petit élysée. — Oui, grâce à la Providence, mes jours coulent en paix; j'avance dans la vie sans regret du passé, sans crainte de l'avenir. Il y a quarante ans que j'ai fait l'acquisition de ce petit jardin; je l'ai arrangé, embelli; je puis dire, comme Salomon: *Feci hortos et pomaria, et consevi illos omnis generis arborum.*[117] Cette douce occupation fait le charme de ma vie; on jouit chaque jour de son ouvrage; on chérit l'arbre que l'on a planté, comme l'enfant de ses peines, et l'objet de ses espérances. Je me réfugie dans cet hospice dès que j'ai rempli mes fonctions à l'église; mais il faudra bientôt le quitter. J'ai fait graver, sur cette petite colonne qui est à votre gauche, des vers d'Horace, qu'un Anglais m'a cités:

Nunc linquenda Tellus et domus,

Neque harum quas colis arborum te,

Præter invisas cupressos ulla

Brevem dominum sequetur.[118]

Vous voyez que j'ai supprimé le *placens uxor* (la femme chérie). J'ai épousé l'église, qui me donne de quoi vivre dans l'aisance. La pensée de la brièveté de la vie ne trouble pas mon bonheur; je n'imite pas notre roi Philippe V, qui, dans son superbe jardin de saint Ildephonse était agité des terreurs de la mort. J'ai mis ma confiance dans l'Être-Suprême; j'ai toujours tâché de concilier une vie sage et chrétienne avec les jouissances de la nature; je crois qu'il faut accorder la morale, la religion avec la fragilité de la nature humaine. A l'aspect des biens répandus sur la terre avec tant de profusion, je reconnais un Dieu bienfesant et prodigue, et non un Dieu des vengeances. Les saints anachorètes des déserts me paraissent inimitables; je n'aime point à voir des hommes atrabilaires se tourmenter, se déchirer, s'abreuver de larmes pour plaire à un Dieu bon et clément: c'est le calomnier, c'est en faire un tyran, que de supposer qu'il jouit de nos tourments, de nos douleurs. Hélas! offrons-lui nos peines quand elles arrivent, et supportons-les avec résignation et patience; il nous promet un avenir heureux. Ah! sans cette espérance, la vie ne serait qu'une longue mort. Je parlai ensuite à don Pedro de la beauté de ses orangers, et de leur extrême différence avec ceux qui viennent en France dans nos serres chaudes, qui sont toujours petits et malingres. — C'est ici leur patrie; lorsqu'ils sont bien soignés ils s'élèvent jusqu'à dix pieds de hauteur, et s'arrondissent en une circonférence de vingt pieds. Mais leur existence est rapide; tout passe vite sur la terre: vers la douzième ou quatorzième année l'arbre commence à languir, et il meurt à l'âge de vingt à vingt-cinq ans, dernier terme de sa vieillesse.[119] Chaque arbre me donne un bénéfice annuel de vingt sous.

Après quelques autres propos, l'heureux don Pedro me conseilla d'aller voir la chartreuse de *Porta-Cœli*, à quatre lieues de Valence. Elle est, me dit-il, sur le penchant d'une montagne; on y jouit d'une vue superbe: des rosiers tapissent les fenêtres des cellules; tout respire, dans cette retraite, le calme et le recueillement; ajoutez à cela que le terroir produit un excellent vin; enfin cette chartreuse est nommée, avec raison, Porta-Cœli (le vestibule du ciel). Quel ciel! lui dis-je; quelle existence que celle d'un homme qui paralyse sa vie, et la passe à contempler la mort! Laissons ces idées fanatiques aux dervis, aux faquirs des Indes, ou aux caloyers du mont Athos.[120]

Don Inigo nous conta que dans sa jeunesse il allait souvent à cette chartreuse pour voir un de ses parents, et nous avoua qu'il n'en revenait jamais sans songer à la mort. L'air sombre des religieux, la maigreur, la pâleur de leurs visages, le silence, frère de la mort, qui règne dans les dortoirs, tout m'en offrait l'image; cependant la beauté du site, la majesté des arbres, éclaircissaient un peu les nuages qui pesaient sur mon ame: le cimetière orné de hauts platanes, de palmiers, de rosiers, me paraissait le séjour des ames bienheureuses. Mon parent s'y promenait souvent. J'y vais, me disait-il, interroger mes prédécesseurs: je leur demande s'ils regrettent la vie, s'ils sont fâchés de l'avoir passée dans la solitude, dans la pénitence, et au pied de la croix. J'entends alors une voix qui me répond: Non; pour le trajet pénible d'un moment, nous avons une éternité de bonheur et de gloire. Ce parent, ajouta don Inigo, a mérité la couronne des saints, et si notre famille voulait sacrifier cent mille écus, nous le ferions inscrire dans la légende; mais nous aurions un patron dans le ciel et des créanciers sur la terre.

Je marquai alors mon étonnement de voir à Valence ou dans ses environs, et dans toute l'Espagne, une telle quantité de couvents et de chartreuses avec une population si peu nombreuse. La paresse plus que la dévotion, me dit don Pedro, engendre cette immense famille de moines. Sous Philippe II, on comptait, en Espagne, cinquante-huit archevêchés, six cents quatre-vingts évêchés, onze mille quatre cents abbayes d'hommes et de femmes, trente-un mille deux cents prêtres, deux cent mille clercs, et quatre cent mille religieux ou religieuses. — Vous avez là de quoi peupler toute l'Amérique méridionale, et dépeupler l'Espagne. — Je compare, malgré ma soutane et mon aumusse, ce vaste corps religieux à un immense monstre marin, dont j'ai vu les côtes à Saint-Laurent del Réal: elles ont seize pieds de longueur. Voici l'histoire de ce nouveau Leviathan, aussi terrible, aussi vorace que celui dont Job nous a fait la description. Un vaisseau l'aperçut auprès de Gibraltar; il déployait au-dessus des eaux de grandes ailes semblables à des voiles; on lui lâcha une bordée; il traversa le détroit en poussant des hurlements affreux, et il vint expirer sur le rivage de Valence. Il avait cent cinquante palmes de long sur cent de contour.[121] Un homme à cheval pouvait entrer dans sa gueule, et sept hommes pouvaient se placer dans l'intérieur de sa tête. Au reste, je ne prétends blâmer que l'excès dans les fondations monastiques. Les religieux et les prélats pratiquent des vertus et des actes de charité que ne produiraient pas l'humanité et la plus haute philosophie. Nous avons des établissements superbes pour les insensés, les orphelins et les infirmes. Pour moi, je dois bénir la Providence, je vis de sa bonté. Mon canonicat me vaut trois mille écus annuels; notre archevêque possède trente à quarante mille ducats de revenu; cependant je ne troquerais pas ma médiocrité contre son opulence. Mais je vais vous conduire à ma modeste *librairie*. Il nous mena dans une petite rotonde placée au milieu d'un bosquet de citronniers et d'orangers. Rien de si gai que ce petit bâtiment, rien de si simple que son ameublement. Il consistait dans un petit sopha de bois de noyer, avec son matelas et deux coussins couverts d'une étoffe de soie grise, et de plus une chaise et une table du même bois; entre les tablettes des livres était une assez bonne copie d'un tableau de Raphaël, qui est à l'Escurial; il représente la Vierge, l'enfant Jésus, Saint Jérôme en habit de cardinal, qui leur lit la Bible, et l'ange Gabriel qui conduit aux pieds de Marie et de son fils, le jeune Tobie qui vient leur faire hommage de son poisson. Voilà, lui dis-je, un poème bizarre, et une réunion miraculeuse. — Elle blesse la chronologie, mais elle n'en est que plus agréable. La moitié des rayons de la bibliothèque étaient vacants. J'ai très-peu de livres, me dit don Mayoral, mais je les lis: je n'aime pas les sociétés nombreuses, l'esprit y est trop distrait et ne forme aucune idée suivie. D'ailleurs j'aime mieux réfléchir en me promenant, et jouir de mes propres idées, que de surcharger ma mémoire de celles des autres. Je ne cours pas après la science, mais après la sagesse et le bonheur. Je cherche surtout dans la lecture une douce occupation. Voilà à la tête de mes livres Don Quichotte qui me préserve de l'hypocondrie; ici *una grammatica castellana*, où j'apprends à parler ma langue avec pureté: cet ouvrage est, *il theatro critico* du père *Feijoo*, un de nos auteurs le plus philosophe, quoique moine.

Voilà un *tratado de la elocution del perfecto lenguage*. Il contient une courte histoire de la langue espagnole.

Ce livre-ci, intitulé: Collection de *Sermones espagnoles*, n'offre pas toujours des morceaux d'éloquence, et peut quelquefois donner à rire aux hérétiques.

Cet autre, *defensa de la religion christiana*, écrit pour convertir les juifs, n'a pas opéré beaucoup de conversions.

En voici un qui sans doute a été bien plus utile: *Tratado del arbol de la quina, o casanilla* (quinquina).

Après vient *vida de los reyes de Espanna* (vie des rois d'Espagne). C'est un cours de morale pour les rois: des vices, des faiblesses, de l'ambition, et quelques vertus, tels sont les éléments de leur vie.

Suit *vida del emperador Leopold III y de Gustavo III, rey de Suecia*.

Voici des livres nationaux: *El honor Espagnol, e diccionario historico de varones illustres en santidad, dignitades, armas, ciencias y artes, hijos de Madrid.*[122] L'honneur espagnol égale pour le moins celui des autres nations, et l'Espagne a produit une foule de grands hommes qui rendront ma patrie à jamais mémorable.

Ce livre-ci est traduit de Loke, *educacion de los ninnos*.

Cet autre apprend l'art d'être heureux, si cet art peut s'apprendre: *arte de ser feliz*, en quatre épîtres morales écrites en prose, et deux autres épîtres sur la richesse, la gloire et l'ami des hommes.

Ces derniers volumes ont pour titre *Biblioteca entretenida de damas* (des dames). C'est la collection des meilleurs contes et des meilleures anecdotes: c'est un ouvrage que je lis toutes les fois que j'ai de la bile, ou que ma digestion se fait laborieusement. Cette revue faite, le chanoine me dit: le colombier est au-dessus de la bibliothèque. J'ai là des pigeons de Raza qui, par un instinct particulier, sont fort attachés à leur domicile; j'en ai vu souvent revenir non seulement de dix à douze lieues, mais après deux ou trois ans d'absence. Nous avons établi dans ce pays, comme dans l'orient, des postes de ces pigeons de Raza. On enveloppe la patte droite du pigeon dressé à cet usage, avec une lettre en forme de bande, et on lui donne la volée; il revient à son gîte avec une rapidité étonnante: il fait sept à huit lieues en moins de cinquante minutes.[123] Vous ne devez pas être surpris de l'instinct, ni de la vélocité de ces animaux. Un faucon, envoyé de Ténériffe au duc de Lerme à Madrid, y revint en seize heures; il avait fait deux cent cinquante lieues dans ce court espace de temps. Il fut pris en arrivant à demi-mort: on présume qu'il s'était reposé sur quelque vaisseau.

Nous prîmes congé de ce chanoine philosophe qui me dit, en me quittant: Vous êtes jeune, vous allez courir le monde, je vous souhaite un bon voyage; quant à moi, comme disait Job, *in nidulo meo moriar.*[124] Je lui répliquai que j'espérais un jour vivre et mourir dans mon nid, comme lui; mais que j'aurais de plus une femme. — Je souhaite qu'elle ait la beauté de Sara, la douceur de Rachel, et la fécondité de la mère des Machabées; et si vous pouvez vous en passer, ce sera encore mieux. Je le remerciai de ses souhaits, et nous nous séparâmes très-contents les uns des autres.

Nous allâmes voir la maison que don Inigo voulait acheter. Elle réunissait dans une enceinte de dix arpents tout ce que l'homme de goût peut désirer; un canal d'irrigation le traversait, il n'y manquait qu'un joli bâtiment. Je n'en suis pas fâché, me dit don Inigo: bâtir est une occupation et un amusement; beaucoup de gens voudraient recommencer quand l'édifice est achevé; de plus, je ferai bâtir selon mon goût et mes idées, et celles de Rosalie. Après votre mariage avec dona Séraphina, j'espère que vous l'amenerez ici, et que vous passerez quelque temps avec nous; n'est-ce pas ton avis, Rosalie? A ces mots, elle soupira; et après un court silence, elle me questionna sur la taille, les yeux et la beauté de Séraphine. Sans répondre à ces détails, je lui dis que celle des deux qu'on voyait la première de Rosalie ou de Séraphine était celle qui la première se fesait aimer. — Elle sera heureuse, et moi je serai condamnée à la solitude et à l'indifférence. Ah! qu'on est malheureux, lorsqu'on l'est par sa faute!

Don Inigo, en arrivant chez lui, apprit qu'on allait administrer un de ses amis mourant; il y courut et je le suivis. A peine fûmes-nous arrivés, que le viatique entra. La chambre, en un clin-d'œil, fut encombrée d'assistants: leurs soupirs, leurs sanglots, leurs prières, le son des flûtes, les cris, les exhortations du prêtre, ne manquèrent pas de hâter l'agonie d'un moribond déjà tourmenté des affres de la mort. Quand la cérémonie fut achevée, on le revêtit d'un habit religieux, après quoi on le laissa mourir tranquillement.

Le lendemain, à l'heure de son dîné, don Inigo envoya deux plats de sa table à la famille du défunt. Tous les autres parents ou amis font de même, et cela pendant trois jours consécutifs: l'on suppose que l'affliction des parents leur fait oublier le soin de leur nourriture: cet usage fait honneur à l'humanité de la nation espagnole.

Pendant que don Inigo fit sa visite à la famille du mort, j'allai voir l'hôpital général, situé dans un des plus beaux quartiers de la ville. Je fus ravi de la beauté de cet édifice, qui a trois corps-de-logis, un pour les malades, l'autre pour les enfants trouvés, et le troisième pour les fous. Les malades sont très-bien traités: chacun d'eux a son alcove; chaque maladie une salle particulière.

Un médecin visite les malades au moins trois fois par jour. On me dit que l'archevêque y envoyait tous les jours une quantité de glace pour rafraîchir la limonade.

En revenant au logis je passai devant la maison de la belle inconnue qui m'avait gratifié d'un chapelet. Elle était encore à son balcon, comme un astronome au haut de son observatoire. A peine avais-je jeté les yeux sur elle, qu'un bouquet tomba à mes pieds. Je le ramassai, et remerciai, par des gestes, la beauté qui me l'envoyait; mais elle disparut aussitôt. La tige du bouquet était entourée d'un ruban vert; je soupçonnai quelque mystère, je le déroulai, et j'y trouvai un petit billet, où je lus ces mots: Veuillez me donner, monsieur le Français, le petit anneau que vous portez au doigt: je serai charmée d'avoir quelque chose qui vous ait appartenu. Si vous consentez à ce léger sacrifice, allez demain, à dix heures du matin, à l'église des pères franciscains; vous trouverez, auprès du bénitier, une femme qui toussera quand vous approcherez d'elle, et vous dira: *Ave Maria purissima*; vous pouvez lui remettre la bague. *Viva usted muchos anos.* L'aventure me parut plaisante, et je fus curieux d'en voir le dénouement. Je me rendis chez les franciscains à l'heure indiquée; je m'approchai du bénitier; j'aperçus une petite femme voûtée, sous l'enveloppe d'une grande mante à longues manches qui, par derrière, traînait jusqu'à terre.[125] Elle était à genoux, son rosaire à la main, dont les grains étaient gros comme des noisettes. Quand je fus près du bénitier elle toussa, et puis me dit d'une voix basse: *Ave Maria purissima*. Alors je lui remis la bague et un petit billet où je disais à cette beauté sensible, que j'allais quitter Valence, et que j'emporterais son chapelet comme un reliquaire, ou un talisman, qui me porterait bonheur. La duègne me remercia d'un signe de tête et d'un *vaya usted con dios*. En me quittant elle trempa ses doigts dans le bénitier, et fit quatre ou cinq signes de croix. Je me gardai de lui offrir de l'eau bénite: je savais qu'un nonce avait défendu aux hommes, sous peine d'excommunication, d'en présenter aux femmes dans l'église, parce qu'ils saisissaient ce moment pour leur glisser un billet dans la main. L'amour profite de tout.

Cependant je songeais à quitter Valence; le temps que j'avais accordé à don Inigo s'était écoulé: c'est alors que je regrettai de nouveau mon cher Podagre, si traîtreusement enlevé par ce mari qui m'avait laissé sa femme en échange. Je louai un *calezino* (voiture légère) à neuf francs par jour. Nous devions faire douze *leguas* dans la journée, et partir le surlendemain. J'annonçai mon départ à don Inigo et à son aimable fille. Ils me témoignèrent les plus vifs regrets, et le plus tendre intérêt. Don Inigo m'offrit ses services, sa bourse, et je vis des larmes rouler dans les beaux yeux de Rosalie. Elle me jura une reconnaissance éternelle, me promit de prier tous les jours la *Madonne* pour moi, et me pressa d'accepter une croix d'or qu'elle portait depuis sa naissance. Ainsi je partais chargé de croix, de reliques, de chapelets, tous dons de la beauté. Que la dévotion dans une femme espagnole est aimable et touchante! elle aime sa patronne, la Vierge, Dieu et son amant avec la même componction et la même tendresse. Chez ce sexe, en Espagne, la dévotion et la volupté sont dès l'adolescence ses occupations les plus importantes. Sa conscience lutte quelquefois contre son tempérament; mais enfin la nature l'emporte. Chaque peuple, chaque individu se fait, comme La Mothe le Vayer, une petite religion à son usage. Don Inigo me fit présent de douze livres de chocolat fabriqué avec du cacao de *Soconusco*;[126] mais un cadeau bien plus précieux, qu'il me fit présenter par sa fille, fut un exemplaire de don Quichotte, sorti des presses d'Ibarra, édition admirable par la beauté du papier, la netteté des caractères, la qualité de l'encre, composée par Ibarra même, et dont lui seul a le secret.[127] Je fus extrêmement touché d'un don si magnifique, et surtout de la grâce qu'y mirent don Inigo et sa fille.

Nous ne nous quittâmes pas de toute la journée. Nous allâmes nous promener au port de *Grao*, qui est à demi-lieue de la ville. C'est une promenade ornée de jolies maisons de campagne; la mer y forme un lac de trois lieues d'étendue et d'une lieue de largeur: on le nomme l'*Albufera*; les Romains l'appelaient *Amœnum-Stagnum*.[128]

La veille de mon départ don Inigo me dit à déjeûné: Il faut passer ce dernier jour le plus agréablement possible: nous irons voir les cinq ponts bâtis sur le Quadalaviar. — Comment cinq ponts! on les a donc construits en attendant la rivière? — Ne vous en moquez pas: cette rivière, qui vous paraît si faible, si paisible, a quelquefois des colères redoutables. Hercule n'en triompherait pas aussi aisément que du fleuve Acheloüs. Je ne vous demande qu'une couple d'heures dans la matinée pour expédier quelques affaires: profitez de ce temps pour aller visiter la bibliothèque de la ville, que vous ne connaissez pas encore. Rosalie ajouta d'un son de voix touchant: Revenez promptement: songez qu'une heure de cette journée est plus précieuse pour nous qu'un mois entier dans votre absence.

La bibliothèque publique est au palais archiépiscopal; elle est ouverte tous les jours pendant six heures; le local est superbe, et l'emporte sur celui de la bibliothèque de Madrid. J'y trouvai peu de lecteurs. *Rari nantes in gurgite vasto.* Le bibliothécaire portait l'habit ecclésiastique; un gros in-folio ouvert reposait devant lui sur sa table; et deux petits chats, couchés sur ses genoux, paraissaient l'occuper un peu plus que l'énorme volume. Il m'accueillit avec toute la dignité et la gravité espagnoles. Je lui dis: Vous imitez le fameux cardinal de Richelieu, qui se délassait de ses grands et pénibles travaux en jouant avec de petits chats qu'il aimait beaucoup. Ce rapprochement parut le flatter. Il me demanda mon nom. Je lui répondis que j'étais un officier français curieux d'avoir quelques notions du dépôt confié à ses lumières. Il me fit compliment, en me traitant d'*oussia*,[129] de la facilité avec laquelle je parlais son idiome. Je lui demandai quel était ce vieillard hâve et maigre, lunettes sur le nez, les yeux fortement attachés sur son livre. — C'est un grand métaphysicien, un puits d'érudition. — Et trouve-t-il la vérité au fond de son puits? — Non, il est toujours à sa poursuite. *Non è il peggior frutto que quello che mai si madura.*[130] Il lit dans ce moment Leibnitz, son auteur favori; il ne rêve que Monades, harmonie préétablie; et moins il comprend ses rêves, et plus il s'y attache. — Rien n'est plus admirable que ce qu'on n'entend pas. — C'est un homme infatigable, qui ne connaît de plaisir, de bonheur que dans l'étude de sa chère métaphysique. Il se lève au point du jour, lit, écrit, extrait, compulse toute la journée; lorsqu'il est fatigué il ouvre sa fenêtre, respire l'air, s'amuse un quart-d'heure à regarder les passants, après quoi il se rattache à sa charrue. A huit heures du soir il prend son chocolat, joue ensuite d'une méchante guitare jusqu'à ce que le sommeil la lui fasse tomber des mains. Alors il se couche, et je suis persuadé qu'il rêve à ses problèmes métaphysiques. Il a déjà fait imprimer, à ses dépens, un épais in-folio, qui traite du siége de l'ame, des sensations, de l'origine des perceptions, des idées innées, intellectuelles; il croit que nous pensons sans y songer; il est grand idéaliste; il prétend que les corps n'existent pas; que la matière que nous croyons voir n'est qu'un rêve de notre imagination. Je crains bien qu'il ne devienne fou comme votre Mallebranche, qui nous apprend que nous existons dans Dieu, et que nous voyons tout en lui. Ma foi, lui dis-je, de toutes ces folies j'aime mieux celle de l'insensé qui rêve qu'il est le Père éternel. — L'impression de son livre a beaucoup altéré sa fortune; mais il se console en le regardant; et il jouit d'avance de son immortalité. — Gardons-nous de troubler son bonheur; il a le même genre de folie que les moines du mont Athos, qui croient voir la lumière du Thabor en fixant leurs yeux sur leurs nombrils. — Voulez-vous bien me dire quel est son voisin, en habit noir, et caché sous un vaste feutre rabattu sur les yeux? — C'est un ancien docteur de Salamanque, qui s'est adonné à l'histoire naturelle; il étudie, depuis quarante ans, les mœurs, les métamorphoses, la vie des chenilles et des papillons. Il a déjà enrichi le public d'un in-quarto de ses observations, de ses découvertes dans cette importante matière, et il en promet un second volume pour l'année prochaine. Il a un cabinet rempli de papillons, de chenilles, d'insectes, et de reptiles.[131] — Du moins si cet homme est inutile a la société, il n'est pas, comme on peut le dire de tant d'autres:

Humani generis pernicies, atque hominum lues.[132]

— Pardonnez-moi, il n'est pas exempt de reproches; il dissipe son patrimoine, appauvrit ses enfants, néglige leur éducation. Sa femme a voulu le faire interdire. Mais comme il n'a que la moitié de son cerveau attaqué, l'autre moitié conserve le reste de sa raison. Après ces propos, ce bibliothécaire s'empressa de me montrer les richesses nationales. Nous avons ici, me dit-il, cinquante mille volumes. Voilà dans ces rayons une foule de *Grammaticas castellanas*, qui apprennent l'anglais, l'italien, le français ou le latin;

suivent les traductions en notre langue de Sénèque, Platon, Tite-Live, Salluste, faites avant la fin du quinzième siècle, époque où la France était encore barbare. — Convenez, monsieur, qu'elle a bien réparé le temps perdu? — Ici sont nos fameux historiens. A la tête est Mariana, prodige d'érudition: il a écrit l'histoire d'Espagne en latin, après quoi il la traduisit en espagnol. Son style est une corbeille de fleurs. Après lui marche Garcilasso de la Vega, Péruvien, historien fidèle de la conquête du Pérou. Voici Antonio de Solis, traduit dans toutes les langues; et le marquis San Phelippo, qui a écrit la guerre de la succession. La France n'a rien à opposer à ces grands monuments.[133] — M. l'abbé, venez faire un voyage à Paris, nous vous mènerons à la bibliothèque du Roi. — Voici, continua-t-il, nos auteurs mystiques, ascétiques. Dans ce rayon, sont les ouvrages de Tostado, évêque d'Avila; il a écrit trente volumes in-folio sur la théologie,[134] et il est mort à quarante ans. — Quel dommage que sa vie ait été si courte! — Nous voici aux six volumes de Calderon de la Barca, dédiés à la Vierge. Je pris le premier volume, et j'en lus le titre: *A la mère du meilleur fils, à la fille du meilleur père, et à la reine des anges*. A la fin de l'ouvrage, l'auteur se met à ses pieds. Vous voyez dans ce rayon, continua l'abbé, les ouvrages sublimes de Sainte Thérèse, qui disait qu'il ne devait y avoir dans le monde que deux sortes de prisons: celles de l'inquisition pour les mécréants, et les petites-maisons pour ceux qui croyent et qui péchent. Marie d'Agréda, qui suit, a écrit la vie de la Sainte-Vierge par son ordre même. — Ce doit être un ouvrage miraculeux; permettez-moi d'en lire quelques lignes. Alors il m'en présenta un volume. Je lus le titre de deux chapitres, le premier disait: *Ce qui arriva à la Sainte-Vierge pendant neuf mois qu'elle fut dans le sein de sa mère*. Chapitre second: *Occupations de la Sainte-Vierge pendant les dix huit premiers mois de son enfance y et les entretiens qu'elle eut alors avec Dieu*. Pendant cette lecture, je conservai ma gravité, je n'avais pas oublié Barcelone *et los familiares*. Ces événements, dis-je au bibliothécaire, ne peuvent avoir été dictés que par la Vierge ou par Dieu même. — Vous avez raison; aussi Marie d'Agréda affirme à la fin de son ouvrage que ce qu'il contient lui a été révélé expressément par J. C. en personne. Nous estimons beaucoup cette production et son style. — Je suis fâché qu'elle ne soit pas connue en France. — Ce rayon contient une collection de tous les sermons sur toutes les matières. Ces quatre volumes renferment toute la collection des bulles de Benoît XIV, et une foule d'observations canonico-historico-diplomatiques. Vous allez voir maintenant les fables, les contes, les nouvelles galantes, fruit d'une brillante imagination, trésors indigènes plus abondants que ceux du Pérou. Voilà les poésies de don Gonzalo Berceo, moine du treizième siècle; il n'est pas sans talent. J'en pris alors un volume, et je lus les deux strophes suivantes:

PREMIÈRE STROPHE.

«Au nom du Père qui fit tout, de J. C. et de la Vierge et du Saint-Esprit qui est égal à eux, je veux faire la prose d'un saint confesseur.»

DEUXIÈME STROPHE.

«Je veux faire une prose en style paladin, le même dont on se sert pour parler à la ville, car je ne suis pas assez lettré pour parler d'autre latin, et un bon verre de vin me suffira pour ce style.»

Le bibliothécaire me demanda comment je trouvais ce poète. — Je trouve qu'il sent son antiquité. Nous parvînmes enfin aux rayons des comédies. C'est alors que mon homme triompha. Nous voilà parvenus, dit-il, d'un air radieux, aux sources où ont puisé les Anglais et les Français, souvent sans avouer leurs larcins. — Oui, quelques filets de ces sources ont coulé chez nous; mais les terres qu'elles ont fertilisées ont porté des fruits plus beaux que les vôtres. Il leva les épaules et me répondit par ce proverbe: *Con la agena cosa, el hombre mal se honra.*[135]

Je feignis de ne pas l'entendre. Nous possédons, me dit-il, vingt-quatre mille comédies. — Vous avez en effet de quoi en fournir à toute l'Europe. — Ce sont des mines inépuisables. Lopès de Vega lui seul en a fait dix-huit cents; cet écrivain, le plus fécond, le plus infatigable qui ait existé, d'après le calcul de ses ouvrages, du jour de sa naissance, jusqu'à sa mort, à l'âge de soixante-treize ans, a écrit environ cinq feuilles d'impression par jour. Il était prêtre et d'une famille noble. Calderon, chanoine de Tolède, n'a produit que six à sept cents pièces de théâtre. — C'est une bagatelle. Ce qui m'étonne le plus c'est de voir deux prêtres, les premiers comiques de votre nation. *De dios hablar, del mondo obrar,*[136] ce fut sa réponse; car ce bibliographe aimait beaucoup les proverbes. — Après ces deux grands hommes, continua-t-il, nous avons Augustin Moreto: sa verve n'a pu nous donner que trente-six comédies; mais toutes excellentes. — Notre Molière n'en a pas autant. — Je le crois; il est en grande vénération chez vous; mais ici nous le trouvons froid et timide. *Besogna lusciar far el mestiere a qui sa.*[137] — En Espagne, vous aimez l'ail, le safran, les pimientos; en France, notre cuisine est plus douce. — Au reste, il n'est pas étonnant que vos écrits se ressentent, ainsi que vos fruits et vos légumes, de l'intempérie et de l'humidité de vos climats; mais nous qui avons le bonheur de vivre sous un ciel riant, dans une atmosphère pure, imprégnée de sel et de soufre, nous en ressentons l'influence. Les muses, nées dans les beaux climats de la Grèce, sont froides et languissantes sous un ciel triste et nébuleux. Nous vous abandonnons les sciences exactes qui ne demandent qu'un esprit lent et réfléchi; laissez-nous, avec nos vins de Malaga et d'Alicante, les fruits brillants de l'imagination. Pour réponse à ces bouffées d'orgueil national, je le régalai à mon tour de ce proverbe: *El que tiene teiados de vidro, non tire piedras al de su vezino.*[138] Après quoi je le remerciai de sa complaisance avec toute l'urbanité française; et lui, pour n'être pas en arrière en fait de proverbes, me remercia avec celui-ci: *Cortesia di boca multo vale, y poco costa*;[139] et nous nous séparâmes, lui, très-content de lui-même, et de la supériorité de sa nation sur toutes les autres; et moi, riant de l'orgueil et de l'amour-propre national, faiblesse de tous les peuples, et pensant à ces grandes bibliothèques, que l'on pourrait appeler le dépôt des folies humaines.

Il était près de midi, et je précipitais ma marche pour me rendre auprès de mes aimables hôtes, lorsqu'au détour d'une rue, six alguasils m'arrêtèrent par ordre du corrégidor.[140] Je demandai de quel droit et pour quel crime. Nous l'ignorons, me dirent-ils; mais ne craignez rien, c'est seulement une petite formalité pour vous empêcher de partir sitôt de Valence. — Est-ce le saint-office qui veut renouveler connaissance avec moi? — Non, nous vous menons dans les prisons de la ville. Cette réponse me tranquillisa; je crus échapper à un grand danger; et supposant que c'était quelque méprise, je me laissai conduire sans murmure et sans résistance. Arrivé et claquemuré dans la prison, je demandai de l'encre et du papier pour écrire à don Inigo; mais le geolier me répondit qu'il ne pouvait m'en donner sans ordre: il fallut me résigner; mais que de tristes réflexions assiégèrent mon esprit! Pourquoi m'enfermer une seconde fois? Est-ce ainsi que les Espagnols accueillent les étrangers? Quels seront l'étonnement et l'inquiétude de mes hôtes, lorsqu'après une longue attente, ils ne sauront ce que je suis devenu? et que pensera ma chère Séraphine de ce nouveau retard, elle qui m'attend avec la plus vive impatience? Mais quel est mon crime? Ai-je offensé quelque moine? manqué de respect à la *Madonne*? mangé de la chair un vendredi? N'ai-je pas salué monsieur le corrégidor? monseigneur l'archevêque? Ne me suis-je pas mis à genoux quand le *vénérabile* a passé dans les rues? Je fesais ces réflexions en me promenant dans un espace carré de six pas. Mon geolier suspendit mes réflexions en me proposant à dîner. Très-volontiers, lui dis-je;

Car, malgré leurs chagrins,

Les malheureux ne font pas abstinence,

a dit Voltaire. Il me servit un plat de tomates et un ragoût de morue, relevé de trente gousses d'ail, et pour huilier il mit sa lampe sur ma table, en me disant de prendre l'huile que je voudrais; je refusai son huile en l'assurant quelle était détestable; il me répondit que l'on n'en servait pas de meilleure sur la table de l'archevêque. — Ni, ajoutai-je, dans les lampes de sa cuisine et de son église. Après ce méchant repas, sans livres et sans écritoire, je retombai dans mes réflexions. Si je suis enfermé, me disais-je, pour mes péchés, rien de plus injuste; car il y a des millions de coquins sur la terre qui jouissent de leur liberté et même des douceurs de la vie. Alors je me rappelai Socrate, sa tranquillité, son courage. Mais Socrate avait soixante-dix ans, il n'était pas amoureux; et moi je n'ai pas encore six lustres et j'adore Séraphine; toule la république avait les yeux sur lui, et personne ne les jette sur moi.

On en vaut mieux quand on est regardé.

La nuit heureusement amena le sommeil, que l'aurore interrompit. Dans une prison ou dans l'infortune, que le réveil est cruel! La belle Séraphine, don Pacheco, ma famille, mon pays, don Inigo, tour à tour occupèrent ma pensée, et tourmentèrent mon ame. Dans cette confusion d'idées, le jour s'avançait, mais bien lentement. Enfin, j'entends ouvrir ma porte. Le bruit, tout mouvement est agréable à l'ame d'un prisonnier qui n'est soutenu que par l'espérance. Je regarde, et je vois entrer un ecclésiastique en cheveux blancs, qui débuta par me dire: *Guarda usted cavallero*; je lui répondis: *Viva usted muchos anos*. Après quoi je lui demandai le motif de sa visite. Je suis grand-vicaire, je viens de la part de la senora dona Angelica, y Thecla, y Theresa Paular, votre légitime épouse. — Mon épouse! Ma foi, si j'étais marié, j'en saurais quelque chose; je ne connais point la senora Angelica, y Thecla, y Theresa Paular. — Pardonnez-moi, vous l'avez courtisée, vous lui avez écrit un billet. Regardez, n'est-ce pas là votre écriture? — Oui, je l'avoue. — Un gentilhomme français ne saurait mentir. — Mais ce billet insignifiant n'est dû qu'à ma politesse. Une demoiselle très-inconnue m'a écrit, j'ai regardé son billet comme une plaisanterie, et par honnêteté je lui ai répondu. — Et ne lui avez-vous pas donné un anneau, ce gage du sacrement de mariage? — J'en conviens. — Et dans quel dessein? — Parce qu'elle me l'a demandé. C'est donc la senora Angelica Paular qui vous envoie ici, qui veut m'épouser, et qui probablement m'a fait incarcérer? — Oui; vous lui avez annoncé votre départ prochain; elle vous aime; et après les relations intimes que vous avez eues ensemble, elle a cru, pour son honneur et le vôtre, devoir recourir à l'église et à la justice pour arrêter votre fuite, et pouvoir user de rigueur avec un homme qui l'abandonne après avoir affecté, pour la séduire, des sentiments de tendresse quelle a daigné recevoir. Mais elle est bonne, indulgente, elle consent à vous pardonner, et à vous donner sa main, si votre repentir expie votre faute. — Monsieur, votre discours m'étonne; mais ne me touche pas. La senora Paular, fût-elle aussi belle qu'Angélique, aussi chaste que Sainte Thècle, aussi tendre que Sainte Thérèse, ne sera jamais ma femme: vous pouvez l'en assurer. Alors ce grand-vicaire commença une espèce de sermon, dans lequel il disait, en termes ampoulés, qu'en Espagne la sévérité des mœurs, l'esprit de la religion défendait, condamnait les intrigues d'amour, avec une jeune fille d'un sang noble, sans avoir des vues honnêtes et légitimes. — Je n'avais ni bonne, ni mauvaise intention pour mademoiselle Angélique; j'ignorais si elle était fille, mariée ou veuve, laide ou jolie, noble ou non; je n'ai jamais vu son visage, et je ne connais que ses bras et ses mains qui me paraissent fort agiles; et jamais je ne lui ai rien promis.— Vous avez donné une bague, écrit un billet; et suivant nos lois et l'esprit de l'église, ces actes équivalent à une promesse de mariage; une fille bien née n'accepte ces gages de tendresse qu'avec des intentions pures et une noble confiance en celui qui les donne. — Je ne soupçonnais pas la sévérité des filles espagnoles; en tout cas, elles se dédommagent amplement lorsqu'elles sont sous les drapeaux de l'hymen. — Mon état me défend d'entrer dans ces discussions; mon devoir est de retirer les ames du péché, non de les calomnier. Refusez-vous obstinément la main de mademoiselle Angélique Paular? — Oui, monsieur; par le Père éternel, par tous les saints, je ne l'épouserai jamais. — Songez que son père est très-bon gentilhomme. — Tant mieux pour lui, et je l'en félicite. — Nous verrons demain si vous serez aussi inflexible; vous paraîtrez devant le corrégidor et devant la senora Angelica. J'ose espérer que l'aspect de ce magistrat, ses remontrances, et la soumission et la tendresse de la senora, vous feront écouter la voix de la religion, de l'amour et de l'honneur. — Monsieur l'abbé, pour de l'amour, n'y comptez pas; ce sentiment est très-involontaire; quant à la religion, sa base doit être la justice; et pour mon honneur, je ne le dégraderai pas en me laissant intimider, et je braverai des lois qui troublent l'harmonie de la société et déshonorent la religion même. Ici finit notre entretien. Je le priai de faire avertir don Inigo Flores de ma réclusion; il me le promit. Mais don Inigo ne put obtenir la permission de me voir qu'après mon entrevue avec la senora Angelica devant le corrégidor. Don Inigo m'en instruisit par un billet ouvert, qu'il m'envoya avec mon dîné. L'envoi du dîné déplut beaucoup au geolier, qui ne pouvait plus se défaire de sa morue, de son ail et de son huile, et qui était aussi passionné pour mon argent que mademoiselle Angélique pour ma personne. J'aurais désiré des livres; mais don Inigo avait plus songé à la nourriture du corps qu'à celle de l'ame. Il fallut me vouer à sainte patience, patronne des malheureux. Je me rappelai que Voltaire avait fait à la Bastille le second chant de la Henriade. Allons, me dis-je, montons Pégase; il n'aura pas sous moi l'allure qu'il a sous ce grand poète; mais Horace a dit que les mauvais poètes sont les plus heureux. *Ridentur mala qui componunt carmina, verum gaudent scribentes, et se venerantur.*[141] Mon imagination me transporta sur le Parnasse, comme jadis sainte Thérèse avait été transportée dans le ciel. J'allai boire à la source d'Hypocrène, et en décrivant ma prison, j'oubliai que j'y étais renfermé.

A MA PRISON.

Asile ténébreux, séjour où l'espérance

Est le seul bien qui reste à l'être infortuné,

Où trop souvent la débile innocence

Gémit auprès du crime, à la mort condamné,

Où le mortel proscrit, couché sur la poussière,

Ne voit autour de lui qu'une pâle lumière,

Le calme des tombeaux, des fantômes errants!

Hélas! il ne voit plus sa femme, ses enfants.

Ses enfants adorés, son épouse si chère,

Ni l'ami qu'il aimait dès ses plus jeunes ans!

Sous le fardeau du jour, qui lentement se traîne,

Il sent à chaque instant appesantir sa chaîne;

Il accuse le temps, son immobilité;

Il rappelle ses jours, dont l'étoile est éteinte,

Où, près de sa famille et sans soins et sans crainte,

Heureux, il respirait l'air de la liberté!

Ah! que je voudrais bien, pour le bonheur du monde,

Qu'on enfermât pendant cinq à six mois,

Sous les triples verroux d'une voûte profonde,

Avant de les nommer, les juges et les rois.

Enfin brilla le jour où je devais comparaître devant le corrégidor et la belle Angélique. Quatre alguasils m'escortèrent chez cet auguste magistrat. Il me reçut avec la même gravité que Brutus avait reçu jadis les ambassadeurs de Tarquin. — Monsieur l'officier français, me dit-il, nous avons en Espagne des principes plus sévères et d'autres mœurs qu'en France, où l'on se fait un jeu de la galanterie et de l'honneur des femmes. — Monsieur le corrégidor, en France on a moins d'hypocrisie, autant de respect pour les femmes, et plus d'égards pour les étrangers. Dans ce moment entra le grand-vicaire avec l'Angélique qui m'avait choisi pour son Médor. Elle était accompagnée de la matronne que j'avais vue à l'église. Monsieur, me dit le corrégidor, voici la victime de votre inconstance. Je la regarde; juste Ciel! je crois voir une caricature de comédie. Par saint Pierre et saint Paul, dis-je tout bas, que cette Angélique ferait bien d'emprunter l'anneau de la reine du Catai pour se rendre invisible! Pour premier agrément, elle boitait, et sa stature était de quatre pieds et demi, son teint bourgeonné, et ses deux petits yeux, pleins d'un feu voluptueux, révélaient le secret de son tempérament. Une riche parure relevait ses charmes; sur sa tête brillait une rédizilla couleur de rose, ornée de rubans bleus enlacés les uns dans les autres; une mantille, d'une mousseline très-claire, enveloppait sa tête et ses épaules, et une basquine noire me dérobait ses formes de la ceinture en bas.[142] Autour d'un bras sec et noir était un chapelet de corail en forme de bracelet, d'où pendaient une croix et deux médailles; ma bague, don fatal aussi brûlant que la robe du centaure

Nessus, figurait à son doigt avec plusieurs autres bagues. Elle m'honora, en me saluant, d'un regard des plus doux: je lui répondis par une révérence très-froide. Le grand-vicaire s'approcha de moi, et me dit: Voilà celle que vous aimez, et que vous devez reconnaître pour votre épouse, après les témoignages que vous avez donnés de votre amour, et quelle a daigné agréer.

A ce discours, que l'on n'attendait pas,

Robert glacé, laissa tomber ses bras:

Puis fixement regardant la figure,

Dans son horreur il recula trois pas.

Je fus plus brave que Robert: je restai immobile et muet. Enfin la parole me revint. Je répondis que je n'avais pas l'honneur de connaître mademoiselle, et que jamais je n'avais songé à l'aimer ni à l'épouser. Pardonnez-moi, vous la connaissez, répliqua le vicaire; vous l'avez vue au *refresco* de la duchesse de Silva; depuis vous avez passé souvent sous son balcon, vous lui avez fait des signes, vous avez reçu d'elle un chapelet et des fleurs, vous lui avez écrit un billet, et donné un anneau. Je me rappelai, à ce discours, qu'en effet j'avais vu cette figure dansant le *fandango* avec des attitudes et des mouvements très-voluptueux, qui ravissaient les spectateurs, auxquels moi-même j'avais applaudi. Je compris que c'était à cette époque que dona Angelica avait résolu de me prendre dans ses filets. Je répondis au vicaire que je me rappelais avoir vu danser mademoiselle avec beaucoup de légèreté et d'expression sans que mon cœur en fût affecté. — Et pourquoi passiez-vous si souvent dans sa rue? s'écria le corrégidor. — Parce que c'était mon chemin, et que l'on n'épouse pas toutes les demoiselles des rues où l'on passe. — Vous persistez donc dans ce refus injurieux? — Oui, je me ferai plutôt capucin, hermite, ou chantre d'Italie, que de consentir à ce mariage. — Eh bien, monsieur, vous resterez en prison jusqu'à ce que vous ayez fait des réflexions plus sages, ou que la senora dona Angelica, indignée de votre inconstance, se soit désistée de ses poursuites. Après ces mots, il fit signe au grand-vicaire de sortir, et d'emmener la belle Angélique, qui, en s'éloignant, me jeta un regard des plus tendres et des plus langoureux. Resté seul avec le corrégidor: De quel droit, lui dis-je, traitez-vous ainsi un gentilhomme français, capitaine au service de son roi; et par quelle injustice voulez-vous le forcer à un mariage aussi inconvenant que ridicule? — Monsieur le capitaine, ignorez-vous que tout voyageur ou étranger est soumis aux lois du pays qu'il habite? Cromwel fit pendre à Londres le frère d'un ambassadeur de Portugal qui avait osé les violer. — Je sais, monsieur, tout comme vous, le respect que l'on doit aux lois et aux usages d'un pays; mais quand les lois sont absurdes, injustes, qu'elles enveloppent les honnêtes gens dans des piéges, je ne les reconnais pas. — Une plus longue discussion serait inutile; je dois faire mon devoir, et non vous rendre compte de mes actions. Vous allez retourner à votre prison: c'est à vous, si ce séjour vous déplaît, à vous en faire ouvrir les portes. — Je cède à la force; mais mon gouvernement sera instruit du singulier accueil que l'on fait ici à un officier français. Le corrégidor me tourna le dos, et je fus ramené à mon gîte.

Je n'étais ni assez philosophe ni assez pieux pour supporter un pareil traitement sans dépit et avec patience; mais j'avais assez de fermeté d'ame pour braver les prêtres, les corrégidors, et tous les alguasils de l'Espagne, plutôt que d'épouser une infante aussi laide que folle, et qui, emportée par son tempérament, voulait un mari quelconque. Je gémissais, je m'agitais sous le poids de ces réflexions, lorsque don Inigo parut. Je crus voir l'ange de la paix; je cours, je me jette dans ses bras, je l'embrasse. Après ces douces étreintes, il me dit: Comment, vous vous laissez prendre au manège d'une jeune coquette? — Et qui pouvait deviner ses ruses infernales, et qu'une jeune fille bien née tendit ses filets du haut d'un balcon pour prendre un mari? Quelles mœurs! quel abus de la religion! quel pays est le vôtre! Pour avoir dit à Barcelone que la Vierge n'avait pas besoin de luminaire, et pouvait se coucher de bonne heure, on me jette dans les prisons du saint-office; à Valence, on m'enferme encore pour me forcer d'épouser une Angélique laide comme un singe, parce que j'ai passé sous son balcon, et que je lui ai donné, par galanterie, une bague qu'elle me demandait. Je ne suis plus étonné qu'avec de pareils usages, et de telles lois, l'Espagne joue un si petit rôle en Europe. Il ne me reste plus, pour compléter mes infortunes, qu'à être frappé d'excommunication. — Cela viendra peut-être. — Mais expliquez-moi, de grâce, cette manière bizarre de prendre un mari à la ligne, du haut de sa fenêtre, comme un prend un brochet ou une carpe dans une rivière. — Cette sorte de mariage s'appelle *sacar per el vicario* (retirer par le vicaire). Une fille qui a douze ans accomplis peut réclamer pour son époux un adolescent qui a passé sa quatorzième année, si ce jeune homme lui a donné un bijou, une bague, ou écrit, un billet dans lequel le mot d'amour ne serait pas même prononcé. La jeune fille, munie de cet anneau, ou de cet écrit, présente sa requête au grand-vicaire, et demande un tel pour son époux. Si l'ecclésiastique prononce qu'il y a lieu au mariage, on arrête le jeune homme, on le conduit en prison, d'où il ne sort qu'après s'être engagé dans les liens du sacrement. C'est ainsi que s'est conduite dona Angelica Paular, qui est devenue amoureuse de vous au bal de la duchesse Silva. — Dites amoureuse des plaisirs de l'hymen: cette infante ne veut être ni vierge ni martyre.[143] Comme on abuse de tout dans votre pays! Les lois protègent les moines, leur cupidité, leur ambition; les moines, à l'ombre des lois, trompent, emmusèlent le peuple, et pour mieux l'enchaîner, chargent la religion de faux miracles, d'observances ridicules et de rites superstitieux: des messes, des rosaires, des jeûnes, des dons à l'église, tiennent lieu de mœurs, de vertus, et effacent tous les crimes. — Il y a quelque vérité dans votre diatribe, mais convenez d'un peu de légèreté française dans votre conduite: pourquoi faire le galant avec des inconnues, des filles à marier? Adressez-vous aux femmes: elles ne respirent qu'amour et volupté; vous ne courez aucun risque avec elles, sinon d'être poignardé si vous êtes infidèle; mais les filles sont sacrées: on ne peut y toucher que sous peine de mariage. Ce n'est pas qu'elles soient plus sages, car j'ai vu des filles de onze à douze ans sur le point d'être mères. — N'avez-vous pas assez de crédit pour me tirer d'ici? — Hélas! non; j'ai déjà fait quelques démarches: elles ont été infructueuses; et l'on m'a conseillé de ne pas me mêler d'une affaire qui regardait l'église. On dit la colère des rois terrible: les foudres de l'inquisition sont encore plus redoutables. Mais voici un moyen que je crois sur pour ravoir votre liberté. Écrivez à Madrid à monsieur le comte d'Ossun, votre ambassadeur; peignez-lui exactement votre situation, l'injustice criante que vous éprouvez: je me charge de la présentation de votre lettre, et de la faire appuyer. J'embrassai avidement cette espérance, et don Inigo retourna chez lui pour m'envoyer du papier, de l'encre et des livres, et me promit de revenir me voir chaque fois qu'il en aurait la permission; il ajouta que Rosalie, très-affligée, avait fait une neuvaine à la sainte Vierge pour obtenir ma délivrance.

Patience, patience, s'écriait Panurge en méditant sa vengeance: mais moi je ne voulais me venger de personne; je n'aspirais qu'a briser mes fers.

L'après-dînée le geolier m'apporta une lettre; je l'ouvris avec empressement: mais quelle fut ma surprise, quand je vis au bas le nom d'Angélique Paular! Dans un premier accès de colère je faillis à la déchirer; ensuite, par réflexion, et peut-être par curiosité, je me déterminai à la lire: voici son style.

> «*Senor, mio cavallero* don Louis, je vous ai vu au *refresco* de la *duquesa* dona Eleonora, où votre physionomie, voire air noble et spirituel me frappèrent. Vous avez applaudi lorsque j'ai dansé le *fandango*; depuis je n'ai songé qu'à vous la nuit et le jour. Vous avez passé sous mon balcon, où je restais des heures entières pour vous voir un moment; j'ai prié saint Nicolas, le patron des jeunes filles, de m'être propice, et de me faire aimer de vous;[144] je vous ai jeté un chapelet, des fleurs, que vous avez acceptés; je vous ai écrit un billet, vous m'avez répondu; je vous ai demandé un anneau, gage sacré du mariage, et vous me l'avez donné; ingrat! pourquoi me trompiez-vous, si vous ne m'aimez pas? Vous êtes gentilhomme, militaire et chrétien; vous devez aimer Dieu et l'honneur. Je suis aussi noble que vous, et aussi bonne chrétienne. *Per el dolcissimo nombre de Jesus,*[145] consentez à me donner votre main, et j'oublierai tous vos torts, et vous serez, après Dieu et la Vierge, ce que j'aimerai le plus au monde. *Pido à dios guarde su vida muchos anos.*[146]
>
> ANGELICA Y THECLA Y THERESA PAULAR.»

Je lui répondis sur-le-champ:

«MADEMOISELLE,

»Je prie la Sainte Vierge de vous guérir de votre amour; elle vous doit cette guérison, puisque vous êtes fidèle à son culte. Il est vrai que j'ai applaudi à la légèreté de votre danse, que j'ai ramassé votre chapelet, et que je vous ai donné un anneau; mais reconnaissez à ces procédés la galanterie et la politesse françaises, et non le zèle elles désirs d'un amant. Je ne le suis, ni ne veux l'être; croyez qu'il faudrait un miracle de la *Madonne*, ou de votre Saint Nicolas, pour changer mon cœur, et me décider à vous épouser. Renoncez, je vous prie, à ce projet; si vous m'aimez comme vous le dites, faites-moi rendre ma liberté. Alors je prierai la Vierge de jeter un regard de bonté sur vous, et de vous donner un mari digne de vos charmes, et qui sentira, mieux que moi, le prix de vos bontés et de votre tendresse. *Pido à Dios guarde su vida muchos anos.*»

LOUIS DE SAINT-GERVAIS,

Capitaine au service de France.

J'écrivis aussi une lettre fort détaillée et fort pathétique à M. le comte d'Ossun notre ambassadeur à Madrid.

Parmi les livres que m'avait envoyés don Inigo, je trouvai un exemplaire de *Fray Gerondio*, ouvrage plein de sel et de philosophie, d'un jésuite nommé le père *Isla*. C'est une satire très-enjouée, très-ingénieuse, contre les mauvais prédicateurs. Selon lui l'un de ces *prêcheurs*, comme les nomme Montaigne, fait dire à Dieu: «Les vices, les crimes des chrétiens ne sont que des bagatelles, des fautes légères; les hérétiques, les juifs, les mahométans, voilà mes vrais ennemis, ceux que j'abhorre, parce qu'ils m'attaquent dans ma réputation, dans mon honneur et dans ma gloire». Un autre sermoneur, voulant prouver à son auditoire comme quoi Dieu voyait tout sans être vu, s'enfonça dans le fond de sa chaire, et de-là cria à ses auditeurs: «Me voyez-vous? — Non, répondirent plusieurs voix. — Eh bien, moi, je vous vois tous (il regardait alors par un petit trou pratiqué dans la chaire); c'est ainsi que Dieu vous aperçoit sans être vu de vous.» Il faut convenir que ce sermon est digne d'être prêché devant les Caffres ou les Hottentots. Voici des extraits de deux sermons, tout aussi bizarres, du fameux Vincent Ferrier, le patron de Valence. Ces discours, *sermones sancti*, sont mêlés de fragments de latin. La Fontaine a trouvé le calendrier des vieillards dans son panégyrique de Saint Jean-Baptiste.

«Vous savez, mes frères, dit Saint Vincent, l'histoire de cette dévote qui, toutes les fois que son mari lui adressait une requête amoureuse, trouvait toujours quelqu'excuse pour le refuser. Si c'était le dimanche: Quoi! disait-elle, songer à cette drôlerie le jour de la résurrection de notre Seigneur? Si c'était le lundi: Ah! monsieur, penser aux vivants le jour où vous devez prier pour les morts! Le mardi, c'était la fête des anges; le mercredi, c'est aujourd'hui que J. C. a été vendu; le jeudi, c'est le jour que notre Seigneur est monté au Ciel; le vendredi, notre Sauveur est mort pour nous sur la croix; le samedi était un jour consacré à la Vierge. Ce pauvre mari, voyant qu'elle avait toujours quelque excuse en main, appela sa servante, et lui dit: Marie, vous viendrez ce soir passer la nuit avec moi. — Volontiers, monsieur. La femme voulut alors prendre sa place auprès de son époux. — Non pas, s'il vous plaît, madame; nous sommes, nous, de pauvres pécheurs, vous aurez la bonté de prier Dieu pour nous. Il ne voulut plus entendre parler d'elle, et continua de se damner avec sa servante.»

Voici un autre sermon sur la parure des femmes.

«N'est-ce pas faire l'œuvre du démon que de vouloir changer, comme font les femmes, en se peignant le visage, ce que Dieu a créé? Sentez-vous, mesdames, quel affront c'est pour Dieu? corrigeriez-vous le tableau d'un habile peintre? Dieu n'a pas besoin qu'on lui montre à peindre, il en sait bien autant que vous. Il vous a donné un sein rond et volumineux, et vous voulez vous faire une petite gorge; il vous a donné de petits yeux, et vous en voulez de grands; vous êtes nées avec des cheveux noirs, et vous les changez en crins roux, comme la queue d'un bœuf. Aussi qu'arrive-t-il? quand vous priez Dieu, il détourne la tête, et prend vos figures pour des têtes de diables; et si vous lui disiez: Seigneur, je suis votre créature; il vous répondrait: vous mentez, je ne vous connais pas.»

Il recommande ensuite aux dames de porter du linge blanc, *ne vir sentiat malum odorem*. Il appelle les moines *grossos porcos*. La lecture de cet ouvrage adoucit l'ennui de ma captivité. Cicéron, en parlant des livres, a dit: *adversis solatium et perfugium praebent*.[147]

Je reçus une lettre de don Pacheco qui me parlait du désir que lui et Séraphine avaient de me revoir; ils accusaient la longueur de mon voyage.

«Je trouve, me disait-il, ma fille triste et préoccupée; sans doute votre retard en est la cause. Hâtez-vous donc, mon cher capitaine; plus de délais, plus d'excuses: le véritable amant franchit les montagnes, traverse les rivières à la nage, combat, terrasse les géants et les monstres pour jouir de la présence céleste de sa bien-aimée. Arrivez donc bien vite, et nous vous recevrons au bruit des tambours et des castagnettes. Séraphine, à votre arrivée, parera *el senor San Joseph* d'un habit magnifique, de belles dentelles, et l'entourera de fleurs et de lumières pour le remercier de votre heureux retour.[148] *Dios guarde a usted.*

DON PACHECO Y NUNES LASSO.»

Cette lettre aigrit ma douleur, irrita mon impatience. Quoi! disais-je, la belle Séraphine languit, souffre de mon retard, occasionné par le fol amour d'une laide créature qui me retient en prison, qui veut m'épouser malgré moi, m'enlever à celle que j'adore! Non, belle Séraphine, je vivrai et mourrai fidèle! Ce qui augmentait mes craintes et mon inquiétude, c'était le motif de ma détention. Séraphine croira-t-elle à mon innocence? La jalousie est incrédule. Un jaloux est comme un voyageur qui se trouve la nuit dans une forêt; son imagination change en spectres, en fantômes, tous les objets qui frappent ses yeux. Au milieu de cette agitation, je crus pourtant qu'un récit sincère me justifierait mieux que tous les subterfuges du mensonge. *La verdad*, dit un proverbe espagnol, *come olio siempre anda en so.*[149] Je répondis à don Pacheco, en lui racontant naïvement mon malheur et sa cause, et l'assurant que je braverais plutôt les foudres de l'inquisition, les tortures, la mort, que de consentir à épouser la senora Angelica.

Heureusement un bel esprit espagnol vint partager et adoucir ma captivité. Il s'appelait don Manuel Castillo. Il se disait de la famille de don Joseph Castillo, peintre, qui a laissé un nom en Espagne. Le besoin, la solitude nous lièrent bientôt: il me conta la cause de son emprisonnement. Un grand d'Espagne, le duc de Figueroas, l'avait surpris tête-à-tête avec sa maîtresse, et l'avait insulté vivement. Don Manuel s'était vengé en poète, par des épigrammes; et le duc, en grand seigneur, avait abusé de son crédit pour le faire enfermer.

Ce grand seigneur descendait de l'illustre famille des Figueroas, qui délivra l'Espagne d'un tribut imposé par un roi Maure. Le prince espagnol devait fournir annuellement cent jeunes filles pour le sérail du Miramolin. A leur arrivée, elles étaient renfermées dans un château près de Tolède, où les Maures venaient successivement les prendre pour les envoyer en Afrique, comme l'on choisit des volailles dans une basse-cour. En 844 des cavaliers de Galice attaquèrent et défirent les Maures qui venaient recevoir le tribut. Le champ où se passa cette affaire était couvert de figuiers, ce qui fit donner le nom de Figueroas aux libérateurs des jeunes victimes.[150]

Don Manuel était de petite stature, et avait sur son dos une proéminence qui n'embellissait pas sa taille. Mais il supportait gaîment son fardeau. Les stoïciens, disait-il, assurent que le sage, fût-il même contrefait, est le plus beau des hommes; il faut que cela soit vrai, car le sage Cratès, quoique doublement bossu, gagna le cœur de la belle Hyparchia. Des yeux noirs, pleins de feu, une physionomie ouverte, spirituelle, qui est la beauté des hommes, ainsi que l'air doux et modeste est celle des femmes, fesaient oublier la difformité du Cratès moderne, qui avait eu des succès en amour, et trouvé plus d'une Hyparchia. Doué d'une imagination vive et féconde, il était grand improvisateur: cette sorte de poètes est aussi nombreuse en Espagne qu'en Italie, surtout dans l'Andalousie et dans le royaume de Valence. Amants de la liberté et du plaisir, ils vivent dans l'insouciance et l'inaction; leur talent brille principalement dans les petites chansons, nommées *décimas*. Je donnais quelquefois à don Manuel un dernier vers, et sur-le-champ il en composait neuf autres, adaptés pour le sens et la rime, à celui que je lui avais donné. Il prétendait que les poètes espagnols descendaient des troubadours français. Il me conta qu'en 1388, un roi d'Aragon envoya une ambassade au roi de France, pour lui demander des poètes et des feseurs de chansons. Le roi de France fit partir aussitôt une compagnie de troubadours, qui apporta la gaie science et les plaisirs à la cour d'Aragon. Si votre monarque, lui dis-je, nous fesait aujourd'hui la même demande, nous pourrions lui fournir une légion de rimeurs parmi nous plus épais que mouches en vendange.

Don Manuel n'était pas seulement un enfant d'Apollon; il était aussi un élève d'Euterpe: il chantait très agréablement et s'accompagnait de la guitare ou de la harpe. Il avait la littérature d'un bel esprit; il connaissait ses poètes latins et espagnols; il parlait mal l'idiome français, mais il comprenait parfaitement nos auteurs. Il m'avoua qu'il n'avait étudié notre langue que pour lire Voltaire et Gil-Blas, quoique ce roman soit très-bien traduit en espagnol. J'ai lu, me disait-il, votre Racine; mais son principal mérite est dans le charme de son style, perdu souvent pour un étranger. Corneille me plaît davantage: la hauteur, l'énergie de ses pensées me ravissent. Il n'a manqué à ces deux grands poètes, que la verve et la fécondité d'imagination de Lopez de Vega et de Calderon. — Et à vos fameux auteurs, répliquai-je, que la sagesse et le goût des deux poètes français. Don Manuel ne fesait aucun cas des sciences abstraites; il appelait la métaphysique un ballon de billevesées; la botanique l'étude des gens pauvres d'imagination, et la chronologie la science des pédants. Il ajoutait qu'Adam s'était piqué les doigts, pour avoir touché à l'arbre de la science. Il était grand amateur de la bonne chère; il se disait docteur en l'art de boire; il était surtout passionné pour les femmes: la laideur même, pourvu qu'elle fût jeune, était pour lui une divinité. Non, s'écriait-il souvent, ce sexe ne sort pas de la côte d'un homme; il est émané, comme les fleurs, d'un rayon céleste. Milton, l'aveugle, a mérité sa cécité pour avoir appelé les femmes un beau défaut de nature (*fair defect of nature*).

Ce poète jovial était né dans la célèbre ville de Toboso, capitale de la Manche. Platon, me disait-il, rendait grâces aux Dieux de ce qu'ils l'avaient fait naître dans Athènes; et moi je les remercie de m'avoir jeté dans la Manche, et deux mille quatre cents ans plus tard. Ma chère patrie est le pays de la joie, de la danse et de l'amour. Je lui demandai des nouvelles de la belle Dulcinée. — Elle est, me répondit-il, avec Don Quichotte et Sancho dans les Champs-Élysées de Virgile, ou dans la région des héros d'Ossian: mais le petit bois où le chevalier de la Triste Figure attendait sa Divinité, existe encore. Plus d'un poète y va composer ses *séguidillas*,[151] qui sont comme notre vin, les meilleures d'Espagne.[152] C'est dans la Manche que l'imagination brillante de Miguel Cervantes Saavedro, a enfanté le premier roman du monde. Je vous raconterai, au sujet de ce roman, une anecdote qui prouve son mérite. Philippe III aperçut de son balcon, un étudiant qui, en lisant, se frappait souvent le front et riait aux éclats. Cet homme est fou, dit le roi, ou il lit Don Quichotte. Il l'envoya savoir, et en effet, l'étudiant lisait ce chef-d'œuvre.

Il n'est pas, dans mon pays, de villageois, de jolie paysanne, qui ne connaisse le chevalier de la Triste Figure et son écuyer Sancho. Nous avons encore un puits qui porte le nom de ce preux chevalier, où l'auteur prétend qu'il fit la veille des armes.[153] Je le priai de me donner quelque notice de la vie de ce grand écrivain. En France, son nom est plus connu que sa personne. — Je vais vous débiter tout ce que j'en sais. Il est né à Alcala de Henares, et, à la honte de l'Espagne, il est mort à l'hôpital en 1616, âgé de soixante-neuf ans; il avait une telle ardeur pour s'instruire, qu'il ramassait jusqu'aux morceaux de papier qu'il trouvait dans les rues, dans l'espoir d'y découvrir quelque chose; il fut poète et guerrier. Il perdit la main gauche à la bataille de Lépanthe; du moins il en perdit l'usage. Il fut prisonnier cinq ans à Alger: c'est à son retour qu'il fit des pastorales et des comédies. La première partie de son roman parut à Madrid en 1605, et eut un succès prodigieux. Elle fut traduite dans toutes les langues. La suite ne fut publiée qu'en 1615. Cet ingénieux écrivain, attaqué d'une hydropisie mortelle, répondit à un étudiant qui lui conseillait de s'abstenir de boire: D'autres m'ont donné le même conseil; mais je suis comme les plantes: tant qu'elles vivent elles aspirent les sucs de la terre. Ma vie tend à sa fin; et je trouve, par l'examen journalier de mon pouls, que dimanche prochain, au plus tard, il achèvera sa besogne, et moi, mon voyage. Après avoir reçu les sacrements le 18 avril 1616, il attendit la mort avec tranquillité. Dans cet état il disait et dictait des choses fort plaisantes; il dicta la dédicace, pour le comte de Lemos, d'un ouvrage intitulé *les Travaux de Percile et de Sigismonde*. Il lui disait: J'ai un pied à l'étrier; en partant pour les sombres bords, je salue monseigneur de mon dernier soupir: hier on me donna l'extrême-onction, et aujourd'hui je dicte ceci. Peu de temps avant d'expirer il proféra ces dernières paroles: «Adieu, ma chère cabane, et toi, Madrid, adieu; adieu, fontaines, Prado, et vous, campagne qui produit le nectar, où coule l'ambroisie; adieu, aimables et douces sociétés; adieu, théâtre, dont nous avons banni le sens commun; adieu, pâle famine, je quitte aujourd'hui mon pays pour éviter le triste sort de mourir à ta porte.» Mais rentrons dans la Manche. Vous citez, en France, l'enjouement et la vivacité des Provençales et des Languedociennes: nos belles de la Manche sont encore plus vives et plus enjouées; elles sont grandes, sveltes et jolies. Ce qui les rend plus aimables et plus piquantes, c'est leur penchant au plaisir et à l'amour; dès quelles entendent une guitare ou une seguidille, elles accourent en foule, dansent à la voix du chanteur, et au son de la guitare d'un aveugle qui accompagne la voix; et elles dansent avec tant de justesse et de grâces, prennent des attitudes si voluptueuses, que *san* Antonio ou *san* Francisco sentiraient sous leur froc leur vieux sang bouillonner dans les veines. Nos villageois même, vêtus encore comme Sancho, l'estomac couvert d'une vaste ceinture de cuir, dansent très-agréablement. Enfin, si Londres et Cadix sont les pays où le commerce a le plus d'activité et d'étendue, la Manche est le pays de l'Espagne où l'on chante et l'on danse le plus, ce que je préfère, car j'aime mieux rire et jouir que m'enrichir. J'aime beaucoup, lui dis-je, l'enjoûment et l'agilité de vos concitoyennes; mais votre guitare est un instrument bien triste: nous avons, dans le midi de la France, le tambourin et le galoubé, qui sont vraiment les organes de la joie et du plaisir.

Pour finir le portrait de don Manuel, au sortir de table, après un bon repas, il était sceptique ou déiste. En pleine santé, il ne songeait qu'au plaisir, se moquait des prêtres, et ne pensait non plus à la religion qu'aux habitants de la lune. Il disait alors que des trois paradis imaginés par les juifs, les chrétiens et les musulmans, c'était celui des musulmans qui le tentait le plus. «Le paradis des chrétiens me paraît sérieux et monotone; celui des juifs, selon le Talmud, est triste et ridicule; ils prétendent qu'ils mangeront d'un poisson que Dieu leur prépare depuis le commencement du monde, et qu'ils boiront du vin d'une bouteille que Dieu leur tient en réserve: je leur souhaite bon appétit; mais les houris de Mahomet sont bien séduisantes, et embellissent bien un paradis.» Ce poète n'a pas toujours pensé de même; à l'âge de quinze ans, ayant lu la *Vie de saint Augustin*, navré de repentir comme lui, sans être encore aussi coupable, embrasé d'une ferveur nouvelle, il prit l'habit de saint Dominique; mais au bout de dix-huit mois, moins heureux qu'Augustin, la grâce l'abandonna, il jeta le froc pour courir après une jeune fille, et le jacobin embrassa la secte d'Épicure; mais au moindre danger, au premier accès de fièvre, il voyait le diable prêt à le saisir. Il craignait le tonnerre, et tant que l'orage durait, il restait froid et silencieux: mais aussitôt qu'il cessait, il reprenait sa gaîté, et avouait que le seigneur Jupiter lui avait fait grande peur avec sa foudre à neuf rayons. Au reste, disait-il, je ne prétends pas être plus brave que l'empereur Auguste, qui allait se cacher quand le tonnerre grondait. Je partageai mon dîné avec ce bel esprit de la Manche, et comme Bacchus, après l'Amour, était sa seconde divinité, il avait apporté, avec une chemise, quelques livres, et sa guitare, deux bouteilles d'excellent vin. *Nunc est bibendum*, s'écriait-il en le versant, *dissipat evius curas edaces*. Je gage, ajoutait-il, que vous n'avez jamais bu d'aussi bon vin! c'est du Lagrima de Malaga, qui est le tocane, ou la mère goutte du raisin d'un des meilleurs cantons de cette province. Si Horace l'avait connu, il aurait chassé de sa table et de ses vers son gros Falerne, et son vieux Cécube, pour boire et célébrer le Lagrima. — Puisque vous connaissez si bien le vin de ce canton, si cher au fils de Sémélé, apprenez-moi quelle est la quantité qu'il produit, et quels sont ceux de meilleure qualité.— On récolte, année commune, dans la banlieue de Malaga, environ soixante-dix mille arrobes de vin.[154] Les plus estimés, après le Lagrima, sont le Tierno, le Moscatel, et surtout le Pedro-Ximenès. On classe encore ces vins suivant le temps de leurs récoltes. La première se fait au mois de juin, et donne un vin qui a la consistance du miel. La seconde est en septembre, elle produit un vin sec et plus agréable: on cueille ensuite les raisins tardifs, qui produisent le véritable Malaga. Parmi les bons vins on place encore celui de *Guindas*, c'est du Malaga ordinaire, dans lequel on fait infuser des bourgeons de bigarreautiers, dont le fruit s'appelle ici *guinda*.

L'après-dînée, don Manuel, fidèle à la coutume et au sommeil, fit la sieste; je ne pus l'imiter, et je lus Don Quichotte. A son réveil nous le lûmes ensemble, et il m'en fit remarquer les beautés, l'agrément, et le sel des saillies, émoussé, disait-il, dans nos traductions françaises, ajoutant que les traductions italiennes et portugaises étaient bien supérieures à la nôtre. Nous quittâmes la prose de Cervantes pour la poésie de l'Araucana, poème de don Alonzo Ersilla que don Manuel plaçait à coté de l'Arioste, du Tasse et de Milton.[155] Vous êtes Espagnol, lui dis-je, comme monsieur Josse était orfèvre. — Je sais, me répondit-il, que Voltaire critique ce beau poème; mais l'ingénieux auteur de Don Quichotte, et vingt de nos beaux esprits l'admirent, et ont nommé ce poète le Lucain, ou l'Homère espagnol. Voltaire n'entendait pas notre idiome, le plus riche de l'univers, dont l'harmonie imite le cri des animaux, le murmure de l'onde fugitive, le bruit du tonnerre, le sifflement des vents. Charles-Quint, qui parlait alternativement italien, français, allemand et espagnol, réservait cette dernière langue pour Dieu et pour les jours de représentation. Selon la tradition orale du pays, Dieu, sur le mont Sinaï, parlait à Moïse dans le dialecte castillan. — Apparemment qu'il ne savait pas encore l'hébreu. — A propos de l'Araucana, je vous confierai que j'ai sur le métier un grand poème descriptif sur la Nature, en dix-huit chants; j'embrasse dans mon plan, les cieux, la terre et la mer, les hommes et les animaux. — Ce plan est magnifique; vous allez promener voire lecteur dans une vaste galerie, d'où il sortira les yeux et la tête fatigués. — Ce n'est pas mon affaire; pour le reposer, j'accumulerai les notes, j'en ai déjà une grande provision. Dans la première, je rappelle la mort d'Abel. — De peur qu'on ne l'oublie. — La seconde peindra le déluge universel. — Que sans doute vous prouverez? — Dans ma troisième, je conterai les amours d'Héro et de Léandre; dans la quatrième, je citerai quelques événements du siége de Troie; dans la cinquième, je vous mène à la bataille d'Actium. — Vous allez étaler une vaste érudition, et vous pouvez mettre pour épigraphe, à la tête de ces notes:

Indocti discant, ament meminisse periti.[156]

Je reçus, l'après-dînée, une seconde visite du grand-vicaire, qui voulait absolument me livrer les appas de la sensible Angélique. Il me demanda si je persistais toujours dans mon refus. — Oui, monsieur; et le grand Turc sera plutôt chrétien que je ne serai l'époux de mademoiselle Angélique. Il me peignit alors la tristesse, la douleur de cette Ariane abandonnée, l'opprobre dont je couvrais une famille noble, qui se vengerait peut-être de cet affront, et les reproches que je devais me faire. — Monsieur, lui dis-je, notre premier juge sur la terre, c'est notre conscience; la mienne ne me fait aucun reproche, car je n'ai rien promis. A l'égard de la vengeance dont vous me menacez, un officier français est au-dessus de la crainte; Dieu et mon épée, voilà mes protecteurs. Mais vous, monsieur, ministre d'un Dieu juste, loin d'interposer votre ministère pour perdre un innocent, vous devriez faire rougir dona Angelica de l'injustice de ses prétentions; lui faire observer qu'un hymen formé par la force, par des lois iniques, offense Dieu et la morale. — Mon devoir est de prêter l'appui de la religion à une jeune fille abusée, et je dois le remplir. Vous n'avez plus rien à ajouter? — Non, monsieur; je vous prie seulement de dire à monsieur le corrégidor qu'il me retient injustement en prison, et à la senora Angelica, que je lui souhaite un époux digne d'elle; mais que, fût-elle reine de Valence, et aussi belle que Vénus, je ne l'aimerai ni ne l'épouserai jamais. — Nous verrons, répondit-il, en me saluant. Don Manuel m'apprit que cette ardente Angélique avait un frère qui passait pour un *valiente*, un *guapo* (un brave, un vaillant). Eh bien, je l'attends, lui dis-je; un gentilhomme français vaut bien un hidalgo d'Ibérie; nous battons les Espagnols depuis la bataille de Rocroi.

Le lendemain, j'eus la visite de don Inigo et de la tendre Rosalie, qui me dit qu'elle avait bien pleuré à la nouvelle de mon emprisonnement, et que mon malheur lui avait fait oublier les siens. Don Inigo m'apprit que ma détention divisait la ville en deux partis, l'un est pour la senora Angelica, et l'autre pour vous. Cependant, ajoutait-il, celui-ci ne vous croit pas tout à fait exempt d'imprudence et de légèreté; mais ils disent que votre ignorance des lois et des coutumes du pays doit faire pardonner votre faute. Les partisans d'Angélique crient que c'est une fille noble; que l'honneur des familles, la sainteté de la religion et l'ordre de la société sont intéressés dans cette affaire. — Par Saint Jacques et par la triple Hécate, s'écria don Manuel, il faut consulter l'honneur de la nation qui nous commande les égards et l'indulgence pour les étrangers, et non le caprice et la passion d'une jeune fille. On vint chercher don Inigo de la part du corrégidor. C'est sans doute, me dit-il, au sujet de votre affaire. Je reviendrai demain vous rendre compte de cette entrevue. Dona Rosalia me promit d'aller tous les jours à la messe pour obtenir ma délivrance. Vous avez, lui dis-je, la voix et la figure d'un ange, et, à coup sûr, vos prières seront exaucées.

Don Manuel fut enchanté de la physionomie aimable et touchante de Rosalie: J'ai cru voir, disait-il, Magdeleine repentante au pied de la croix: c'est sa beauté, sa douleur. Quel monstre a pu la trahir!

On lui apporta dans ce moment une lettre de sa maîtresse qui lui mandait: «Vous sortirez de prison, si vous voulez faire des excuses au duc de Figueroas.» Non, par la barbe de Saint François, s'écria-t-il, non, je ne dégraderai point la dignité des Muses; je ne passerai pas sous les fourches caudines, et n'abaisserai pas les lauriers du Parnasse aux pieds de l'ignorance! Votre Henri IV tolérait des rivaux; Alexandre céda Campaspe au fameux Apelle: les myrtes de Vénus croissent plutôt pour les enfants d'Apollon que pour les grands de la terre, et la voix mélodieuse du cygne doit remporter sur le vain éclat des plumes du paon. J'allais, ajouta-t-il, chez le duc; je lui rendais de ces hommages de convention, dont on berce l'orgueil des grands; j'amusais sa gaîté par mes *seguidilles* et ma guitare; je l'enivrais, dans mes fictions poétiques, du nectar des louanges. Un jour il invoqua ma muse, et me demanda des couplets pour la fête de sa maîtresse. Monsieur le duc, lui dis-je, si vous voulez pour elle des éloges usés, et pris dans les recueils du Parnasse, un portrait d'imagination qui ressemblera à tout, excepté à votre dame, je m'en vais prendre mes pinceaux. Mais si vous désirez un portrait ressemblant et que votre maîtresse ait une physionomie, faites-la moi connaître; je ne peins bien que ce qui frappe mes sens. Le duc alors me mena sur-le-champ chez dona Clara, son odalisque chérie. *Valga me Dios*! A son aspect, je fus, comme Saint Paul, ravi au troisième ciel, quoique j'ignore où est le troisième ciel. Imaginez un visage céleste, une taille, un pied, des formes, des yeux, des éclairs dans les yeux; enfin, imaginez Junon sur le Mont Ida, parée de la ceinture de Vénus. J'étais si émerveillé que j'en perdis la parole, du moins dans mon extase je parlai très-peu. Le duc, en sortant, me demanda comment je la trouvais. Je ne crois pas, lui dis-je, que notre mère Eve fut aussi belle, même après son péché. — Pourquoi après son péché? — C'est que le péché, ou son synonyme le plaisir, sont à la beauté ce que les caresses du zéphir, ou la douce rosée du soir, sont à la rose languissante. Je me hâtai de quitter le duc pour profiter de ce moment de verve et d'effervescence pour monter ma lyre, et révéler à l'univers les beautés et l'existence de dona Clara. J'allai m'égarer sous des allées d'orangers et de citronniers; et là, respirant le doux esprit des fleurs, la tête échauffée par l'influence d'un soleil vivifiant, et par l'amour plus vivifiant encore, et le vrai Dieu des poètes, je transportai dona Clara dans l'Olympe, où les Grâces et les neufs Sœurs à l'envi vinrent lui offrir l'ambroisie et des couronnes de roses et de myrte. Cent vers harmonieux sortirent de mon cerveau, avant que le soleil eût avancé sa course d'une heure. Après les avoir copiés très-proprement, je les portai à son Excellence; il en fut enchanté, et les envoya tout de suite à dona Clara. Il m'apprit que cette beauté les avait trouvés charmants, délicieux, et qu'elle les chantait continuellement. Ce succès fit entrer l'espérance dans mon cœur, et l'amour à sa suite. Cependant, je n'osai pas aller chez dona Clara; mais dès que Vénus promena son char dans les airs obscurcis, je courus sous son balcon, armé de ma guitare. J'y chantai une romance qui disait: que le voyageur, égaré dans la nuit, désirait moins vivement le retour de l'aurore, et le nocher, battu par la tempête, le port, terme de sa course, que je ne désirais le bonheur de la voir. Je chantai ainsi jusqu'à l'approche du jour, enrouant ma voix, tourmentant ma guitare; mais le balcon ne s'ouvrit pas, et ma divinité resta invisible au fond du sanctuaire. Je me retirai triste et confus. Cependant, plus enflammé que découragé, je retournai le lendemain, à la même heure, reprendre mon poste sous le balcon. Le sujet de ma nouvelle romance fut la mort d'Iphis, qui, n'ayant pu fléchir le cœur d'Anaxarète, de désespoir, s'était pendu à sa porte; mais Vénus punit l'ingrate et la métamorphosa en rocher. Je disais que, nouvel Iphis, j'allais périr comme lui, si la belle Anaxarète n'avait pitié de moi, et peut-être me serai-je pendu de même, si j'avais su ce qui se passe en l'autre monde, et si celui-ci ne m'avait paru un gîte assez passable pour un voyageur. Ma romance disait encore que la lyre d'Orphée avait attendri les rochers, les arbres et les animaux. Mais j'avais beau chanter, tout était muet auprès de moi; le silence et le sommeil enchaînaient l'univers; ma voix s'éteignait, ma guitare languissait, lorsqu'enfin le balcon s'ouvrit, et un billet tomba à mes pieds; il contenait ces mots: Ce soir, quand l'*angelus* sonnera, trouvez-vous à ma porte. Ce billet me transporta de joie. Paul Émile, montant au Capitole sur un char de triomphe, Sainte Thérèse épousant J. C., ne goûtèrent jamais une félicité si pure et si vive.

Au premier son de l'*angelus*, je volai à mon rendez-vous; une cameriste m'attendait à la porte, et m'introduisit dans une salle remplie de vases de porcelaine garnis de fleurs et de caisses d'orangers, de myrtes et de rosiers; des serins, des tourterelles, une perruche, un singe, peuplaient, animaient ce délicieux asile. Je m'y promenais, j'aspirais le parfum des fleurs, lorsque je vis paraître la nouvelle Armide; le sourire était sur ses lèvres, et le plaisir dans ses regards. Elle m'avoua qu'elle aimait beaucoup mon esprit et ma poésie, et daigna me laisser entrevoir, à travers les nuages de l'avenir, des rayons d'espérance et de bonheur; et moi je lui jurai tout ce que l'on jure au premier rendez-vous à une femme qu'on idolâtre. Nous convînmes que, pour tromper la jalousie du duc, je ne viendrais chez elle qu'en habit de religieux. Ce fut pour moi l'habit de bonne fortune; il sembla m'inspirer plus d'audace. J'avais encore, au fond d'une malle, mon uniforme de jacobin; ce fut sous ce vêtement, qu'après deux ou trois jours de résistance, je reçus une couronne de myrte des mains de l'amour. Pendant quelque temps je nageai dans une mer de délices; mais mon mauvais génie, jaloux de son rival le bon génie, excita la tempête qui me perdit. J'avais obtenu un rendez-vous chez dona Clara à l'heure de la sieste. Sommeil, cousin de la Mort, disais-je, verse tes froids pavots sur les maris, sur les duègnes, sur les argus, sur les sots et sur les ambitieux; étend sur eux les vapeurs soporifiques; mais protège l'amour et les amants. Mes prières n'arrivèrent pas jusqu'à l'antre de Morphée. A peine l'heure légère de mon bonheur avait fait la moitié de sa course, que le duc, éveillé par Lucifer ou le démon de la jalousie, apparut comme l'ange exterminateur. Jamais satire n'a tant effrayé les bergères, ou le dieu de Lampsaque, les oiseaux. Je fus attéré, interdit; dona Clara, plus intrépide, conserva sa présence d'esprit. C'est un don que la nature a donné à ce sexe pour le sauver dans les dangers, comme elle a donné un aiguillon aux abeilles pour leur défense. Ah! c'est vous, mon cher duc, dit-elle; je ne vous attendais pas; voilà le père Ambroise qui est venu me proposer une bonne œuvre: adieu, mon révérend, j'y réfléchirai, et je vous rendrai réponse un autre jour. Je me retirai alors la tête inclinée, comme pour saluer; mais un jaloux n'a besoin que d'un œil pour découvrir son rival; sans doute la maudite étiquette que je porte sur le dos me fit reconnaître; le duc me suivit, m'arrêta par ma robe, et me demanda fièrement ce que je venais faire chez dona Clara ainsi déguisé. — Je viens la convertir, ouvrir à son ame les portes du paradis. Vous voyez que moi-même j'ai endossé l'uniforme de la pénitence et de l'humilité. Le duc, irrité de la gaîté de ma réponse, me dit fièrement: Savez-vous qui je suis? — Oui, monsieur le duc, nous sommes vous et moi de la boue et de la poussière; *pulvis et umbra sumus*. En prononçant ces mots, je m'esquivai d'un pied léger. Le duc cria à ses gens, qui étaient dans l'antichambre, de m'arrêter; mais en la traversant je leur donnai ma bénédiction, et loin d'oser obéir à leur maître, ils se mirent à genoux pour la recevoir, et ils baisèrent ma main et le bas de ma robe. Le duc, furieux, me poursuivit un bâton à la main; mais dona Clara accourut à mon secours, et empêcha un grand malheur. Je n'avais point d'armes; mais s'il m'eut frappé, je lui aurais arraché les yeux. Cependant, irrité de l'affront, j'aiguisai des épigrammes contre lui, et les publiai dans la ville: il s'en est vengé en grand seigneur, en abusant de son crédit pour me priver de ma liberté.

La présence de ce jovial troubadour, des lectures agréables, les visites frequentes de don Inigo, des repas gais et animes par le Malaga et le Benincarlos, abrégèrent les longues heures de la prison. La plupart des hommes, me disait don Manuel, oublient que l'existence est un don viager; quant à moi, je règle la mienne sur les lois de la nature et de la raison; je dors quand j'ai sommeil; je mange quand l'appétit renaît; amant de la paresse, je ne travaille que d'inspiration; très-irascible, je m'appaise aisément; j'aime la gloire, mais encore plus les femmes et le plaisir. Si j'offense Dieu dans la journée, je lui en demande pardon le soir. Ma barque est sur un fleuve, et je l'abandonne au courant. Enfin je trouve la vie une chose fort douce; peut-être j'y tiendrais un peu moins si j'avais, comme Tibulle, l'espoir d'être conduit après ma mort, par Vénus, aux Champs-Élysées, où mille nymphes, toujours belles, toujours jeunes, me présenteraient la coupe de la volupté;[157] mais pour nous, chrétiens, le Ciel n'a qu'une porte, encore bien étroite, et l'enfer en a cent toujours ouvertes. Le diable quelquefois me fait peur; mais une jolie maîtresse, un bon repas, le chassent bien vite de ma cervelle.

Le soir ce poète du Toboso me fesait passer des moments bien agréables; quand l'obscurité régnait dans notre chambre, éclairée seulement par quelques rayons de la lune, il prenait sa guitare, et chantait, en s'accompagnant, des seguidilles touchantes ou voluptueuses.

Je reçus une seconde lettre de l'amoureuse Angélique:

«Je souffre beaucoup, me disait-elle, des peines que je vous cause: je m'efforcerai de vous en dédommager un jour, si vous devenez mon époux. J'ai redoublé mes prières à saint Nicolas et à saint Vincent; j'espère qu'ils auront pitié de moi; sans doute vous ne voulez pas que je meure, et cependant je mourrai si vous persistez dans vos refus. Ah! ressuscitez-moi d'un mot, comme J. C. ressuscita le vieux Lazare, et vous aurez en moi l'amante la plus tendre, l'épouse la plus fidèle. *Pido a dios guarde su vida muchos anos.*»

Je lui répondis:

«*Senora*, si j'étais feseur de miracles, j'en ferais un pour vous rendre la santé, et vous guérir de votre passion; mais cette faculté n'est donnée qu'aux saints: continuez à implorer la *Madonne*, saint Nicolas et saint Vincent, non pour obtenir un cœur que je ne puis vous donner, et qui est engagé ailleurs, mais pour effacer du vôtre une vaine espérance, et un attachement inutile. *Pido a dios,* etc.»

Don Manuel avait apporté un petit livre prohibé, espèce de satire contre l'inquisition. Entre diverses anecdotes que l'auteur rapporte, j'ai retenu celle-ci.

Philippe II, revenant des Pays-Bas, s'arrêta à Valladolid, et demanda, pour égayer ses loisirs et se délasser de ses travaux, une tragédie au grand-inquisiteur, c'est-à-dire, le spectacle d'un auto-da-fé. De nos jours, le grand Frédéric de Prusse eût fait jouer un opéra italien. Le saint-office, qui avait toujours des victimes en réserve, comme les Romains avaient des murènes dans leurs viviers pour servir sur leurs tables, promit la représentation de quarante malheureux destinés au bûcher. On construisit dans la place un grand amphithéâtre pour le roi, la cour, et les grands de la ville. Les condamnés défilèrent devant sa majesté catholique. Un de ces malheureux, vieillard respectable, s'arrêta devant le monarque, et lui dit d'une voix ferme: Comment votre majesté peut-elle autoriser, par sa présence, un supplice aussi horrible? Comment peut-elle le voir sans frémir? — Si mon fils, répondit froidement le Tibère espagnol, était, comme toi, entaché d'hérésie, je l'abandonnerais au saint-office; et s'il n'y avait point de bourreau, je me ferais gloire d'en servir moi-même. Rien n'étonne, ajoute l'auteur, de la part d'un tyran farouche qui fit périr son fils, qui dénonça à l'inquisition le testament de son père, et qui, n'osant le flétrir directement, fit brûler Canilla, son prédicateur, condamna à une prison perpétuelle Constantin Ponce, son confesseur, et donna en 1609, à la sollicitation du saint-office, un édit qui bannit pour jamais les Maures de l'Espagne.

Cependant, dans une occasion, Philippe démentit la férocité de son caractère. Il y a quelquefois d'heureux mouvements dans l'ame des tyrans. Le supérieur de l'ordre de Saint-François fut convaincu d'avoir caché un criminel d'État pour le dérober à la justice. Ce monarque, ayant mandé ce religieux, lui dit d'une voix foudroyante: Qui a pu vous déterminer à soustraire ce criminel à ma justice? La charité, répond le père d'un ton simple et ingénu. Puisque la charité est son guide, elle sera aussi le mien, répondit Philippe.

J'étais depuis vingt jours enfermé dans ma geole pour les beaux yeux de la senora Angelica, lorsqu'enfin l'ordre de ma délivrance arriva de Madrid. Il était adressé au corrégidor, qui en fit prévenir don Inigo, en lui envoyant une lettre du comte d'Ossun à mon adresse. Don Inigo me l'apporta aussitôt, et me donna le premier cette heureuse nouvelle. La lettre de notre ambassadeur était très-aimable; mais il m'invitait à respecter, dans mon voyage, le saint-office, les moines et les beautés à marier. J'embrassai don Manuel, qui vit notre séparation avec regret; mais je lui promis, ainsi que don Inigo, de solliciter sa liberté.

Don Inigo me ramena chez lui suivi d'une foule nombreuse. C'était un vrai triomphe, une véritable ovation, à cela près que je ne montai pas au Capitole, en robe blanche bordée de pourpre.[158] Rosalie me reçut avec les caresses de l'amitié et les transports de la joie, et me dit en souriant: Ne vous arrêtez plus sous les balcons, et ne donnez plus de bagues aux jeunes demoiselles.

Ce jour fut dans la maison un jour de jubilation et de fête. Don Inigo avait rassemblé quelques amis pour célébrer ma délivrance. Je reçus de nombreuses visites d'un essaim de curieux qui me regardaient à peine avant cet événement. Il est triste d'acheter la célébrité par le malheur. On m'apprit que l'ardente Angélique avait, dans sa colère, dépouillé, brisé, pilé son saint Nicolas, pour le punir de son ingratitude ou de son impuissance. D'autre part, Rosalie, qui l'avait aussi imploré pour moi, le couvrit de fleurs, le vêtit d'un bel habit, et l'environna de bougies, pour le remercier de sa protection. Il paraît que saint Nicolas a favorisé le parti le plus juste; mais il a perdu probablement une pratique.

Dans ma prospérité je n'oubliai pas le poète du Toboso. On me conseilla, pour obtenir sa liberté, de m'adresser à la duchesse de Figueroas. Mais, dis-je, irai-je lui dénoncer les infidélités de son mari? — Oui, hardiment; elle est dans la confidence: cette Junon n'est point jalouse du grand Jupiter. De son côté, le duc voit du œil calme et philosophique les assiduités du comte de Mendoza auprès de sa femme. La plus douce harmonie règne dans ce ménage. Les deux époux vont à confesse tous les mois, ont auprès de leur lit un grand vase d'eau bénite pour chasser le diable; mais il paraît que la vertu de cette eau lustrale est sans effet sur le diable de l'amour.

J'allai donc chez la duchesse; je fus annoncé par un petit page en habit ecclésiastique. Cette sorte de pages se nomme *estudiante*; ils font leur séminaire dans ces grandes maisons, en attendant la prêtrise. Je trouvai la duchesse tressant une petite perruque blonde pour coiffer une statue d'argent qui représentait la *Madonne*. Un Persan ou un Chinois croirait qu'en Espagne la Vierge est la mère des amours. La duchesse fut étonnée de ma visite; mais quand elle sut que j'étais l'officier français persécuté par l'amour et la justice, son front se dérida, et elle m'accueillit avec la plus aimable urbanité. Je lui dis que je venais implorer ses bontés pour don Manuel Castillo, que le duc avait fait mettre en prison. Son crime, ajoutai-je, est d'aimer, et votre sexe doit de l'indulgence aux fautes de l'amour. — Don Manuel est un poète aimable, son talent mérite des égards, pourvu qu'il observe la convenance et le respect que l'on doit aux premières personnes de l'État; mais vous, monsieur le Français, vous avez été bien peu galant, ou plutôt vous avez traité dona Angelica Paular avec une extrême rigueur. — Madame, j'aime trop votre sexe pour ne pas le respecter; mais je ne me laisse pas prendre dans ses piéges. Je lui fis alors le récit de cette aventure, et je fus pleinement justifié. A l'égard de don Manuel, me dit-elle, il n'a qu'à faire des excuses au duc, qui lui pardonnera ses torts. — Jamais, madame, il n'obtiendra cette soumission d'un poète, et d'un poète espagnol. — Allons, je tâcherai de l'en faire dispenser; je parlerai au duc: prenez la peine de revenir demain à la même heure, et je vous manifesterai ses intentions. Elle me fit alors plusieurs questions sur la France; si les femmes avaient des amants. — Ce n'est pas, lui dis-je, d'une nécessité absolue; mais nombre d'elles ont des adorateurs, qu'on appelle les amis de la maison. — Mais ces amis jouissent-ils des mêmes droits que les époux? — Madame, pas toujours. — *Possibile!* s'écria-t-elle: et ces amis sont-ils fidèles, constants? — Constants, quelques-uns; de fidèles, très-peu. — Et les femmes ne se vengent pas? — Non, madame. — Et que font-elles donc? — Elles prennent patience. — *Valga me dios!* elles sont bien dupes! si un amant me trahissait, il ne mourrait que de ma main. Et vos dames vont-elles à confesse? — Quelques-unes à Pâques, une fois l'an. — Et pourquoi si rarement? — C'est que nos confesseurs ne sont pas indulgents, et que, pour avoir l'absolution, il faudrait renoncer à son ami. — Vos prêtres ne savent pas leur métier; les nôtres sont plus accommodants. Et vos maris sont-ils jaloux? — Très-peu dans la bonne compagnie. Le comte de Mendoza entra dans ce moment, et je sortis.

Le lendemain, je fus exact au rendez-vous. Les instances de la duchesse avaient adouci la colère du duc, qui promettait l'élargissement de don Manuel, s'il donnait sa parole de ne plus faire d'épigrammes contre lui, et s'il consentait à prêter le serment sur les reliques de Saint Vincent Ferrier, de s'absenter de Valence pendant deux ans. Je dis à la duchesse que j'allais proposer ces conditions à mon ami, et que j'espérais qu'elles seraient acceptées. Je comptais sur le succès de ma négociation; mais ce petit être fier et mutin ne voulait pas fléchir le genou devant l'idole et s'éloigner de Valence. La fierté espagnole était fortifiée par l'orgueil du poète; mais peu à peu la voix de la raison et de l'amitié calma son impétuosité, et j'achevai de le décider, en lui proposant de venir avec moi à Cordoue pour assister à ma noce. Je portai son consentement et sa promesse à la duchesse, et don Manuel sortit de prison. Nous allâmes aussitôt chez le duc, qui nous attendait pour la ratification du traité. On nous introduisit d'abord dans le cabinet de la duchesse, qui dit à don Manuel: Puisque vous êtes si galant, que vous avez le cœur si tendre, adressez-vous aux femmes mariées, plutôt qu'aux maîtresses de leurs maris. Le duc parut bientôt; il regarda le poète du haut de sa gloire, et après l'avoir salué d'une légère inclinaison de tête, il tira une petite boîte de sa poche, et lui dit: Cette boîte renferme un petit os de Saint Vincent Ferrier; jurez sur cette relique que de deux ans vous ne rentrerez dans cette ville, et priez le Saint d'exercer sur vous sa vengeance, si vous faussez votre serment. Alors don Manuel étendit la main sur la relique, et dit gravement: Je jure par Saint Vincent, par sa relique, de ne pas revenir de deux ans à Valence; et si je fausse mon serment, que ce grand saint se venge et me punisse comme impie et parjure. Le duc se retira après cette cérémonie, et m'engagea, ainsi que la duchesse, à venir les revoir; ce que je promis. Nous prîmes nos arrangements avec don Manuel pour partir dans six jours. Don Inigo et la tendre Rosalie me prièrent de leur accorder ce petit délai, pour voir les cérémonies que l'on fesait à la Toussaint pour la fête des Morts. Je cédai, malgré l'ardent désir que j'avais d'arriver à Cordoue.

La veille des Morts, la place fut garnie de bancs, chargée de volailles, de brebis, d'agneaux, de pigeons, de toutes sortes de comestibles; c'était le produit d'une quête faite à la ville et à la campagne en faveur des ames du purgatoire. Chacun donne suivant ses facultés ou sa dévotion. Des chasseurs pieux étaient allés à la chasse, et leur gibier fut pour les morts. Je demandai à une bonne femme si elle avait donné pour les ames. Jésus! Jésus! s'écria-t-elle, j'ai donné ma meilleure poule! Il faut bien avoir pitié de ces pauvres ames! Après la vente des comestibles, chacun porta des cierges sur la tombe de ses parents, parce que l'on est persuadé que, la veille des Morts, les ames font la procession autour des tombeaux: et celles qui n'ont pas de cierges, restent les bras croisés. Don Inigo me dit que dans beaucoup de maisons, le maître quittait son lit, le décorait, pour le céder aux ames errantes, et que cet usage régnait dans toute l'Espagne.

Le lendemain des Morts, allant déjeûner chez don Manuel, je fus abordé par un jeune homme aussi long, aussi décharné que feu don Quichotte; il était coiffé d'un grand chapeau à plumet, et traînait une longue épée. Monsieur l'officier français, me dit-il, d'un air grave et arrogant, savez-vous qui je suis? — Non, monsieur, je n'ai pas l'honneur de vous connaître. — Je me nomme don César et Alexandre Paular. — J'en suis bien aise. — Ma sœur Angélique et moi sommes aussi nobles que le roi. — C'est bien flatteur pour Sa Majesté: je vous en félicite. — Je viens vous demander si vous êtes décidé à ne pas l'épouser? — Oui, monsieur, très-décidé; je vous jure que je ne l'épouserai jamais. — Vous êtes un gavache, indigne d'être gentilhomme, et je vous ferai voir... — Nous sommes à deux pas de l'Alameda, lieu solitaire dans ce moment; allons-y, et vous me ferez voir tout ce que vous voudrez. — Monsieur, j'y serai dans une heure. C'est aujourd'hui dimanche, et je n'ai pas entendu la messe. — Et moi, je n'ai pas déjeûné; allez entendre la messe, j'irai boire du chocolat, et dans une heure je serai au rendez-vous.

J'allai passer cette heure chez mon ami du Toboso, à qui je célai cette affaire. Je me fortifiai l'estomac d'une ample tasse de chocolat; après quoi je me rendis à l'Alameda. J'y arrivai le premier; bientôt après parut mon homme, le chapeau enfoncé dans la tête, et le nez au vent.

L'Alameda était désert, tout le monde était à la grand'messe; il n'y avait qu'une vieille femme éloignée de nous de soixante pas. Dès que le seigneur César y Alexandro fut près de moi, il fit le signe de la croix, tira son épée, et la baisa, et nous voilà aux prises pour la belle Hélène, comme Achille et Hector. Mon ennemi se battait avec fureur, et moi avec tranquillité. La vieille femme, témoin du combat, jetait les hauts cris, appelant au secours, mais sans oser s'approcher, les hommes, la Vierge et les Saints. Ma courte épée ne pouvait atteindre mon adversaire, qui rompait souvent la mesure en me présentant sa longue rapière; enfin, impatienté, je lui donnai un si grand coup de fouet, que je la brisai. Don Alexandro, dans sa fureur, ne s'en aperçut pas; mais je l'en avertis, en baissant la pointe de la mienne. Eh bien, me dit-il, ce sera pour une autre fois. — Je suis à vos ordres; mais souvenez-vous bien que si je vous tue, je n'épouserai pas la senora votre sœur; et si vous me tuez, je ne reviendrai pas exprès de l'autre monde pour passer la nuit avec elle. Il me quitta en grommelant ces mots: *veremos, veremos* (nous verrons).

Je retournai chez don Inigo, à qui je confiai cette aventure. Il faut vous méfier, me dit-il, de cet homme; l'orgueil d'un hidalgo est implacable. — Je pars dans deux jours, et ce brave sans doute ne me poursuivra pas jusqu'à Cordoue. Le reste de cette journée, je n'eus aucune nouvelle de ce héros si chatouilleux sur l'honneur de sa famille. Mais ma destinée ressemblait à celle d'Ulysse: je ne sais quelle déesse me poursuivait, je ne devais pas encore revoir Itaque et Pénélope.

Don Inigo me dit: Demain, vous serez témoin des fiançailles d'un jeune homme, fils de mes amis. Les amants se conviennent, les parents sont d'accord, et ce soir nous accompagnerons le futur avec quelques amis devant la porte de sa belle.

A deux heures de nuit, nous allâmes joindre le prétendu, et nous partîmes de chez lui, escortés d'un troubadour, de nombre de musiciens, et de valets portant des flambeaux. Ce cortége arrivé, nous formâmes un cercle devant la maison, qui était parée de guirlandes de fleurs. L'amant s'approcha des fenêtres avec le troubadour qui chanta l'hymne de l'hymen. Dans ses vers, il peignait la constance du futur, l'excès de son amour, les charmes de son amante: sa taille était comparée au palmier; ses lèvres à l'incarnat du corail ou de la grenade; le feu de ses yeux au feu de l'éclair; sa légèreté à celle du faon; son caractère, sa douceur, à celle de la colombe; enfin cette beauté réunissait tous les dons, tous les attraits de la nature. La cantate finie, l'époux frappa trois ou quatre fois à la porte, en appelant la future par son nom; elle parut enfin, car l'usage est de se faire attendre, et dit: Que veut votre seigneurie? — C'est toi, c'est toi, ma bien-aimée, s'écria l'amant, dans l'ivresse de la joie; alors il commença à lui parler de la violence de sa passion, il l'invita à y répondre, en lui disant que tout est amour dans la nature, que tous les êtres respirent sa flamme. Le zéphir est amoureux des fleurs, le ruisseau murmure et soupire d'amour; tous les êtres doivent leur existence et leurs plaisirs à ce dieu. Le ciel, la terre et l'onde sont embrasés de son feu créateur; et il finit par la supplier de lui confier sa pensée, de lui ouvrir son cœur. Que puis-je vous répondre, dit cette amante, d'une voix faible et timide? Je suis encore bien jeune; va-t-on arracher la jeune colombe de son nid maternel, ou cueillir le bouton qui ne s'ouvre pas encore? D'ailleurs, puis-je te connaître? d'où viens-tu? qui es-tu? — Je m'appelle don Alonzo Murillo, fils de don Gabriel Murillo et de Theresa Liria.

Cependant, la décence ou la coutume exige que la future résiste encore quelque temps; enfin, touchée des prières de son amant, elle lui jeta la couronne de fleurs qui ornait sa tête. Il la reçut en lui jurant une fidélité éternelle. Aussitôt les musiciens firent entendre des chants d'allégresse, et les croisées étincelèrent de mille lumières. Ensuite les parents firent entrer le fiancé avec tout son cortége, et la cérémonie finit par un bal; on servit toute sorte de rafraîchissements, et tout le voisinage retentit de cris d'allégresse, du bruit des boîtes, des pétards et des feux d'artifice. La fête ne finit qu'au lever du soleil.

Tout était arrêté pour notre départ du lendemain; don Manuel avait dîné chez don Inigo, et le soir j'allai le reconduire jusqu'à son auberge, où je restai quelque temps. En revenant au logis, j'aperçus dans la rue, au faible rayon du crépuscule mourant, la ville à cette époque n'étant pas encore éclairée, trois hommes adossés contre le mur d'une maison, cachés sous l'ombre d'un balcon, et enveloppés de leurs capes. Je m'en méfiai; je tirai mon épée, et la mis sous le bras. Je m'avançai, marchant de l'autre coté de la rue, l'oreille et l'œil bien ouverts. J'entends alors l'un deux qui dit: *A qui esta el traidor* (voici le traître)! Et aussitôt tous les trois fondent sur moi l'épée à la main; je me range contre un mur et soutiens un combat fort inégal. Je ne songeais qu'à parer les coups sans chercher à en porter, de peur de me découvrir; cependant un de ces sicaires, enhardi, s'avance, me serre de plus près; animé à mon tour, je m'élance sur lui, et lui plonge mon épée dans le ventre; au même instant je reçois une blessure considérable dans le flanc gauche; je ne sentis point le coup, et combattis avec la même ardeur: heureusement pour moi celui que j'avais blessé tomba en implorant le secours de ses complices, qui le relevèrent et s'enfuirent avec lui. Resté seul, je vois jaillir mon sang; je couvre la plaie de mon mouchoir, et me traîne dans la rue solitaire, en m'appuyant sur le mur des maisons; mais je ne pus me soutenir plus long-temps, je me sentis prêt à défaillir: je m'assis sur le seuil d'une porte, m'abandonnant à la Providence, et je m'évanouis. Par bonheur un homme passa avec une lanterne, me vit, vint à moi, et me rappela à la vie avec une eau spiritueuse. C'était un chirurgien; il frappa à la porte d'une maison voisine, fit apporter de la lumière, banda ma blessure, et, aidé du domestique de cette maison, me traîna chez don Inigo. Quel fut son saisissement et son effroi lorsqu'il me vit tout pâle, sans force et presque sans vie! La tendre Rosalie, que ce bruit avait attirée, se trouva mal. Autre embarras. Son père vola à son secours, en me recommandant au chirurgien, qui m'étendit à terre sur un matelas, sonda et pensa ma plaie, et assura qu'elle n'était pas dangereuse, ce qui répandit la joie dans la maison. On me porta dans mon lit, où je dormis quelques heures. A mon réveil, je vis auprès de moi don Inigo et don Manuel qui, après bien des caresses, m'ordonnèrent le silence. Le chirurgien revint dans la matinée, leva le premier appareil, et, tout joyeux, promit une guérison prochaine. A cette nouvelle don Manuel s'écria: *L'arme di poltroni no tagliono no ferano.*[159] Ces deux amis ne quittèrent plus ma chambre. Dona Rosalia préparait mes tisanes, me donnait mes bouillons. Quand je la remerciais, elle me disait: Je voudrais être homme pour rester toujours auprès de vous. Don Inigo m'apprit que presque toute la ville s'intéressait à ma santé, et envoyait savoir de mes nouvelles, et qu'on ne m'appelait que le *guapo* (le brave). On est indigné, me dit-il, contre vos assassins: les Espagnols n'aiment pas les lâches. Il ajouta que tous les soupçons tombaient sur don Alexandro Paular, qui ne paraissait plus; et l'on avait découvert qu'un chirurgien entrait tous les soirs mystérieusement dans sa maison, que c'était lui probablement que j'avais blessé. Don Inigo me proposa de le poursuivre devant les tribunaux, m'offrant son appui et le crédit de ses amis; mais je dédaignai cette vengeance.

Je reçus de don Pacheco une lettre en réponse à celle que je lui avais écrite de la prison. Il me disait:

«Séraphine vous grondera d'avoir donné une bague à l'amoureuse Angélique; elle est en colère comme une poule à qui l'on a ravi ses petits. On verra plutôt un courtisan véridique, un ministre sans orgueil, un marchand plein de bonne foi, un poète modeste, qu'une femme sans jalousie. Quant à moi, je vous excuse: je suis indulgent pour les fautes dont je me sens capable, et j'aurais voulu être surpris, comme Mars, dans les filets de Vulcain. Adieu, grand capitaine; les héros ont le cœur fait pour la gloire et l'amour. Venez en diligence, au sortir de votre noir domicile, implorer votre grâce aux pieds de ma fille. *Que Dios te bendiga.*»

Dès que je pus lui écrire, je l'informai du triste événement qui retardait encore mon voyage; mais je brûle, lui disais-je, d'être aux genoux de la belle Séraphine, et je partirai dès que je pourrai supporter la voiture. Quinze jours suffirent pour mon rétablissement, et mon départ fut fixé irrévocablement au 25 novembre, jour de sainte Catherine, patronne des philosophes et des jeunes filles.

J'allai chez la duchesse de Figueroas pour la remercier de l'intérêt qu'elle avait daigné prendre à ma santé (elle avait envoyé souvent demander de mes nouvelles); je fus refusé: elle était dans les pleurs et le désespoir; son cher comte Mendoza était dangereusement malade, et pour intéresser Dieu et la *Madonne* à la santé de son amant, elle fit le terrible vœu de vivre désormais avec lui aussi chastement, avec la même continence qu'observait le bienheureux Robert d'Arbissel au milieu de deux filles du Seigneur, qui partageaient sa couche. Ce vœu a sauvé le comte, du moins on le présume; mais on ignore si la duchesse a tenu sa parole.

La veille de mon départ je trouvai l'aimable Rosalie dans une tristesse profonde; je lui en demandai la cause. Je ne sais, me dit-elle; je ne suis pas heureuse; la mélancolie est dans mon cœur: votre présence, votre amitié la dissipaient, y versaient quelque consolation; mais vous nous quittez, je n'aimerai plus rien. — Vous avez un père. — Je l'aime tendrement; mais il me reste encore un vide dans l'ame que nul être n'occupe. Je vous quitte, lui dis-je, avec un vif regret; mais l'amitié nous reste, et ce sentiment, plus solide que l'amour, ne s'attiédit pas dans l'éloignement.

Enfin parut le jour craint et désiré; don Manuel et moi sortîmes de Valence, à huit heures du matin, accompagnés de don Inigo et de sa fille, qui firent avec nous près d'une lieue. Notre entretien, les promesses de nous écrire, de nous revoir, furent souvent interrompus par des soupirs et des moments de silence; chacun de nous rêvait; Rosalie s'efforçait de retenir ses larmes. Quand il fallut nous séparer, nous nous embrassâmes le cœur serré et l'œil baigné de pleurs. Rosalie me dit en sanglotant: Je souhaite que Séraphine fasse votre bonheur et vous aime autant que vous méritez de l'être. Je lui donnai la médaille bénite dont m'avaient fait présent les bénédictins du mont Serrat. Elle me dit: Elle sera toujours sur mon cœur. Don Inigo ajouta en me pressant dans ses bras: Songez, dans tous les moments de votre vie, que vous avez à Valence un bon ami et un père tendre.

Nous montâmes dans notre calezino, et prîmes le chemin d'Alicante. Je restai long-temps rêveur et silencieux. Don Manuel était aussi très-préoccupé, quand tout-à-coup il s'écria: M'y voilà, c'est fait, Apollon m'inspire; écoutez-moi:

Adieu, plaisirs, bonheur; adieu, ma bien aimée.

Chère Clara, je pars en maudissant le jour;

Je pars, et mon ame enflammée

Ne sent, ne voit, ne respire qu'amour.

Le deuil règne dans la nature;

Le front du dieu du jour et s'attriste et pâlit;

Les champs sont dépouillés de leur riche verdure;

Philomèle est sans voix, la rose se flétrit.

Ah! fussé-je aux bornes du monde,

Sous la zône des noirs frimas,

Et qu'une mer vaste et profonde

M'eût séparé de tes appas,

Oui, j'en jure par Cythérée,

Par tes beaux yeux, par les amours,

Mon ame, où tu vis adorée,

Autour de toi sera toujours:

Et si parfois sous le feuillage,

En promenant ton doux loisir,

Ton cœur entend quelque soupir,

Dis aussitôt, c'est lui, je gage;

Son ame est là sous cet ombrage,

C'est elle que j'entends gémir.

Eh bien, comment trouvez-vous mes vers? — Excellents pour un impromptu. Apollon est le grand consolateur des poètes. — Oui, cessons de nous affliger; n'imitons pas saint Jérôme, qui regrettait toujours les délices de Rome, et voyait dans les airs son immense figure. Pour vous égayer, je vais vous conter ce qui m'est arrivé hier matin. J'ai eu le plaisir de faire baiser ma main à mon rival, au duc de Figueroas. — Et comment avez-vous opéré ce prodige? — J'ai fait parvenir un billet à dona Clara, où je la suppliais de m'accorder un rendez-vous pour lui faire mes adieux, et jouir encore une fois du bonheur de la voir. Pour faciliter cette entrevue, je lui ai proposé de se rendre, sous prétexte de confession, à dix heures du matin à l'église des dominicains, où je serais caché dans un confessionnal, revêtu de l'habit de l'ordre. Dona Clara, trouvant le rendez-vous très-plaisant, y est venue en basquine, enveloppée de sa mante, un rosaire enrichi de petites croix et de reliquaires, attaché à son bras.[160] Arrivée à l'église, elle a entrevu le révérend père don Manuel de Castillo dans sa niche. Là je lui ai donné, au nom de l'amour et de Magdeleine, l'absolution de ses jolis péchés, et je lui ai pardonné, parce qu'elle avait beaucoup aimé, comme a dit notre Sauveur, en parlant d'elle. Je l'ai exhortée à la constance, et lui ai promis l'immortalité dans mes vers. Nous nous fesions les plus tendres adieux, nous nous jurions un amour éternel, lorsque le duc, agité par la jalousie, comme la nymphe Io l'était par le taon que Junon avait détaché contre elle, présenta sa triste figure devant le confessionnal. Il venait voir si dona Clara ne l'avait point trompé. Rassuré par sa présence, et édifié de sa piété, il s'est mis à genoux auprès d'elle, et a récité son rosaire, en attendant la fin de la confession. Mais j'avais résolu d'exercer sa patience: la tête enfoncée dans mon capuce, je retenais ma belle pénitente par des contes et des propos galants. Cependant le duc tirait sa montre à chaque minute, crachait, toussait, pour avertir dona Clara de son impatience; mais plus il s'agitait, plus je prolongeais l'entretien. Il fallut pourtant finir; dona Clara sortit du confessionnal l'œil baissé, et le visage empreint de dévotion. J'alongeai ma main pour la lui donner à baiser, ce qu'elle fit, et le duc, que je saluai de cette même main, s'empressa de jouir de la même faveur. — Mon cher, le tour est plaisant; mais je vois avec regret que votre amour pour les femmes vous fermera les portes du paradis. — Pourquoi? Saint Augustin les aima autant que moi; il convient que dans son enfance il fuyait l'école comme la peste; que dans sa jeunesse il n'aimait que le jeu et les spectacles: il fut manichéen, bel esprit, et toujours suivi d'une concubine: cependant il s'est converti, il est mort saint, et j'espère mourir comme lui, tout converti, tout sanctifié.

Quoique novembre fût à son déclin, la terre avait encore conservé sa parure. Un soleil brillant et doux y versait sa lumière. *O fortunatos nimium*... Trop heureux Espagnols, m'écriai-je, vous habitez le jardin des délices; mais, trop accoutumés à la beauté de votre ciel, vous en jouissez avec la même indifférence que les Lucullus jouissent du faste de leurs palais! Mais moi, qui me rappelais mes campagnes d'Allemagne, lorsque je bivouaquais ou marchais au milieu des neiges et des frimas, je sentais mon ame se dilater, s'épanouir; j'acquérais de nouvelles sensations, je jouissais d'une plénitude de vie; je trouvais doux d'enlever son hiver à l'année, et des jours de deuil et de peine à mon existence.

Après avoir traversé une campagne riante de verdure et de fleurs, nous nous trouvâmes au milieu de rochers arides et sourcilleux, dont l'horrible aspect fatigue encore plus le voyageur que l'aspérité du chemin; mais la plaine de Saint-Philippe nous réconcilia avec la nature. La terre s'embellissait à l'approche de cette ville. Nous mîmes pied à terre pour jouir d'une promenade charmante, passer le pont de la Veuve, élevé sur un torrent. Don Manuel me conta l'origine de cette dénomination. Un jeune homme, pressé d'arriver à Saint-Philippe, où l'attendaient l'hymen et l'amour, trouvant le torrent enflé par les pluies, s'y jeta avec intrépidité; et cet infortuné périt, comme Léandre, par un excès d'amour, englouti par les flots. Sa mère, au désespoir, mais dont la douleur n'épuisait pas la sensibilité, fit construire ce pont pour prévenir à jamais un si cruel malheur. Cette femme, lui dis-je, méritait la couronne civique. J'aimerais mieux avoir fait élever ce pont, que la colonne Trajane.

Saint-Philippe est bâti sur une hauteur, et contient environ quatre mille ames. Cette ville se nommait *Xativa* lorsque Philippe V l'assiéga au commencement du dix-huitième siècle. Ce prince, irrité de sa longue résistance, la détruisit, et la releva ensuite sous le nom de Saint-Philippe.[161] Nous allâmes coucher à Almanza. En traversant la plaine qui y conduit, je considérais avec une espèce de saisissement ce champ fameux par la victoire que le maréchal de Barwick y avait remportée sur milord Gallowai, victoire qui affermit le trône de Philippe V. La tradition orale du pays porte que les premières années qui suivirent cette bataille furent d'une fertilité étonnante. La nature profite de tout; et pour elle l'homme, le reptile, l'insecte et tous les animaux ne sont qu'une même poussière. La *posada* de cette ville paraissait plutôt le repaire des ours, qu'une habitation de l'homme. Nous n'avions, pour tout asile, qu'une cuisine enfumée, où nous étions entourés de chats et de chiens. Crébillon le Tragique aurait trouvé cette société très-agréable. Don Manuel prétendait que c'étaient les ames des soldats tués à la bataille d'Almanza qui animaient ces bêtes domestiques, sans quoi, disait-il, elles seraient bien moins nombreuses. L'hôte de ce détestable gîte nous fit payer, avec le logement (*el ruido de la casa*), le bruit que nous avions fait dans la maison, et nous payâmes ce bruit assez chèrement.

Nous arrivâmes sans encombre à la *huerta* d'Alicante, qui commence à une demi-lieue de la ville. Je fus frappé de la beauté de cette vallée, environnée de tous côtés de montagnes pittoresques qui l'abritaient contre les vents du nord. J'admirais l'heureux mélange des vignes, des orangers et des figuiers, du blé, de toutes sortes de légumes, et des prés artificiels. Cette *huerta* est parsemée d'une infinité de maisons de campagne, et sa population s'élève à douze mille ames. Elle produit, année commune, deux cent vingt-deux mille huit cent quatre-vingt-huit cantaros de vin, et beaucoup de soie, de blé, d'amandes, d'huile, de figues, de carrouges, de légumes et de fruits. Don Manuel prétendait que Dieu aurait dû placer le premier homme et sa femme dans ce jardin de volupté, plutôt que dans celui d'Éden, trop vaste, trop étendu pour être cultivé par un seul homme. La ville ne répond pas à la magnificence de cette vallée. Les rues en sont irrégulières; sa population est environ de dix-neuf à vingt mille ames.

Le lendemain de notre arrivée nous allâmes au point du jour voir une immense citerne nommée *el Pontano*, située à quatre lieues de la ville, entre deux montagnes. C'est le rendez-vous des eaux de toutes les collines voisines, une espèce de lac mœris, dont les eaux peuvent servir à l'arrosement de la campagne pendant une année entière. Ces eaux fertilisent la *huerta*. Nous jouîmes, à notre retour, d'un sermon qu'un moine, monté sur un tréteau, prêchait dans la place, entouré d'une foule nombreuse; il s'agitait, se frappait la poitrine, se donnait des soufflets; et, à son exemple, la plupart des auditeurs se souffletaient aussi, ce qui produisait un spectacle bruyant et très-bizarre. Ce sermoneur disait: «Oui, mes frères, l'homme est le feu; la femme, l'étoupe; et le diable, le vent. Vous savez, s'écria-t-il d'une voix de Stentor, et si vous ne le savez pas, je vous l'apprends, que Satan transporta un jour notre Seigneur J. C. sur une haute montagne, d'où l'on découvrait la France, l'Angleterre et l'Italie, lui en promettant la possession s'il voulait l'adorer. Par bonheur pour le fils de Dieu, les Pyrénées lui cachèrent l'Espagne, sans quoi, la vue d'un si beau pays aurait pu le tenter.» Ensuite, en parlant de je ne sais quel saint, il dit: «Savez-vous pourquoi il est mort au printemps de ses jours? C'est que J. C. voyait d'un œil jaloux que ce saint, quoique jeune encore, avait déjà fait plus de miracles que lui.» Après quoi, *ex abrupto*, il s'écria: «Adam a péché; ses enfants et ses petits-enfants n'ont pas été meilleurs chrétiens: Dieu d'abord a pris patience; il a même poussé la bonté jusqu'à emprunter la misérable figure de l'homme: mais les juifs et les païens n'ont pas voulu reconnaître sa divinité. Eh quoi, grand Dieu! tu dors comme Brutus! *Exurge Domine, et judica causam tuam.*[162] Mais, Seigneur, n'avez-vous pas des ennemis aussi coupables que les juifs, les hérétiques et les musulmans? Oui, me répond le Sauveur; mais les juifs, les hérétiques et les musulmans sont les seuls ennemis que j'abhorre, parce qu'ils m'attaquent dans ma réputation, dans mon honneur et ma gloire.» Ce prêcheur éloquent finit son sermon par fulminer des malédictions et des anathêmes contre ceux qui ne donneraient rien à la quête qu'il allait faire pour le couvent.

En revenant à notre *posada*, don Manuel me dit que, si je voulais séjourner le lendemain, il irait prêcher sur la place. — Vous voulez donc vous faire lapider? — On ne lapide pas un homme revêtu d'un habit religieux. — Où le prendrez-vous? — N'ai-je pas mon habit de jacobin? je ne voyage jamais sans ce talisman, qui attire l'argent et le respect des fidèles. Je combattis vainement ce projet périlleux; il insista, et je cédai, curieux de le voir métamorphosé en prédicateur. Il tint parole. Le lendemain matin, affublé d'un froc, il se rendit à la place. Je le suis. Il monte sur les tréteaux; on accourt, on l'environne, et le voilà qui se démène, se bat la poitrine, en s'écriant: «Mes frères, Dieu est juste et miséricordieux; mais il a bien peu d'amis parmi vous. Vous écoutez les inspirations du diable. Je vois d'ici des femmes qui aiment les hommes; et quand une femme est amoureuse, on peut bien dire qu'elle a le diable dans le corps. J'aperçois des hommes livrés aux vices, à la vengeance, des usuriers cachés sous une mine hypocrite, des maris qui maltraitent leurs femmes, des femmes qui trompent leurs maris; je vois des marchands menteurs et fripons, des aubergistes qui écorchent les pauvres voyageurs; je vois partout la face du péché. *Unus erat toto naturæ vultus in orbe*, dit le Psalmiste.[163] Écoutez, écoutez, mes frères, ce qui arriva à un de ces loups affamés, je parle des hôteliers. Un saint évêque, en voyage, devait aller coucher à Pampelune. L'aubergiste, qui l'attendait, se réjouissait d'avance, non du bonheur d'avoir un saint évêque dans son logis, non des bénédictions qu'il y laisserait, mais de l'argent qu'il y dépenserait. En conséquence il tua, prépara force poulets, canards et dindons; fil balayer, nettoyer ses chambres, son écurie; et à l'heure où le prélat devait arriver, il courut au-devant de lui. Mais quel fut son étonnement! Le saint n'avait pour cortége que trois ânes et deux ecclésiastiques, et ne demanda, pour son souper, que deux plats de légumes! Quelle chute! quel chagrin pour l'avide hôtelier! Mais il voulut se dédommager de la parcimonie de l'évêque, en l'obligeant à faire un long séjour dans son auberge: il coupa dans la nuit la tête des trois ânes. Quels furent l'horreur et la surprise des deux ecclésiastiques, lorsqu'à la pointe du jour ils virent dans l'écurie leurs chers compagnons de voyage étendus par terre, et leurs têtes sanglantes séparées de leurs corps! Ils courent porter cette affreuse nouvelle au saint prélat, qui, loin de se courroucer, calma leur désespoir. Il mande l'aubergiste, descend avec lui dans l'écurie, et lui ordonne de coudre les têtes des ânes à chaque cadavre, et voulut, pour rendre le miracle plus éclatant, que chaque tête fût attachée à un autre corps que le sien.

»Le travail achevé, le saint fit le signe de la croix sur les défunts, qui aussitôt se mirent à braire, et à demander à manger. Ce miracle, mes chers auditeurs, vous étonne; peut-être même vous ne le croyez pas. Mais moi, je n'en doute point, et je le crois parce que je le crois, et que je dis, comme Saint Augustin, je le crois parce qu'il est absurde, parce qu'il est impossible.» Tous les auditeurs attentifs, bouche béante, admiraient l'éloquence du prêcheur, et la grandeur du miracle. Pour moi, j'admirais la facilité et l'audace du poète du Toboso. De temps en temps nos regards se rencontraient, mais malgré notre envie de rire, nous conservions notre gravité. Il parla ensuite de Magdeleine et de son repentir. «Femmes qui m'écoutez, s'écria-t-il, vous avez péché comme Magdeleine, qui avait sept démons dans le corps: J. C. les chassa tous; mais il n'a pas chassé ceux qui habitent dans le vôtre; je vous vois prêtes à recommencer vos folies. Savez-vous pourquoi Dieu pardonna à Magdeleine? Parce qu'elle eut le repentir, parce qu'elle avait des yeux bleus et charmants, et qu'elle était belle et bien faite; mais vous, femmes d'ici, quels rapports avez-vous avec cette aimable juive? Vous repentez-vous comme elle? êtes-vous belles? êtes-vous jeunes? Non. Eh bien, ne péchez plus, ou l'ange de Satan, comme dit Saint Chrysostôme, viendra vous appliquer des soufflets, ainsi qu'à Saint Paul. Mes frères, croyez-moi, changez de vie, repoussez Satan; femmes, renoncez aux hommes; hommes, fuyez les femmes; gardez vos affections, votre chaleur, pour Dieu: ne le voyez-vous pas dans les airs sur son trône d'or, entouré de ses anges et des onze mille vierges? Si une d'elles crachait une seule fois dans la mer, le miel de sa salive en dessalerait les eaux. Vous ne voyez rien de tout cela, dites-vous, quoique vous ayez le nez en l'air; mais, moi, je le vois. Grâce, grâce, Dieu tout-puissant; retenez votre foudre, ces pécheurs se repentent. Allons, mettons-nous à genoux, et chantons le *pange lingua*.» Aussitôt il entonne cette hymne d'une voix sonore, l'auditoire la chante avec lui. Lorsqu'elle fut finie, don Manuel leur dit: «Or ça, mes chers auditeurs, vous donnez votre parole à J. C. de vivre désormais plus saintement. Je la reçois pour lui, et vous donne en son nom et celui du père et du Saint-Esprit, sa sainte bénédiction.» Alors il alongea le bras, et bénit l'assemblée, qui reçut la bénédiction, à genoux. «Encore un mot, s'écria-t-il: je ne suivrai point l'usage de mes confrères, qui, en vous renvoyant, descendent de la chaire pour faire une quête; non, j'y renonce, *abrenuntio satanam*. Si vous ayez de l'argent, gardez le pour acheter du pain et des habits à vous et à vos enfants. Notre couvent est assez riche: nous avons bon vin, bonne table, excellent appétit, rien ne nous manque; ainsi, je vous le répète, conservez votre argent pour vous et votre famille.» Après ce discours, il descendit de son tréteau, se glissa dans la foule, et courut à la posada, se dépouiller de son vêtement sacré. Je restai au milieu de la tourbe plus étonnée encore de son désintéressement que de son éloquence. On s'écriait: Le grand homme! c'est un saint: il ne ressemble pas aux autres moines, qui aiment notre argent encore plus que notre salut. Je jouissais de cette admiration et du succès du prédicateur. Mais il fallut bientôt songer à la retraite. Le bruit de ce sermon était parvenu jusqu'au couvent des dominicains. Ils envoyèrent aussitôt deux de leurs pères sur la place, pour prendre des informations sur le sermoneur qui avait osé les insulter, et conseiller au peuple de garder son argent. Je m'approchai d'eux, et j'entendis qu'ils disaient que ce moine était un imposteur, et qu'ils allaient le faire arrêter par los *familiares* du saint-office. A cette nouvelle, tremblant pour le poète-prédicateur, je cours à la posada; je le trouvai vis-à-vis d'une bouteille de vin et d'une tranche de jambon, dont il restaurait son estomac fatigué de sa prédication. Je lui criai aussitôt: Partez soudain, le saint-office avec ses familiers est à vos trousses. Je vous suivrai avec la voiture. Don Manuel, effrayé, et croyant voir après lui les trois furies de l'enfer, laissa son déjeûner, et s'enfuit d'un pas rapide, le nez enveloppé dans sa cape. Je le suivis bientôt, et quand je l'atteignis, il avait déjà fait bien du chemin. *Timor ministrat alas.* Il était fort content de son sermon, et surtout d'avoir échappé à la vengeance monacale.

A deux lieues d'Alicante, nous entrâmes dans une forêt de palmiers; et comme la peur avait précipité notre départ, et empêché notre dîné, nous nous arrêtâmes pour manger un vieux coq bouilli, que l'aubergiste avait déshonoré, en le donnant pour un chapon. Nous l'étendîmes sur le gazon, dans son enveloppe de papier, et nous l'attaquâmes avec courage; mais il résistait à nos couteaux et à nos dents. — Je crois, disait don Manuel, que c'est le coq d'immortelle mémoire, que Socrate mourant voulait sacrifier à Esculape, ou plutôt je présume que l'ame d'un vieux dominicain a animé le Corps de ce chantre de l'aurore. Heureusement une bouteille de vin *Tinto*, et du pain frais d'Alicante fort blanc et très-bon, nous dédommagèrent et consolèrent notre appétit.

La côte d'Orihuela, où nous étions, est le séjour du printemps, l'asile de la fertilité. Assis sur le gazon, nous jouissions de l'aspect de cette belle nature, de la sérénité du jour; tout-à-coup le génie de don Manuel s'enflamme; il improvise, il s'écrie avec Virgile: *Salve magna parens frugum.* Il fait descendre de l'Olympe Vénus et les amours; il leur bâtit un temple, il y place une chapelle pour dona Clara, dont il sera le grand-prêtre. Tous les jours, la tête couronnée de fleurs, il portera à son autel deux colombes plus blanches que la neige, et il brûlera et l'encens et la mirrhe. Il finit par prier les dieux de laisser errer son ame, après sa mort, dans la belle Andalousie. Quand cette vapeur poétique fut dissipée, nous continuâmes notre route, fort gais, surtout riant beaucoup du miracle des trois ânes ressuscités, et de la colère des révérends pères jacobins. Nous marchions dans des allées verdoyantes, coupées par de petits ruisseaux roulant et murmurant sur des cailloux. Les environs d'Elche sont la Terre promise, l'Éden des Arabes; on y respire l'air le plus doux; la terre est couverte de mûriers, de toutes sortes d'arbres, surtout de dattiers: c'est le grand palmier; cet arbre a cent vingt pieds de haut; les grappes du fruit, du poids de vingt à vingt-cinq livres, sont suspendues à la cime de l'arbre, et lui forment une couronne. Ces palmiers, aux environs d'Elche et d'Alicante, sont au nombre de trente-cinq mille, d'autres disent cinquante mille; ils produisent chacun quatre arrobes de dattes (cent livres), mais inférieures en qualité à celles du Levant.

Nous couchâmes à Elche. Nous y trouvâmes un négociant de cette ville, domicilié à Cadix. Cet homme, instruit et fort aimable, fit, au souper, presque tous les frais de la conversation. Elche, nous dit-il, était, du temps des Maures, la patrie des arts, des lettres et du plaisir. Hercule passa par cette ville, en revenant de Cadix, où il avait vaincu le géant Géryon, monstre à trois corps. Il vaudrait mieux, lui dis-je, que ce héros revînt en Espagne pour terrasser le monstre de l'inquisition. Ce négociant nous parla ensuite des anciennes richesses de l'Ibérie; les Phéniciens, dit-il, qui, les premiers, la découvrirent, y trouvèrent une telle abondance d'argent, que les meubles les plus communs étaient de ce métal: ils en remplirent leurs vaisseaux, et firent des ancres de celui qu'ils ne purent emporter. Ils donnaient en échange des quincailleries, et d'autres bagatelles.[164] On croit que c'est dans la riche Hespérie que les rois de Juda venaient puiser leurs richesses. Quand Scipion l'Africain s'empara de Carthagène, à la seconde guerre punique, il y trouva deux cent soixante-seize tasses d'or, d'une livre de poids, dix-huit mille trois cents pesant d'argent monnayé, et un nombre infini de vases de même métal, et des provisions immenses. Convenez, monsieur, lui dis-je, que votre pays a subi le sort du Xanthe, ou du fleuve Scamandre, qui coulaient jadis des eaux abondantes, et qui aujourd'hui traînent à peine un filet d'eau. — J'en conviens, les eaux fécondes du Mexique et du Pérou traversent notre pays, mais ne s'y arrêtent pas. Après cette conversation, et beaucoup de témoignages de bienveillance, nous nous séparâmes d'avec ce négociant pour nous oublier à jamais.

Après Orihuela nous trouvâmes un vaste champ qui n'offrait que des figuiers d'Inde, arbre triste et monotone; mais l'insipidité de ce tableau nous fit bien mieux sentir la beauté des environs de Murcie. Pendant une lieue on se promène dans des allées d'orangers et de citronniers, sur lesquelles serpentent des ruisseaux sur des tapis de verdure et de fleurs. Nous fîmes le chemin à pied. Le soleil couchant mêlait l'ombre à l'or de ses rayons, et ajoutait un nouvel éclat à la beauté de la campagne. Eh bien, me disait le poète du Toboso, ne préféreriez-vous pas une chaumière ici, au plus beau palais dans votre triste climat de Paris? L'ame, comme les fleurs et les végétaux, s'épanouit, se vivifie aux rayons des beaux jours. Pour moi, je ne voudrais pas exister au-delà du quarantième degré de latitude, et je pense que les climats les plus favorables à la santé et au bonheur sont entre le trente et quarantième degré. — Mon cher poète, pour toute réponse, je vous conterai que des hommes de Tobolsk, députés à Pétersbourg, étaient étonnés que l'Empereur préférât le climat de cette ville au beau climat de la Sibérie.

A Murcie, nous ne trouvâmes d'autre gîte que la posada d'un Bohémien, qui ressemblait à la hutte d'un Hottentot. — Tranquillisez-vous, me dit don Manuel; par la barbe du Père Éternel, nous ne coucherons pas dans cette tanière. Il endossa aussitôt son vêtement monacal, qu'il pouvait appeler son habit de bonne fortune, et sortit en me recommandant de l'attendre avec la même patience que les Hébreux attendent le prophète Élie.

Il revint au bout d'une heure, en me disant: Allons, quittez votre uniforme, et prenez ma cape; nous allons souper et coucher chez dona Pepa Cascadilla, une veuve de quarante ans, et qui jouit d'une fortune aisée. N'oubliez pas que vous êtes mon frère. — Pourquoi cela? — Marchons; les éclaircissements viendront après. Je le suis très-étonné. Nous arrivons dans une maison fort jolie; une jeune servante nous conduit dans une chambre à deux lits; les murs étaient ornés de glaces étroites et longues; les crucifix, les images de la *Madonne*, remplissaient les intervalles. Les matelas étaient étendus sur des nattes, que l'on repliait dans la journée, ainsi que les matelas. Entre les deux lits on avait pratiqué une petite niche qu'occupait *el senor San Joseph*. Ce saint était paré d'un habit de soie bleu; avait des manchettes et un collier de perles, où était attachée une croix en pierreries. Cinq lampes allumées entouraient la niche; une seule ordinairement éclaire le saint, excepté les jours de fêtes. Dès que nous fûmes installés, la servante Beatrix, portrait vivant de la sybille de Cumes, nous apporta du chocolat, des biscuits et de l'*azucar esponjado*. Tandis que nous savourions cette collation, en nous regardant l'un et l'autre, nous vîmes entrer la senora Pepa Cascadilla, qui nous salua d'un *ave Maria purissima*; nous répondîmes: *sine peccado concebida*. Dona Cascadilla pouvait avoir quatre pieds et demi de hauteur, et, chose rare pour une Espagnole, elle était douée d'un embonpoint qui la transformait en une petite tour ambulante. Elle avait de petits yeux, un visage rond, frais et coloré comme une pomme. En entrant elle baisa la main du révérend père don Manuel, qui me présenta comme son frère. L'aimable veuve me sourit et me félicita d'avoir un frère si pieux, si vénérable, et qui daignait attirer sur sa maison les bénédictions du Ciel. Elle nous quitta pour aller donner des ordres et pour laisser au père don Manuel le temps de réciter son bréviaire, qu'il n'avait pu dire dans la journée. Elle lui demanda la permission d'admettre à son souper dona Elvira, sa bonne amie. — Est-ce une femme attachée à la religion et aux moines qui en sont les colonnes, demanda le jacobin don Manuel? — Oui, elle se confesse toutes les semaines, jeûne tous les vendredis, récite trois rosaires par jour, et ne reçoit chez elle que des moines. — Je vois que c'est une femme selon le cœur de Dieu, et qui ne sera pas déplacée avec nous. — Je vais, dit dona Pepa, vous envoyer Beatrix, c'était la vieille, pourvous servir et arranger votre chambre. — Non, je vous prie, envoyez-moi Anne: c'était la jeune; la vue de Beatrix me perce l'ame; elle ressemble singulièrement à ma tante Hécube, morte, hélas! depuis peu de temps, après avoir perdu ses enfants, et avoir vu sa maison brûlée; et ce qui m'afflige le plus, c'est qu'elle est morte sans confession. Elle a été bien malheureuse; je l'aimais tendrement, et la plaie est encore trop récente pour m'accoutumer au visage de Beatrix.

Dès que nous fûmes tête-à-tête avec don Manuel, nous partîmes d'un grand éclat de rire. Par Jupiter ou Saint François, s'écria-t-il, avouez que je vous ai procuré un bon gîte. Vertu du froc! cet habit est la corne d'abondance; quand on le porte, ont est assuré de vivre agréablement dans ce monde, et d'être bien reçu dans l'autre. — J'admire encore plus les ressources de votre esprit que la vertu de votre vêtement. Par quel trait de génie votre paternité[165] a-t-elle pu capter l'ame dévote de dona Cascadilla? Aviez-vous, comme le jeune Tobie, un ange qui vous conduisait? avez-vous frotté les yeux de cette femme avec du fiel de poisson? — Je m'en serais bien gardé, il ne faut pas que les femmes aient les yeux trop ouverts; mais voici ce que mon bon ange ou mon bon génie m'a inspiré.

Après vous avoir quitté, semblable au renard qui guette sa proie, j'ai aperçu cette maison, dont l'extérieur annonce l'aisance du maître. Voilà, ai-je dit, *in petto*, un gîte qui nous conviendrait. Je suis entré chez un boulanger voisin, et je lui ai demandé quel était le maître de cette maison. — C'est dona Pepa Cascadilla, veuve, riche et très-dévote. Veuve, riche et dévote, ai-je répété tout bas, voilà mon affaire. J'ai frappé aussitôt à la porte. La vieille Beatrix m'a ouvert et m'a reçu avec la vénération que l'on doit à notre robe. — Elle vous a rappelé votre tante Hécube, la veuve de Priam? Je ne vous savais pas de si bonne maison! — N'allez pas me renouveler le souvenir de sa perte. J'ai demandé à la sybille Beatrix si je pouvais voir sa maîtresse, et aussitôt elle m'a annoncé et introduit dans sa chambre. Je suis entré les yeux baissés, avec cet air de recueillement et de componction d'un novice qui revient de confesse. La nouveauté de mon visage a paru l'étonner, cependant elle m'a fait asseoir, les yeux fixés sur moi, mais, par respect, n'osant m'interroger. Alors je lui ai dit: Vous êtes la senora Pepa Cascadilla? — *Senor, si.* — Vous avez une réputation de sagesse, de discrétion et de piété dont la bonne odeur est venue jusqu'à moi. A ce doux propos j'ai vu briller le sourire de l'amour-propre sur le visage de cette tendre veuve. Je vois que, pour remplir ma mission, ai-je continué, je ne puis mieux m'adresser qu'à vous; et si vous me promettez le silence d'un confesseur, je vous confierai le secret de mon voyage. Quel morceau friand pour une femme, et surtout pour une dévote, que la confidence d'un secret! Le visage de dona Pepa s'est épanoui comme la fleur que frappe le soleil du matin; ses oreilles se sont ouvertes; je suis devenu pour elle un personnage intéressant; elle m'a juré, par la *Madonne* et saint Joseph, un silence éternel. Alors je me suis rapproché d'elle, et, adoucissant ma voix, je lui ai dit: Je viens de Rome, envoyé par son éminence le général de notre ordre, pour m'informer, sous main, des mœurs, de la conduite, de la piété des dominicains des royaumes de Valence et de Murcie. Un bruit sourd est parvenu jusqu'aux oreilles de son éminence que ces enfants de saint Dominique sortaient souvent de leurs cellules, fréquentaient les femmes, les suivaient à la promenade, s'insinuaient dans leurs ames, enfin qu'il y avait du relâchement dans les mœurs et dans la discipline. Pariez-moi, senora Pepa, avec la même franchise que sainte Thérèse, la patronne de l'Espagne, parlait à Dieu dans sa vision. — Je vois que la calomnie a porté son venin jusqu'à la cour de Rome. Je ne puis nier que nos pères dominicains vont souvent chez les dames; mais c'est pour les diriger, les confesser, échauffer et entretenir leur piété. On a osé calomnier les mœurs du père Jeronimo et de dona Margarita, parce qu'ils se voient souvent, et qu'ils sont jeunes l'un et l'autre;

mais je répondrai de leur vertu comme de la mienne. Je vois souvent plusieurs de ces pères; mais aucun jamais n'a osé me parler d'amour. — Vous êtes assurée de la piété, de la vertu de don Jeronimo? — Oui car il dit la messe tous les jours, et prêche tous les dimanches. — Voilà des preuves; cependant je l'observerai de près, ainsi que ses confrères, et je rendrai compte à son éminence de cette conversation, en lui fesant de vous l'éloge que méritent votre zèle et votre piété. Je retourne dans mon auberge, qui serait bien digne de loger Judas Iscarioth, ou le mauvais larron; mais je ne veux pas aller à notre monastère: je dois garder l'incognito pour mieux observer ce qui se passe à Murcie. A ces mots, dona Pepa m'a offert une chambre chez elle; j'ai d'abord sagement refusé; mais, plus je résistais, plus ses instances étaient pressantes; peu à peu je mollissais; enfin, pour dernière objection, j'ai allégué que j'avais un frère dont je ne voulais pas me séparer. Amenez votre frère, s'est-elle écriée, je serai ravie de faire sa connaissance. Porte-t-il, comme vous, la livrée de la religion? — Non, mais c'est le chrétien le plus fervent des douze royaumes de l'Espagne; c'est la candeur, l'innocence même: le pape saint Léon X n'avait pas les mœurs plus pures que lui. Ici je la quittai. Mais à propos, mon cher frère, sachez que je suis le père don Manuel Ésope: je crois que ce nom me va assez bien. — Vous en avez l'esprit; mais je ne crois pas que les habitants de Murcie vous élèvent une statue, comme les Delphiens en élevèrent une à l'auteur des fables. — Enfin, mon cher, je vous ai logé comme un prieur de bernardins, ou comme Sancho dans l'île de Barataria. La jeune servante vint alors nous avertir que l'on avait servi le soupé. A son aspect, le père don Ésope faillit à oublier la gravité de son personnage; mais je l'avertis que nous n'étions plus au siècle d'Abraham, où les servantes entraient dans le casuel du ménage. Les deux dames nous attendaient. Dona Elvire était une femme qui touchait à son neuvième lustre; le feu de ses yeux, l'expression, le mouvement de sa physionomie, annonçaient qu'elle avait associé, dans sa jeunesse, le culte de l'amour à celui de la religion, et qu'elle n'offrait plus à Dieu que les restes de ses charmes. Ces dames placèrent le révérend père don Ésope au milieu d'elles; les honneurs de la table, les meilleurs morceaux furent pour lui: son assiette était toujours encombrée de vivres, qui traversaient rapidement son œsophage. Pour moi, j'étais traité comme un frère compagnon, subalterne personnage. Une aventure arrivée naguère à Séville, fit tourner la conversation sur les anges de l'enfer. On y avait brûlé une jeune fille accusée d'avoir reçu le diable dans son lit, ce qu'elle avait avoué. Dona Pepa demanda s'il était possible qu'une femme devînt amoureuse de cet esprit malin. Les savants, les pères de l'église, répondit don Manuel, ont cru aux sucubes et aux incubes.[166] On a brûlé à Rome un vieillard de quatre-vingts ans, qui avait couché la moitié de sa vie avec une diablesse.[167] Il faut convenir que l'ange des ténèbres est bien dangereux pour votre sexe; mais si j'avais été à Séville, j'aurais guéri cette malheureuse fille de cette passion infernale. — Eh! comment auriez-vous fait? la chose paraît difficile. — Non, madame; je prends, pour cette cure, des graines d'ellébore noir; je les fais infuser vingt-quatre heures dans une pinte d'eau bénite; et je fais boire, toutes les demi-heures, un verre de cette potion à l'amante du diable. Le médecin Melampus a guéri de cette manière les filles de *Proetus*, qui avaient une rage d'amour diabolique.[168] Je lui demandai s'il y avait long-temps de cette belle cure? — Non, mon Frère, c'était dans la même année que le *labarum* apparut à Constantin. Vous ne sauriez croire, mesdames, la vertu de cette plante pour les maladies du cerveau, et je conseillerai à mon frère, qui va à Cordoue pour se marier, d'en faire usage avant de s'embarquer sur cette mer orageuse. Vous, mesdames, vous ne feriez pas mal d'en boire aussi une petite tasse tous les matins, pour prévenir les inflammations du cerveau. Si saint Antoine avait eu recours à cette boisson, il n'aurait pas craint les tentations du diable. — Je n'avais jamais ouï parler, dit dona Pepa, de cette plante et de sa vertu. Cette conversation fut interrompue par l'arrivée de deux belles gelinottes que l'on servit. Elles fixèrent les regards de don Ésope, qui s'écria: Ce n'est pas, senora Pepa, le corbeau qui portait un pain à saint Antoine, qui vous a apporté ces gelinottes? J'ai voulu, dit-elle, vous faire manger des oiseaux qui ont une grande réputation à Murcie. — Allons, je suivrai le précepte de saint Paul, qui dit: Ne recherchez pas la bonne chère, mais profitez-en modérément lorsqu'elle se présente. A propos de gelinottes, connaissez-vous l'attachement qu'avait saint François d'Assise, patriarche de l'ordre Séraphique, pour les animaux, qu'il appelait ses frères? Un jour on lui servit un levraut, et il lui dit: Mon frère le levraut, pourquoi t'es-tu laissé prendre? Il disait aux hirondelles: Mes sœurs, vous avez assez jasé. Il appela un jour une cigale, qui vola aussitôt sur sa main, et il lui dit: Chantez, ma sœur la cigale, louez Dieu par votre chant: la cigale obéit, et chanta les louanges du Seigneur. Quel dommage que ce grand saint n'ait pas bu de ma tisane d'ellébore! Les deux dévotes écoutaient le révérend don Ésope avec le même intérêt, la même curiosité, que Didon avait jadis écouté le récit de la prise de Troie, ou la tendre Erminie, le discours du vieux pasteur.

Mentre el così ragiona, Erminia pende

Dalla soave bocca, intenta è cheta.

Dona Elvire voulut nous régaler à son tour d'un miracle de la vierge del Pilar, arrivé à Saragosse, sa patrie. Sa trisaïeule, qui en avait été le témoin, l'avait conté cent fois à sa fille, cette fille à la sienne, et celle-ci à la mère de dona Elvira. Cette *Madonne* arriva une nuit à Saragosse, apportée par les anges.[169] Le lendemain, toute la ville accourut pour la voir; les principaux magistrats dressèrent et signèrent le procès-verbal de son arrivée: jamais miracle ne fut mieux constaté. Les Saragossais possédaient depuis quelque temps ce beau présent du ciel, lorsque les habitants de Pampelune, jaloux de leur bonheur, envoyèrent secrètement six Navarrois bien déterminés qui enlevèrent la *Madonne*, la transportèrent en triomphe, et la placèrent dans une chapelle de leur cathédrale; mais la Vierge, à qui ce séjour déplaisait, s'envola dans la nuit, par un trou qu'elle fit au plancher, et revint, dans un instant, à sa première demeure. — Vous ne m'étonnez pas, répliqua le père don Ésope, j'en ai vu bien d'autres. Voici un miracle qui s'est passé à Cadix du temps d'Héliogabale, empereur d'Allemagne, miracle dont tous les habitants de Cadix ont été témoins. La statue de Saint Antoine logeait dans un hermitage, auprès de cette ville, lorsque la peste s'y répandit. A l'aspect des grands ravages qu'elle fesait, la statue sortit de sa retraite, pour faire l'office de médecin; elle allait chez les malades, les guérissait, et le soir rentrait dans sa niche. Dès que la contagion eut cessé, les habitants, pleins de reconnaissance, allèrent, en procession, prendre la statue pour la placer dans une belle église. Vous conterai-je un autre miracle arrivé à Rome, sous le pontificat de Jules II, de sainte mémoire? Une religieuse, nommée Claudia, fut accusée par ses ennemis d'avoir forfait aux saintes lois de la pudeur. Alors un vaisseau, venant de Phrigie, s'était tellement engravé dans le Tibre, que les efforts de plusieurs milliers d'hommes ne purent venir à bout de le faire avancer. Claudia, après avoir imploré la Sainte Vierge, vient sur le rivage, attache son rosaire au vaisseau, et le traîne aussi facilement qu'elle aurait traîné un petit carrosse d'enfant. Toute la ville de Rome fut témoin de ce miracle.[170] Après ce récit, qui charma ces dames, elles se levèrent de table, baisèrent les mains de don Ésope, et nous firent conduire dans notre chambre. Quand nous fûmes seuls, il me demanda comment je trouvais les gelinottes de Murcie. Ma foi, lui dis-je, en les mangeant je croyais être dans le meilleur des mondes possibles. — Il serait encore meilleur, sans les moines et ma bosse qui sont des superfluités. Il me proposa de rester le lendemain pour voir la ville; l'auberge est bonne, disait-il, profitons-en, nous ne rencontrerons pas souvent des dona Cascadilla. — J'en conviens; mais la belle Séraphine m'attend à Cordoue: cette ville est pour moi la Terre promise. Je ne veux pas errer quarante ans dans les déserts avant d'y parvenir. Je veux bien vous accorder encore une journée, je ne serai pas fâché de connaître cette ville que l'on dit le jardin de l'Espagne.

Murcie, avant l'arrivée des Romains, n'était qu'un petit village; ils en trouvèrent la position si heureuse, que plusieurs d'entr'eux, après la conquête de Carthagène, vinrent s'y établir. Elle est au bord de la Ségura, dans une plaine délicieuse, au 37° dix-huit minutes de latitude. Une autre rivière traverse aussi ce petit royaume. Toutes les deux sont bordées de myrtes qui y croissent et se multiplient si facilement, que les Romains consacrèrent la ville à Vénus Murcia, et élevèrent à Rome, sur le Mont-Aventin, une statue à cette déesse.[171] Scipion, après avoir reconquis l'Espagne, fit célébrer dans la plaine de cette ville, les obsèques de son père et de son oncle, qui avaient succombé sous le génie d'Annibal. Rome a gardé Murcie pendant six cent seize ans; les Maures leur succédèrent, et en jouirent trois cent dix ans. On prétend qu'ils y transportèrent le mûrier et l'art de préparer la soie. En 1241, elle fut prise par les Espagnols. Les fontaines, les cascades, les mûriers, les myrtes, les orangers qui portent les plus belles oranges de l'Espagne, la sérénité, la douceur constante de sa température, rendent ce séjour digne de Vénus et de la paresse; non pas de celle qui sans désir et sans pensée se traîne dans le chemin de la vie; mais cette aimable paresse qui, sans effort, par le mélange heureux du repos, du plaisir et du travail, sème de fleurs les heures légères de la journée, et qui est aussi ennemie des folles passions qui tourmentent l'ame, que de l'inertie et de l'insensibilité qui la flétrissent. La cathédrale de Murcie est vaste, et l'autel est d'argent massif; la grille qui l'entoure et forme la porte du chœur, est d'un travail pré. Quand nous y entrâmes, six chanoines vermeils et brillants de santé, psalmodiaient les louanges du Seigneur. On voit dans cette église le tombeau d'Alphonse, surnommé le Sage, parce qu'il se mêlait d'astronomie; comme si les savants étaient toujours des sages. C'est lui qui disait que si Dieu l'avait consulté sur la création du monde, il lui aurait donné de bons avis.[172] Apparemment que ce roi ne pensait pas, comme Leibnitz ou Pangloss, que ce monde était le meilleur des mondes possibles. Il légua son cœur et ses entrailles à Murcie, en reconnaissance de ce qu'elle lui avait ouvert ses portes, lorsqu'il combattait contre un fils rebelle. La tour de cette église est de forme carrée. Une montée douce conduit au sommet, un cheval peut y monter. Vers le milieu, nous trouvâmes une grande salle où était une vingtaine d'hommes, le visage tanné, la barbe noire et épaisse, enveloppés dans de vieilles capes toutes rapiécées. Ils environnèrent le père don Ésope, lui baisèrent à l'envi la robe et les mains, qu'il étendait à droite et à gauche. Nous fûmes bien étonnés quand nous apprîmes que ces hommes si respectueux pour les moines étaient des sicaires, des voleurs qui trouvaient dans cette salle un asile contre les lois et le glaive de la justice, et qui vivaient là avec leurs remords ou sans remords.[173]

Murcie a un beau quai et un pont superbe sur la Ségura, et des promenades charmantes; mais la plus agréable est celle qui est nommée la *Maleçon*: c'est une chaussée de deux mille quatre cents pieds de long, bordée par la Ségura. On y monte par un bel escalier, et l'on y respire l'air le plus pur. Les fidèles y trouvent presqu'à chaque pas à satisfaire leur dévotion: on y a planté des piliers qui désignent les différentes stations de J. C. lorsqu'il traînait sa Croix. Nous vîmes nombre de dévotes qui s'agenouillaient devant chaque pilier. Au bout de cette promenade on trouve une terrasse garnie de bancs de pierre: on y jouit d'une perspective fort étendue; mais les yeux se reposent sur un paysage très-agréable et très-varié. Nous jouissions en vrais amateurs, ou plutôt en voyageurs curieux, de la beauté de cette vue, lorsque nous aperçûmes auprès de nous un dominicain avec deux jolies femmes. *Ah picanorazzo* (grand coquin), s'écria le révérend don Ésope! Il aurait voulu l'éviter; mais ce moine, apercevant l'uniforme de Saint Dominique, vint à nous pour voir et saluer ce confrère inconnu. Il lui adressa la parole; mais le rusé don Manuel lui répondit en latin. Cet idiome nouveau pour le jacobin, engraissé d'ignorance, l'embarrassa beaucoup. Je pris alors la parole, et lui dis que son confrère était tudesque et n'entendait pas sa langue; mais qu'il pouvait lui parler celle de Cicéron, qu'il savait parfaitement. — J'en suis charmé, dit le moine, mais je n'ai pas le temps, sans doute il va à Madrid; je lui souhaite un bon voyage. Ainsi l'idiome latin nous délivra de cet argus enfroqué. Nous jugeâmes à propos de terminer notre promenade pour n'être plus exposés à pareille rencontre; et comme le soleil atteignait son zénith, nous revînmes chez dona Cascadilla, où les deux béates et le dîné nous attendaient. Le père don Ésope dit son *bénédicité* en se mettant à table. Sans doute la vue d'un repas succulent excitait sa reconnaissance envers l'Être-Suprême. Lorsqu'il eut un peu appaisé la vivacité de son appétit, il fit part à ces dames du succès de ses informations sur la conduite de ses confrères. J'ai découvert, leur disait-il, qu'il y a du relâchement dans les mœurs, de la mollesse et de la tiédeur dans le service divin. Les vieux pères aiment mieux assister à une bonne table qu'aux offices, et les jeunes fréquentent les dames, dirigent leur conscience, Dieu sait comment; leur permettent des amants, comme l'église permet la viande les jours maigres, aux malades, aux santés délicates. Croiriez-vous que nous avons rencontré ce matin, à la promenade, au milieu de deux jolies femmes, un jacobin gras comme un chapon et robuste comme un taureau? Quel scandale! quelle licence! Est-ce ainsi que se conduisaient les Bazile, les Antoine, les Bruno, les Dominique? Au lieu d'être à l'église ou dans leurs cellules à étudier la somme de Saint Thomas, les homélies de Saint Chrysostôme, et de lire les sermons, la cité de Dieu de Saint Augustin, les quatorze épîtres de Saint Paul qui resta une nuit et un jour au fond de la mer! Et cependant ils se croient les élus du seigneur: Eux? les élus? comme moi, qui ne suis qu'un pécheur. Je les dénoncerai à notre général qui les condamnera an pain et à l'eau pendant deux ans: Il n'y aura pas de mal à réduire leur embonpoint et à réprimer l'aiguillon de la chair. Dona Pepa demanda grâce pour eux. Celui, dit-elle, que vous avez vu ce matin, à la Maleçon, est le père Gabriel; il est très-respecté dans la ville, il confesse, il prêche tant qu'on veut. Il a converti deux juifs, il met la paix dans les ménages, il a réconcilié naguère un mari avec sa femme, enfin c'est un véritable apôtre. — Mesdames, je n'ai pas ouï dire que les apôtres se promenassent avec de jolies femmes. Il est vrai que Sainte Thècle suivait, en habit d'homme, Saint Paul dans tous ses voyages; mais elle était sainte et laide. Mais puisque vous prenez don Gabriel sous votre protection, je ne le citerai pas à son Eminence; cependant ces pères s'exposent au danger, et ils sont bien loin d'avoir la ferveur et le courage de Saint Thomas d'Aquin: c'était un bon gentilhomme. Ses frères, désolés de le voir s'ensevelir vivant dans un monastère, envoyèrent un jour, dans sa cellule, une fille rayonnante de jeunesse et d'attraits. Le piège était séduisant. Le saint convint qu'à son aspect, il sentit quelque émotion, qu'un certain feu circula dans ses veines; mais tout-à-coup, rebelle à la chair et au démon, et soutenu par la grâce, il saisit un tison ardent, s'élance sur cette fille, qui, épouvantée, s'enfuit à toutes jambes. Vous citerai-je encore Xénocrate, le patron des maléficiés? Un jour, une très-belle femme, qu'on appelait *Laïs*, sous je ne sais quel prétexte, l'attira à sa toilette. Sans doute c'était le démon qui l'inspirait pour perdre un saint. Cette femme déploya tous ses talents, tout le charme de la séduction pour triompher de sa vertu; mais Saint Xénocrate, bien supérieur aux Jérôme, aux Augustin, nés fort ardents, resta glacé comme un bloc de marbre, et immobile comme le Mont Caucase. — Nous ne connaissons pas en Espagne ce saint là. — Je le crois, c'est un descendant de Japhet, qui eut sept fils qui peuplèrent les îles de la Méditerranée. Saint Xénocrate descendait en droite ligne de Gomez, qui était l'aîné de la famille. Ce grand saint est mort assassiné par les Turcs sur les bords du Pont-Euxin, et c'est depuis cet assassinat que cette mer est appelée la mer Noire. Vous savez aussi qu'il y a une mer qu'on appelle la mer Rouge, que Moïse passa à pied sec dans le temps du reflux. — Nous en avons ouï parler. — Mais vous ignorez d'où vient cette épithète de rouge qu'on lui a donnée: c'est que pendant la persécution de Dioclétien, elle a été rougie du sang de dix mille martyrs. Cependant le père don Ésope fesait parfois des pauses pour savourer les morceaux choisis et délicats dont on chargeait son assiette. Je le regardais de temps en temps avec admiration et souriais discrétement à son savoir.

Pendant cet entretien intéressant, les deux dames oubliaient l'heure de la sieste; mais je les avertis que le père don Ésope avait son bréviaire à réciter. Alors dona Pepa quitta la table, et nous, nous rentrâmes dans notre chambre: je félicitai don Manuel de sa douce faconde, et de la canonisation du bienheureux Xénocrate, petit-fils de Gomez, dont il enrichissait la légende, et de sa sublime invention pour colorer la mer Rouge et la mer Noire. — Fables pour fables, me dit-il; les miennes valent bien celles de tant d'autres historiens: l'amusement et les fictions sont plus nécessaires aux hommes que la vérité et la science. Mais nous devons songer à notre départ, il ne faut pas que l'aurore nous retrouve demain dans Murcie. Je ne sortirai pas cette après-dînée de peur de rencontrer quelque jacobin, qui, par hasard, sût la langue de Virgile et de Tite-Live. Allez louer un *volante* pour notre voyage, et apportez-moi un petit os de mouton ou de brebis. — Et qu'en voulez-vous faire? — L'enchâsser dans une petite boîte, et le donner à dona Cascadilla, comme un reliquaire précieux: la reconnaissance est une de mes vertus. — Et vous croyez que cet os de mouton, devenu relique, lui portera bonheur? — Il opérera des miracles. Quand la confiance et la crédulité s'emparent de l'imagination d'une dévote, elle voit tout ce qui est dans sa tête, et les fantômes de la lanterne magique sont pour elle des corps réels. Les mahométans regardent la robe et une dent de Mahomet comme des reliques sacrées.[174] Allez visiter la ville. En attendant votre retour, je dirai mon bréviaire dans Don Quichotte.

Murcie contient cinquante mille habitants; les rues sont belles, droites, et les maisons bien bâties. Je vis le superbe couvent des cordeliers, où l'on entre par trois grandes cours, qui ont deux portiques élevés l'un sur l'autre. On aurait dû graver ce vers sur le frontispice:

Hic mea paupertas vitæ traducat inerti.[175]

La bibliothèque est très-belle; mais quand j'y entrai, avec un conducteur, nul être vivant n'en troublait la solitude. Je lus sur la porte cette inscription: *Los muertos abren los ojos, a los que viven.*[176] J'aurais voulu y substituer cette autre: *Personne ici ne trouble le repos des morts.* Au défaut d'êtres vivants, j'y vis le portrait de plusieurs grands hommes.

Au sortir de ce magnifique asile de la pauvreté, je vis une cérémonie qui excita ma curiosité: on promenait un homme sur un âne; le bourreau le suivait en lui appliquant par intervalle de grands coups de fouet. Des officiers de justice marchaient immédiatement après le bourreau, précédés d'un trompette, qui, s'arrêtant dans les carrefours, criait d'une voix glapissante: C'est la punition que sa majesté et la justice, en son nom, infligent à ce coupable, condamné à recevoir cinquante coups de fouet pour avoir vendu des fruits au-dessus du prix fixé par la police. On m'apprit que c'était le châtiment ordinaire de tout vendeur qui surfaisait sa marchandise. Mais si le bourreau frappe plus de coups que la sentence ne porte, il est fustigé lui-même.

Je louai une voiture pour Carthagène, et après m'être muni d'un petit os de mouton, je retournai chez dona Cascadilla. Je trouvai le père don Ésope dans sa chambre, prenant une tasse de chocolat pour soutenir son estomac jusqu'à l'heure du souper. Je lui remis l'os de mouton. Il l'enchâssa proprement dans une petite boîte, à la place des cheveux de sa première maîtresse, alors très-oubliée. Une heure après, la jeune Anna vint nous avertir que les dames nous attendaient pour souper. Don Ésope prit la main, le bras, de cette jeune Agar, la caressa sous le menton, en lui disant, en vrai Sycophante, sois sage, ma fille, et Dieu te bénira.

L'entretien du soupé roula, comme à l'ordinaire, sur des miracles, sur des sujets pieux. Don Ésope gémit sur le relâchement, sur la tiédeur du saint-office. On ne voit plus comme autrefois, disait-il, de ces *auto-da-fé* si édifiants, si attachants; les vrais fidèles se plaignent avec raison. Qu'est devenu ce temps de pieuse mémoire, où le roi don Carlos, ayant témoigné le désir de voir un *auto-da-fé* aussi brillant que celui dont son père avait eu le bonheur de jouir, vit arriver le grand-inquisiteur qui lui promit la représentation d'un spectacle si agréable, si consolant pour la piété?

Le jour venu, ce grand prince se rendit sur son balcon à huit heures du matin; on promena, on brûla sous ses yeux nombre de victimes humaines. J'ai tort de dire humaines; car les hérétiques, les juifs, les musulmans ne sont pas l'image de Dieu. Ce sont de vrais animaux; oui, mesdames, j'aimerais mieux être mulet, cheval ou chien, que juif ou hérétique. Sa majesté catholique daigna assister tout le jour à cette cérémonie imposante, sans ennui, sans quitter sa place un seul moment, supportant le poids de la chaleur avec un saint courage; impassible à tous les besoins. Quand les corps furent brûlés, les feux éteints, il demanda, ainsi qu'un aimable et jeune enfant qui ne se lasse pas de voir des marionnettes, s'il n'y avait plus personne à brûler. Alors il se retira fort content de sa journée, et fâché que les scènes du plaisir fussent si rapides. Nous avons encore vu, en 1725, le saint-office faire brûler à Grenade une famille maure composée de sept personnes; les misérables vivaient tranquillement, occupés de leur commerce, de leur ménage, et fesant des enfants à leurs femmes! mais ils se mutilaient à la manière des juifs, ils adoraient Mahomet ou le diable, car c'est la même chose; ils fesaient des ablutions en commençant par le coude ou par le bout des doigts;[177] ils ne buvaient point de vin, ils pouvaient épouser quatre femmes. Voilà pourquoi il faut les brûler en Espagne, parce que nous avons beaucoup de vignes, et pas plus de femmes qu'il ne nous en faut; mais comme dit le saint homme Job dans son style poétique:

Nox ruit, et fuscis Tellurem amplectitur alis.[178]

Nous devons partir à la pointe du jour; permettez, dona Pepa, qu'en vous quittant, je vous laisse un gage de ma reconnaissance. Veuillez accepter cette boîte qui contient un os de saint Étienne, martyr; vous savez que Dieu fit un miracle pour découvrir le corps de ce saint.

C'est un présent que m'a fait à Rome le cardinal César Borgia, un des hommes le plus pieux de son siècle. Avec cette relique vous n'avez nul danger à craindre, le tonnerre vous respectera, et l'esprit infernal n'osera s'approcher de vous pour vous souffler des pensées profanes et des désirs impurs. Dona Cascadilla remercia avec timidité, craignant de priver don Ésope d'une si sainte relique. Rassurez-vous, lui dit-il, je trouverai près de Madrid, dans le monastère de l'Escurial, assez de reliques pour en fournir à toute l'Europe, et à tous les Chinois s'ils devenaient chrétiens. Il y a onze corps de saints tout entiers, cent trois têtes aussi entières, plus de six cents bras, jambes ou cuisses, trois cent quarante-six veines, et mille quatre cents reliques plus petites, comme doigts, osselets et cheveux.[179] Riche de tant de reliques, l'Espagne ne peut jamais périr; ce sont les colonnes de l'État. Après cette énumération, dona Pepa accepta ce don précieux avec jubilation et la plus vive reconnaissance. Elle nous conseilla de nous arrêter à Caravala pour voir la fameuse croix apportée par les anges, qui guérit toutes sortes de maladie. Je la connais, dit le révérend père don Ésope; je sais que les médecins voudraient la détruire parce qu'ils n'ont plus de malades à tuer, mais elle subsistera et guérira en dépit d'eux et de leurs remèdes. Ces dames alors, après lui avoir baisé les mains et la robe, se recommandèrent à ses prières. Dona Pepa le remercia d'avoir attiré par sa présence la bénédiction du ciel sur sa maison. Mesdames, leur dit-il, ne perdez jamais la confiance en Dieu, souvenez-vous qu'Ismaël et la servante Agar, sa mère, mouraient de soif dans leur voyage, et que Dieu leur découvrit une fontaine au milieu du désert; ainsi Dieu vous découvrira, si vous le servez fidèlement, dans vos tribulations, dans vos angoisses, une fontaine de grâces et de bénédictions. Adieu, mes chères dames, je ne vous oublierai jamais dans mes prières, et avec mon frère nous parlerons souvent de vous et de votre charitable simplicité. Ces bonnes dames, les larmes aux yeux, m'invitèrent à bien soigner mon frère, un saint, une des colonnes de l'église. Ce fut ainsi que nous nous quittâmes pour jamais, sans autre espérance de nous revoir que dans la vallée de Josaphat, qui, comme chacun sait, n'est pas loin de Jérusalem.

Nous trouvâmes dans notre chambre une provision de biscuits et de chocolat. Voyez, me dit don Manuel, comme la manne du désert tombe pour nous, et comme la Providence nous favorise. — Oui, elle est toujours pour le plus adroit, comme le dieu des armées est pour les gros bataillons.

Le lendemain nous montâmes en voiture au moment où l'Aurore donnait son dernier baiser au beau Titon. Quand don Manuel fut hors de la ville, il quitta sa robe, et devint troubadour, de moine qu'il était; il reprit sa gaîté, ses chansons, en reprenant sa cape. Avouez, me dit-il, que j'ai bien joué mon rôle. — D'accord, vous êtes un excellent comédien; mais moi j'ai sur le cœur quelque petite syndérèse, pour m'être prêté à tromper deux bonnes dévotes. — Bah! faiblesse et pusillanimité. Dans la société, tous les hommes sont trompeurs et trompés; chacun cherche son bien aux dépens des autres: les conquérants, par les armes; les moines, par l'hypocrisie; les marchands, par un grand air de vérité; l'orateur et l'écrivain nous trompent par des mensonges adroits et le coloris du style; le médecin, par de grands mots et la gravité de son air; les courtisans trompent les rois par l'appât de la flatterie, et les rois trompent les peuples; aussi ma conscience jouit d'une grande sécurité. Bientôt le rude et fréquent cahotage de notre *calezino* mit fin à nos discours et à nos plaisanteries sur la mystification de dona Cascadilla. Nous gravissions de hautes montagnes par un chemin tracé au bord des précipices; l'amas des rochers énormes, la chaîne des montagnes arides, entassées les unes sur les autres, nous présentaient l'image du chaos. Notre *calessero* nous annonça que nous avions onze *leguas* à faire pour arriver à Carthagène. Le chemin devint si mauvais, si âpre, que don Manuel ne voulant pas, disait-il, briser sa tête poétique contre un rocher, me proposa de mettre pied à terre. Après une marche longue et pénible, il cria au *calessero*: Eh, camarade, il y a cinq heures que nous marchons, dînerons-nous aujourd'hui? — *Animo,* *senores,* commencez votre rosaire; vous n'aurez pas fini, que nous serons à la *venta,* où ma pauvre bête et vous trouverez de quoi dîner. Enfin, bien secoués, bien fatigués, nous arrivâmes à la *venta* si désirée. C'était la caverne de Cacus ou de Polyphême, une vaste grange au pied d'un rocher sourcilleux, où logeaient pêle-mêle le père, la mère, les enfants, les chèvres, les moutons, un âne et deux chiens. Quelle *venta*! dis-je à don Manuel. — De quoi vous plaignez-vous? Noé, dans son arche, n'était pas en meilleure compagnie. *Ave* *Maria,* dit don Manuel en entrant; père, nous avons faim, qu'avez-vous à nous donner? — *Nada* (rien). J'aperçus un gigot de mouton appendu à son crochet; je lui demandais à qui il le destinait. — Oh, je le garde pour deux grands cordeliers qui doivent passer dimanche; d'ailleurs c'est aujourd'hui vendredi, je ne veux pas griller en enfer pour vous autres. Tiens, mon ami, dit le poète du Toboso, voilà un *peso duro* (cinq frans) pour ton gigot; demain tu iras te confesser, tu auras l'absolution, ton péché sera effacé, et l'argent te restera. Entre deux intérêts pressants, ordinairement celui du moment l'emporte sur celui de l'avenir, et notre hôtelier nous livra le mouton; mais, en le décrochant, il fil le signe de la croix, et pria la *Madonne* de fermer les yeux et de lui pardonner.

L'après-dînée nous continuâmes notre route à travers des montagnes encore plus hautes, plus escarpées que celles du matin. Le poète de la Manche me laissa seul dans la voiture. Il ne voulait pas, disait-il, donner sa chair délicate à dévorer aux vautours. Chemin fesant, dans un enthousiasme poétique et amoureux, il composa et chanta ces vers:

Echo, de celle que j'adore,

De Clara redis-moi le nom,

Redis-le au lever de l'aurore;

Et quand le soir sur l'horizon

Phœbé reparaît encore;

Fille des bois,

Dis-nous cent fois

Le nom de celle que j'adore.

Que dans le fond de ces déserts

Le nom de Clara retentisse,

Et qu'en *chorus* tout l'univers

Et le répète et l'applaudisse.

Je doute, lui dis-je, que tout l'univers entende la voix de l'écho, et répète en chorus le nom de Clara. — Si ce n'est pas l'écho qui opérera ce prodige, ce sera ma muse qui portera ce nom d'un pôle à l'autre; je veux l'immortaliser, comme Ovide a immortalisé Corine, et Pétrarque la belle Laure.

Nous marchions à pas lents, la nuit approchait, l'ombre descendait sur les montagnes, lorsque nous arrivâmes auprès d'un hermitage. Le *calessero* nous dit que sa pauvre bête ne pouvait aller plus loin; qu'il y avait encore trois heures de chemin jusqu'à Carthagène; qu'il fallait prier le saint hermite de nous recevoir. Cet asile nous convenait très-peu; mais il fallut fléchir sous la loi de la nécessité. Nous frappâmes à la porte de l'hermitage, où nous apercevions de la lumière. Un gros chien nous répondit par ses aboiements. L'hermite parut à une lucarne, et nous cria: Que désirez-vous? Je lui répondis que nous étions des voyageurs fatigués et surpris par la nuit, qui lui demandaient l'hospitalité. Après quelques autres questions, il vint nous ouvrir la porte. Le Cerbère de cette caverne gronda à notre aspect, nous présentant une file de dents qui effrayaient l'amant des muses, qui n'avait pas de gâteau à lui offrir; mais l'hermite fit taire ce dogue:

Semblable à l'Océan qui s'appaise et qui gronde,

il s'étendit aux pieds de son maître en murmurant;

Totoque ingens extenditur antro.[180]

Vous venez sous le toit de la pauvreté, nous dit l'hermite, et vous ferez mauvaise chère, si vous n'apportez votre soupé; je vis de peu, et je ne reçois pas le pain de l'aumône. Quoique cet homme fût revêtu d'une robe usée, qu'une barbe épaisse nous dérobât la moitié de son visage, son langage, sa physionomie n'annonçaient pas un de ces hermites si communs en Espagne, qui ont pour vocation la paresse et un grand penchant à la friponnerie. Apparemment, lui dis-je, vous cultivez un petit jardin dont les légumes et les racines suffisent à votre frugalité? — Non, ce terrain est trop aride, trop pierreux; c'est mon pinceau qui me fournit ma subsistance. Je peins de petits tableaux de saints et de saintes, et surtout de jolies *Madonnes*, dont le débit est plus facile, et je vais les vendre à Carthagène. Je ne suis pas un Antonio Velasques, un Francisco Goya, un Joseph Castillo;[181] mais mon talent m'occupe et me nourrit Je lui dis alors que mon compagnon de voyage, poète érotique, était un descendant de Joseph Castillo, et portait le même nom. A ces mots il montra un visage plus riant et plus affectueux. Et vous, monsieur, me dit-il, vous êtes étranger? — Oui, je suis un officier français. — Je suis fâché de ne pouvoir mieux traiter des hôtes tels que vous; mais je vous donnerai avec plaisir le peu que j'ai. Aussitôt il servit, sur une table délabrée, du pain, des raisins secs et du fromage. Ces mets, nous dit-il, sont peu restaurants, mais j'ai une bouteille de vieux Malaga, digne d'un favori des muses. Ce nectar vint très-à-propos pour rétablir nos forces. Le poète du Toboso, après en avoir avalé un grand verre, nous chanta un dithyrambe impromptu en l'honneur de Bacchus, le dieu des poètes, ainsi qu'Apollon, et du patriarche Noé, le premier ivrogne qui ait paru sur la terre. Le dogue, peu sensible au charme de sa voix, l'accompagnait de son grognement. Don Manuel, ennuyé de l'entendre, s'écria: Voilà un animal que la lyre d'Orphée, ou le chant des syrènes, n'aurait pu adoucir. Il est, dit l'hermite, fort mauvaise compagnie avec les inconnus, mais c'est un ami ardent et fidèle. Une nuit, pendant que j'étais enseveli dans le sommeil, ses aboiements m'éveillèrent en sursaut; j'écoute, j'entends que l'on enfonce ma porte. Je n'avais pour armes qu'un gros bâton; je n'osais ouvrir; mon chien hurlait, s'agitait, brûlait de combattre. Admirez son intelligence! Vous voyez cette lucarne étroite et haute; il la regardait sans cesse, et semblait me dire: ouvrez-là, je sortirai, j'irai vous défendre. Je le compris: j'ouvre la fenêtre, je le prends dans mes bras, il saute en bas, s'élance sur l'un des assaillants, le saisit à la gorge, le renverse par terre, et le laisse pour mort. Il s'attache à la cuisse d'un autre, la déchire, et lui fait jeter des cris affreux. Le troisième assaillant, pour délivrer son complice, frappa d'un coup de poignard mon fidèle Acate, c'est le nom que je lui ai donné, qui, furieux, lâche sa proie, et saute au visage de son agresseur, qui hurle à son tour de toutes ses forces. Alors je sors armé de mon bâton; les assassins prennent la fuite, laissant leur camarade expirant. Je m'approche de lui; il me dit qu'il se meurt, qu'il veut se confesser. Confessez-vous à Dieu, lui dis-je, je ne suis pas prêtre. — Mon Dieu, mon Dieu, sainte Marie, saint Joseph, s'écria-t-il, ayez pitié de moi; je suis un grand pécheur, j'ai volé, couché avec des femmes, violé de jeunes filles; j'ai assassiné un homme; mais, seigneur Dieu, je vous ai toujours aimé, respecté, ainsi que votre sainte mère, dont je n'ai jamais quitté le scapulaire; j'ai toujours cru votre sainte religion; j'ai fait maigre en carême, j'ai entendu la messe les fêtes et les dimanches quand je l'ai pu; ainsi j'espère que vous me pardonnerez mes péchés, que vous me recevrez dans votre saint paradis. — Après cette singulière confession, il me demanda de l'eau-de-vie; je lui en donnai, et il se trouva un peu mieux. Dès qu'il fut jour, je le fis porter à l'hôpital de Carthagène, où il se rétablit. Mais la justice s'en empara et le condamna aux présides.[182] Mon chien, mon sauveur, a guéri de sa blessure. Je vois à présent, lui dis-je, que le tyran Louis XI avait raison de demander à Laurent de Médicis, un gros chien pour le garder dans sa chambre; il comptait plus sur la fidelité de cet animal que sur celle de ses gardes. Je voudrais que Descartes et les autres philosophes qui prétendent que les animaux sont de pures machines, m'expliquassent comment des automates ont de la sensibilité, de la mémoire, de l'amour, de la haine, enfin des passions.[183] Le poète de la Manche répondit que puisque Dieu avait daigné faire un pacte avec eux, et qu'il défend, dans la Genèse, aux animaux de tuer les hommes, ou qu'il en tirera vengeance, on ne pouvait douter de l'existence de leurs ames; il ajouta qu'il y avait parmi les animaux, comme chez les hommes, des sots et des gens d'esprit, et même des gens à talents, comme le rossignol, l'orphée des bois. Mais nous avons besoin de sommeil; cette caverne en paraît la demeure, et comme dit Ovide:

Mons cavus, ignavi domus, penetralia somni.

Nous étendîmes nos manteaux sur la terre, et nous invoquâmes le dieu Morphée; mais il nous refusa ses pavots. Don Manuel qui trouvait son lit un peu dur, disait que ses confrères les poètes avaient grand tort de dire que le sommeil fuyait les couches royales et les matelas d'édredon; qu'il voudrait bien en avoir un pour cette nuit. *Senor ermitano*, ajouta-t-il, est-ce par dévotion que vous vivez dans cet antre, à la manière des Saints? — Non, *senor poeta*, ce n'est point la religion qui m'a exilé dans cette solitude, c'est le malheur, le dégoût de la vie et du monde. — Cependant, le monde et la vie donnent de jolis moments; on pleure un jour, on rit l'autre; tantôt on a la fièvre, la migraine, et tantôt on boit de bon vin, l'on fait l'amour, et l'on arrive ainsi au terme sans s'en apercevoir. — Je vois que vous désirez connaître mon histoire; je consens à vous la confier, j'y trouverai quelque plaisir. Il y a long-temps que je n'ai ouvert mon cœur et épanché mes chagrins.

FIN DU TOME PREMIER.

NOTES

[1] Nullum esse librum tam malum, ut non ex aliquâ parte prodesset.

[2] Rome, jadis grande sous César, est aujourd'hui plus grande encore; Alexandre VI règne: César n'était qu'un homme, Alexandre est un Dieu.

[3] Tacite, Rolin, Lactance, Saint Clément, Saint Ambroise, Saint Cyrille et Saint Grégoire de Naziance croyaient an phénomène du Phénix.

[4] La Fontaine a trouvé dans les sermons de ce moine Barlette, la fable des animaux malades de la peste, et celle de l'âne, du meunier et son fils.

[5] Voltaire.

[6] Ma tête triomphante ira frapper les cieux.

[7] La cause de cet exil est encore un problème historique: on ne sait pas si Ovide fut exilé pour avoir su plaire à Julie, ou pour avoir trouvé cet empereur *flagrante delicto* avec sa fille.

[8] Roi que doit pleurer le monde, et nous encore plus.

[9]

Moitié plumet, moitié rabat,

Aussi peu propre à l'un qu'à l'autre,

Clermont se bat comme un apôtre,

Et sert son Dieu comme il se bat.

[10] Je ne puis me refuser au plaisir de transcrire ici des vers du fameux Laurent de Médicis, analogues à ce sujet.

Al dolce tempo, il buon pastore informa

Lasciar le mandre, ove nel verno giacque;

E'l lieto gregge, che ballando in torma

Torna all' alte montagne, alle freche acque;

L'agnel trottando pur la materna orma

Segue; ed alcun che pur or ora nacque

L'amorevol pastore in braccia porta;

Il fido cane a tutti fa scorta.

[11] C'est un vers d'Horace, *nec si male nunc, et olim sic erit.*

[12] Suétone, qui raconte cette anecdote, ajoute: *Quærentibusque amicis quidnam Ajax ageret, respondit Ajacem suum in spongiam incubuisse,* fesant allusion à la mort d'Ajax qui s'était percé de son épée.

[13] Je ne sais quel œil enchante mes tendres agneaux.

[14] Il y a en Espagne trois sortes de gentilshommes de la chambre, qui tous ont une clef pour entrer dans les appartements du palais; mais les uns servent, les autres ont leur entrée et ne servent pas, et la troisième classe porte la clef sans entrer et servir. Don Pacheco était de la deuxième classe.

[15] Henri IV, dans la même circonstance avec Philippe II, signa HENRI, *bourgeois de Paris, seigneur de Gonesse.*

[16] C'est un jurement espagnol.

[17] On prétend que toutes les fois qu'un roi d'Espagne fait une visite à sa maîtresse, il est obligé de lui donner quatre pistoles.

[18] C'est un compliment usité en Espagne, qui signifie *vivez mille ans.*

[19] M. le capitaine, venez à l'auberge.

[20] L'auteur se trompe; ce philosophe était de Syrie et se nommait *Possidonius.* C'était dans une visite que lui fesait le grand Pompée, qu'il s'écria: Douleur, tu as beau faire, je n'avouerai jamais que tu es un mal.

[21] Cette anecdote est historique.

[22] Cette affaire d'Euse mérite d'être rapportée. Lorsque Henri s'approcha de cette ville ennemie, les jurats vinrent lui en présenter les clefs. Ce prince mit pied à terre et y entra avec deux

gentilshommes et deux de ses gardes. A peine eut-il franchi la porte, que la herse tomba, et le roi se trouva en face de deux cents soldats et de la bourgeoisie armés, qui criaient, *tirez à la jupe verte*. Il reçut dans ses armes plusieurs coups de feu, dont l'un lui enfonça deux côtes: mais son intrépidité en imposa tellement à ces traîtres, qu'il s'empara, sans résistance, d'une tour voisine, où il s'enferma avec ses compagnons, et où il se défendit jusqu'à ce que ses soldats eurent brisé la herse: dès qu'ils parurent, les rebelles se jetèrent à genoux et demandèrent la vie. La clémence fut le premier mouvement de Henri; mais il ne put empêcher ses soldats de pendre, sous ses yeux, celui qui l'avait tiré à bout portant; mais la corde ayant cassé, il s'écria: Grâce à celui que le gibet a épargné.

[23] Le bon chevalier Bayard fesait dire une messe lorsqu'il allait se battre en duel.

[24] Moins elle se montre, plus elle est belle.

[25] Les protestants ont supprimé la confession auriculaire, qui n'est prescrite que depuis le sixième siècle.

[26] Dans une comédie espagnole qu'on appelle *Autos Sacramentales*, notre seigneur J. C. vient prier les chevaliers de Saint-Jacques assemblés de le recevoir dans leur ordre. Plusieurs y consentent; mais les anciens leur représentent qu'ils auraient tort d'admettre un roturier parmi eux; que Saint-Joseph, père de J. C., était un simple menuisier, et que la Sainte-Vierge travaillait en couture. Cependant J. C. attendait avec beaucoup d'inquiétude la décision de l'assemblée, qui avait de la peine à l'admettre parmi eux. Enfin, pour tout concilier, on ouvrit l'avis d'instituer pour lui l'ordre du Christ, ce qui satisfit tout le monde. Cet ordre est celui de Portugal.

[27] On appelle en Espagne *vieux chrétiens*, ceux dont les ancêtres sont catholiques depuis plusieurs siècles; c'est un titre de gloire.

[28] Dans ces brillantes castes, un jeune homme tutoie un homme constitué en dignité, un ministre, un général d'armée. Le roi et sa famille honorent du tutoiement tous les Esgagnols sans distinction d'âge, d'état, les évêques, les archevêques et les femmes même.

[29] Mortels, vous riez là bas des pleurs d'un enfant, parce que vous connaissez la cause de sa folle douleur; mais au ciel, nous rions d'un

homme qui, en cheveux blancs, au déclin de sa vie, est encore un véritable enfant.

[30] Au sujet de cette gravité espagnole, Charles-Quint disait: les Espagnols ont l'air sage et ne le sont pas, et les Français le sont sans le paraître. Philippe II était le plus grave, le plus sérieux des hommes; on ne l'a jamais vu rire, et il voulait que tout ce qui l'entourait respirât la gravité la plus imposante. Il ordonna à tous les membres des autorités souveraines de ne paraître en public qu'avec une robe longue et ample, et de porter la barbe dans toute sa longueur et sa circonférence.

[31] Dès le quatrième siècle les Chrétiens regardaient la volaille et la volatille comme aliments d'un jour maigre, sur ce que la Genèse disait: Dieu commanda aux cieux de produire les poissons et les oiseaux qui volent sur la terre. D'après ce texte on les supposa de même nature. Un concile, en 817, interdit aux moines ces mets succulents les jours maigres; mais dans le monde on les regarda encore long-temps comme permis, et l'on rapporte que plusieurs siècles après, un religieux de Cluni étant allé un jour maigre chez un de ses parents qui lui dit qu'il n'avait que du poisson: «Voilà, dit le moine, en apercevant une poule dans la cour, le poisson que je mange.» Soudain il prit un bâton et assomma la poule. Ses parens lui demandèrent s'il avait la permission de faire gras. — Non; mais la volaille n'est pas de la chair; notre *Hymne* dit que les poissons et la volaille ont la même origine.

[32] Où est Madrid, que le monde se taise.

[33] Que le génie lui-même soit présent aux honneurs qu'on lui rend! qu'il vienne, les cheveux couronnés de fleurs!

Les Romains plaçaient un chien, symbole de la fidélité, aux pieds de ces Dieux lares.

[34] Les Espagnols et les Italiens donnent toujours à leurs vierges une jolie figure, une physionomie touchante; puissant attrait pour la dévotion.

[35] On prétend qu'il lui disait en la peignant: Imagine-toi que tu es dans mes bras; prends cet air de langueur et de volupté que tu as dans ces moments.

[36] En Espagne le luxe des bagues s'étend jusque sur les Madonnes; ou leur en met souvent à tous les doigts.

[37] Il se nommait *Incitatus*. Caligula voulait le faire consul; il fit construire une écurie de marbre, une auge d'ivoire; il lui attachait un collier de perles, le couvrait de pourpre, l'admettait à sa table, lui donnait de l'orge et du vin dans une coupe d'or, après avoir bu le premier.

[38] Louez la vie à sa fin, et la journée le soir.

[39] Lebrun l'a représentée, à Versailles, sous la figure d'une femme qui a les cheveux noirs, une couronne royale sur la tête, un vêtement brodé d'or, enrichi de diamants et de perles, et un lion à ses côtés.

[40] Arius vivait au commencement du quatrième siècle; il prétendait que le Christ avait été engendré avant la création du monde, et qu'il n'était qu'un homme infiniment supérieur aux autres.

[41] Ce dialecte est un patois qui a beaucoup d'analogie avec celui de Provence. On parle très-peu la langue espagnole dans cette province.

[42] En France, sous les rois de la première race, les femmes savaient raser; une jeune mariée, le jour de ses noces, devait faire la barbe à son mari; c'était une des clauses du contrat. On prétend que Pénélope promettait aux Dieux, s'ils lui accordaient le retour de son époux, de lui faire la barbe.

[43] Ce tribunal fat institué par les Jacobins dans le treizième siècle, à l'occasion des Albigeois et des Vaudois; il fut reçu en Espagne en 1477, par Ferdinand et Isabelle, à la sollicitation du trop fameux Torquemada, qui fut nommé grand-inquisiteur. Les attributions du saint-office sont la connaissance du Judaïsme, de l'Apostasie, de l'Hérésie, de la Polygamie, de la Sorcellerie et de la Bestialité. Le roi en est le protecteur; le grand tribunal est à Madrid; il en existe douze autres dans les principales villes; ils sont composés de trois inquisiteurs, de trois secrétaires et de quantité d'officiers. Ce tribunal a de plus un nombre infini de familiers.

Torquemada, dans l'espace de quatorze ans, fit faire le procès à plus de cent mille hommes; six mille furent condamnés au feu, dix-sept mille revinrent dans le sein de l'église. Les Juifs et les Maures étaient principalement les objets de ses persécutions; on arrêtait même souvent les Juifs nouveaux convertis, sous prétexte qu'ils avaient balayé leurs chambres à rebours, jetant les ordures de la porte au foyer; qu'ils avaient mis du linge blanc le samedi, allumé des lampes le vendredi au soir, jeûné le jour de la reine Esther, refusé de manger du porc, du lapin, du lièvre et du poisson sans écailles. Lorsque l'ont doit brûler les coupables, l'inquisition les livre aux juges séculiers, en les conjurant, par la miséricorde de Dieu et de ses entrailles, de les traiter avec douceur et sans effusion de sang. On attache le condamné à un poteau; le bourreau lui demande dans quelle religion il veut mourir; s'il dit dans la religion chrétienne, alors on l'étrangle avant de le brûler, sinon il est brûlé tout vif. Les arrêts de l'inquisition sont irrévocables; le roi lui-même ne peut faire grâce. D'autres coupables sont condamnés à une prison perpétuelle, ou à porter toute leur vie un *san benito*; c'est un scapulaire jaune tanné, sur lequel est appliquée une croix rouge. Tous les ans, à Madrid, dans une salle du couvent des Dominicains, à la Toussaint, après l'office, le prieur de cet ordre fait le panégyrique de Torquemada. C'est faire celui de Néron, de Tibère ou du pape Alexandre VI.

[44] Par ce seul crime, jugez des autres.

[45] Mais les gens aisés doivent reconnaître par quelque libéralité l'hospitalité qu'on leur donne gratis: le couvent n'a pas au-delà de 50 mille écus de revenu, et en dépense plus de 60 mille. On donne aux inconnus du pain, de la viande, du sel, du vinaigre, de l'huile, du vin et un lit.

[46] Il n'y a que la Malvoisie de Madère qui soit supérieure à celle d'Espagne.

[47] Les pères sont au nombre de soixante-seize, les frères lais de vingt-huit, et les enfants de chœur de vingt-cinq; il y a de plus un médecin et un chirurgien.

[48] Les Jésuites, dit-on, se gardaient de montrer l'original; ils ne présentaient que des commentaires ou des copies, et peu à peu on vit disparaître des bibliothèques, les exemplaires des exercices de Cisneros et de ceux écrits par Saint-Ignace. Un savant, don Navarro, fit imprimer, en 1712, à Salamanque, l'ouvrage de Cisneros. Les Jésuites eurent le crédit de faire enlever toute cette édition et empêchèrent ce savant de devenir évêque.

[49] Ignatius Loyola, multâ prece, fletuque Deo Virginique se devovit, hic tanquam armis spiritualibus, sacco se muniens pernoctavit, hic ad societatem Jesu fundandam; prodit anno 1522.

[50] Déjà vieux, mais d'une vieillesse verte et robuste.

[51] Ce ne fut pas une vision ou reflet d'une imagination égarée, que le bruit des trompettes au milieu d'un sermon sur le jugement dernier. Un fameux prédicateur prêchant à Valence devant un cardinal, avait fait cacher six trompettes dans l'église, avec ordre de les faire entendre quand il crierait, *peut-être la trompette va retentir dans ce moment*; elles sonnèrent en effet toutes à la fois, ce qui jeta dans l'église une consternation épouvantable; on se rua les uns sur les autres en poussant des cris affreux. La chronique ajoute que les moines profitèrent de la discorde pour attirer les jeunes femmes dans leurs cellules.

[52] Il y a trois sortes de grandesses: les grands de la première classe se couvrent avant de parler au roi; ceux de la seconde ne se couvrent que lorsqu'ils lui ont parlé, et avant qu'il leur ait répondu; et ceux de la dernière ne se couvrent qu'après la réponse du roi. Mais nul ne peut se couvrir que le roi ne le lui ait ordonné.

[53] En Espagne c'est assez l'usage, surtout des femmes galantes, de se faire enterrer en habit de carmelite, et les hommes avec celui de franciscain. Pierre-le-Cruel, dans le quatorzième siècle, ordonna qu'à sa mort on le revêtit de cet habit. Milton place dans le Paradis des fous et des sots, tous ceux qui à l'article de le mort se font couvrir d'un habit de moine.

[54] Les Espagnols ont grand soin de laisser de l'argent pour les messes après leur mort, et le premier argent du défunt, fût-il criblé de dettes, est pour l'acquit de ce legs, qu'ils appellent *dexar su alma heredera* (laisser son ame héritière).

[55] Les Therapeutes étaient une espèce de moines répandus dans la Grèce, et connus en Égypte; ils vivaient dans la retraite, livrés aux exercices de la contemplation. Les savants, les pères de l'église n'ont pu décider s'ils étaient Chrétiens. *Adhuc sub judice lis est...*

[56] Société éternelle où personne ne naît.

[57] L'abbé de Rancé, pour appuyer son système, publia un traité de la sainteté et des devoirs monastiques, qui fut réfuté par le savant don Mabillon.

[58] Et lacrymans, guttisque humectat grandibus ora.

[59] Mais la patience adoucit tes peines qu'on ne peut éviter.

[60]

Vel cum decorum mitibus pomis caput

Autumnus arvis extulit.

[61] Sous le règne de Philippe V, un hidalgo signant son contrat de mariage, mit don... *noble come el re, e aun, aun* (noble comme le roi et encore, encore...). Le gouverneur de la ville l'ayant appris, lui demanda pourquoi il se croyait au-dessus du roi; parce que je suis Espagnol et qu'il est Français. On prétend qu'en Égypte toute la nation était noble.

[62] Les Asturiens descendus des anciens Goths, prennent aussi le litre de *nobles*, à cause de leur origine. Charles-Quint permit à tout Espagnol de porter l'épée, qui, jusqu'alors, avait été la prérogative de la seule noblesse, parce que plusieurs personnes avaient été assassinées sans pouvoir se défendre. Cette belle prérogative a sans doute contribué à entretenir l'orgueil et la paresse de la nation. Chez elle, tout homme oisif et sans état, prend le titre de *Don*. En Portugal ce titre n'est permis qu'aux gentilshommes.

[63] L'orge est en Espagne la nourriture des chevaux. Il y a très-peu d'avoine.

[64] Les ames chrétiennes vous aideront dans toutes vos entreprises.

[65] L'Espagne est le meilleur pays du monde.

[66]

Hic gelidi fontes, hic mollia prata Lycori,

Hic nemus, hic ipso tecum consumerer ævo.

[67] Annibal avait alors vingt-six ans; il venait d'épouser une princesse qui lui apportait des richesses immenses; de plus, il avait

découvert des mines très-abondantes d'or et d'argent; on les appelait *les puits d'Annibal.* Il avait une armée de 150 mille hommes.

[68]

Les sépulcres même sont sujets à la mort.

JUVENAL.

[69] On voit des caroubiers en Provence.

[70] Jamais on n'a vu un pareil héros, jamais il n'en naîtra de semblable.

[71] Mettez dans la balance la cendre d'Annibal, et voyez combien de livres pèse ce grand capitaine.

[72] Le respect des Espagnols pour leurs prêtres émane des Goths, qui regardaient comme des oracles infaillibles leurs évêques et leurs moines.

[73] Les moines espagnols menacent de l'enfer tous ceux qui regardent avec quelqu'attention une statue antique. Si en creusant la terre on découvre les restes d'un empereur ou d'un philosophe, ils s'écrient: C'est une idole, c'est l'ouvrage des Philistins; détruisez-la bien vite; et l'idole soudain est renversée; le peuple démolit toutes les inscriptions, parce qu'il croit qu'elles renferment des esprits impurs qui gardent des trésors cachés.

[74] Aujourd'hui on retire les ames (*du purgatoire* est sous-entendu).

[75] Manes était un hérésiarque du troisième siècle, qui établissait deux principes, deux rivaux en puissance, Dieu et le Diable. Les Persans reconnaissaient deux génies, celui du mal et celui du bien. Manes niait l'incarnation de J. C. C'était un crime, selon lui, de donner la vie à son semblable. Ses disciples avant de couper le pain maudissaient celui qui l'avait fait, lui souhaitant d'être semé, moissonné et cuit comme cet aliment.

[76] Ici j'aimerais à vivre avec toi.

[77] Les ames chrétiennes se réjouissent de voir un frère.

[78] Notre-Dame d'Atocha signifie *Notre-Dame du Buisson*; elle est à Madrid, dans un vaste couvent; on y accourt en dévotion de toute l'Espagne. La Vierge tient le petit Jésus dans ses bras: elle est noire. On lui met souvent un habit de veuve. Mais aux grandes fêtes on l'habille avec magnificence; on la charge de pierreries; on couronne sa tête d'un soleil, dont les rayons jettent un vif éclat; un grand chapelet est dans ses mains ou attaché à sa ceinture.

[79] Les Espagnols aiment tellement l'ail, qu'un roi d'Espagne pour ne pas laisser infester ses appartements défendit de paraître devant lui après en avoir mangé.

[80] Eh! qui m'arrêtera sur les bords de l'Hémus!

[81] C'est aujourd'hui le mont Burkam, couvert d'antiques chênes; à ses pieds est un champ de roses avec lesquelles les Turcs composent leur essence.

[82] Mais Cardan ajoutait, avec Dieu et mon ange.

[83] En Espagne, les bâtards inconnus sont réputés gentilshommes, parce que la noblesse est une si belle chose, qu'il ne faut pas risquer d'en priver ceux à qui le hasard de la naissance a pu la donner.

[84] On donne le nom de *posada* aux auberges des villes, et celui de *venta* aux petites hôtelleries de village.

[85] *Rancio* veut dire *vieux*. Je ne sais pourquoi ce vin porte cette dénomination.

[86] Aulugelle, dans ses *Nuits attiques*.

[87] Saint-Vincent-Ferrier était un fameux missionnaire de l'ordre des Frères-Prêcheurs. On prétend qu'il a converti en Espagne huit mille Maures et trente-cinq mille Juifs. Il a vécu en France, et est mort à Vannes, où il est enterré.

[88] *Alhameda* est le nom que l'on donne en Espagne aux belles promenades.

[89] Dans une sédition qu'il y eut à Madrid, au sujet d'une ordonnance du roi qui voulait que l'on nettoyât les rues, et qui défendait de porter des chapeaux rabattus et de grands manteaux.

Les différends partis soulevés se retiraient d'un commun accord au milieu du jour pour aller faire la *siesta*, et revenaient ensuite avec plus de fureur recommencer leurs clameurs et leurs outrages. La révolte fut appaisée par les troupes. Les grands chapeaux rabattus et les capes ne reparurent plus dans la ville; mais dès qu'un habitant en sortait, il se dédommageait et reprenait son antique costume. Pierre-le-Grand ne pouvait venir à bout d'abattre les barbes des Russes.

[90] Les Valenciennes passent pour belles et galantes, et ont beaucoup de rapport, par leur vivacité, leur ardeur pour le plaisir et leur costume, avec les Languedociennes. On dit que Valence fournit à Madrid les nymphes de Vénus.

[91] Dans l'été, les habitants de Valence dorment sur les toits sans danger.

[92] La plupart des valets espagnols sont dans ce négligé.

[93] L'*Azucar esponjado* est un petit pain de sucre de forme carrée et longue, et d'une substance spongieuse. On le trempe dans l'eau avant de boire le chocolat.

[94] Voilà un Espagnol qui convient de la plaie faite à sa patrie, par la superstition des rois; et nous avons vu en France de prétendus politiques faire l'apologie de cette expulsion des Maures, tant l'amour du paradoxe et le désir de se singulariser font dire de sottises. Les Maures étaient des Arabes, nommés *Maures*, parce qu'ils venaient de la Mauritanie Tangitane, jadis province romaine, aujourd'hui l'empire de Maroc qui s'étend jusqu'au Mont Atlas: Tunis, Alger, Tripoli, étaient compris dans les provinces romaines.

[95] Le thermomètre en été y est presque toujours entre 17 et 20 degrés, et l'hiver entre 7 et 13. On l'a vu bien rarement descendre à 3 degrés au-dessus de la congélation. Cette ville est au 39e degré 30 minutes de latitude.

[96] C'est le nom que les Espagnols donnent à l'hostie consacrée.

[97] Je me réjouis de voir que vous vous portez bien.

[98] Nous fesons nombre pour consumer les fruits de la terre.

[99] La mémoire du révérend confondait Jean Hus, ou Jérôme de Prague, brûlé au concile de Constance, en 1419, avec Vanini, condamné au feu à Toulouse, en 1619.

[100] Les vices d'autrefois sont les mœurs d'aujourd'hui.

[101] Le *bastonero* est un maître de cérémonies qui est chargé du bon ordre et d'assortir les danseurs sans exciter la jalousie. C'est un emploi difficile; il fait danser deux menuets à chacun.

[102] Un docteur Mouti a décrit le *fandango* dans une lettre dont voici quelques phrases: «*Saltant vir et fœmina, vel bini, vel plures, corpora ad musicos modos, per omnia libidinum irritamenta versantur. Membrorum in ea mollissimi flexus. Cunium mutationes, micationes femorum salacium. Omnia denique turgentis Lasciviæ, solertissimo studio expressa simulacra*».

[103] On donna, en France, à ces moines le nom de *Jacobins*, parce que le premier couvent fut établi dans Paris, rue Saint-Jacques.

[104] Ce jacobin fanatique effréné, fut pris en 1590, à l'assaut des faubourgs de Paris, et tiré à quatre chevaux.

[105] Les eaux-de-vie de Valence vont en France, passent la Loire, et montent jusqu'à Orléans, où on les mêle avec celles de France; on en importe encore en Hollande et dans l'Amérique espagnole.

[106] Sénèque. Il pouvait parler en connaissance de cause.

[107] Le cardinal de Granvelle disait un jour à Philippe II: Il y a aujourd'hui un an que l'empereur, votre père, s'est démis de tous ses États. — Il y a aussi un an qu'il s'en repent, répondit Philippe. Cet enfant ingrat lui payait très-mal la pension de cent mille écus qu'il s'était réservée.

[108] Charles III a vécu vingt-neuf ans sans femme et sans maîtresse.

[109] *Patio* signifie *basse-cour*; en effet les habitués de ce parterre sont de rudes oisons.

[110] Excepté le *volero* et le *fandango*, aucune danse n'est permise sur les théâtres d'Espagne. Les moines excommunieraient les balarines qu'ils regardent comme des émissaires de Belzébut, si elles exécutaient d'autres danses. Charles III défendit le *volero*, qui se

réfugia à Cadix. On prétend qu'il a reparu sous Charles IV, dans la capitale.

[111] Le *volante* est une voiture fort large, mais facile à verser.

[112] Ce tombeau était sur une colline du promontoire de Sygée.

[113] Tranquilles ossements, reposez-vous dans cette urne inviolable.

[114] On assure que ce furent les franciscains et non la Vierge qui eurent les produits du bénéfice.

[115] M. de Saint-Gervais s'égaie ici aux dépens du moine; il veut parler de ce trait de la fable, lorsque Junon emprunta la figure de la vieille Galanthis, servante d'Alcmène, pour empêcher l'accouchement d'Alcmène. (*Note de l'Éditeur.*)

[116] Regum æquabat opes animis.

[117] J'ai fait des jardins, des vergers, et j'y ai planté toute sorte d'arbres.

[118] Il faudra quitter cette terre, cette maison, et de tous ces arbres que tu cultives, le triste cyprès seul suivra son maître passager.

[119] Ce récit ne s'accorde pas avec la réputation de longévité de cet arbre. L'oranger du connétable de Bourbon, existait encore au milieu du dix-huitième siècle. On voyait encore à Lisbonne dans le dernier siècle, le premier arbre dont sont sortis tous les orangers qui embellissent les jardins de l'Europe.

[120] Ce sont des moines de la religion grecque; ils ne mangent jamais de viande; ils ont quatre carêmes, observent plusieurs autres jeunes; il en est qui ne mangent que deux fois en trois jours, d'autres en sept. Pendant les sept semaines de carême ils passent la nuit à pleurer et gémir sur leurs péchés et sur ceux des autres.

[121] La palme est de huit pouces trois lignes et demie.

[122] *L'Honneur Espagnol*, dictionnaire historique des hommes illustres en sainteté, en dignités, dans les armes, les sciences et les arts, tous enfants de l'Espagne.

[123] Dix à douze lieues de France.

[124] Je mourrai dans mon nid.

[125] Le manteau ou mante se porte à l'église; il diffère de la mantille, qui n'est qu'un voile noir ou blanc, à volonté.

[126] C'est un cacao de la Nouvelle-Espagne; on en fabrique le chocolat du roi.

[127] Les Didot, les Bodoni, n'ont rien de supérieur à cet ouvrage.

[128] Le port de Grao n'est pas favorable au commerce: les gros vaisseaux n'y peuvent aborder; de légères barques vont recevoir les marchandises, et des bœufs les traînent sur la plage.

[129] *Oussia* se dit par syncope de *vostra eccelenza*, titre que l'on donne à la noblesse.

[130] Il n'est de pire fruit que celui qui ne mûrit jamais.

[131] On montre à la bibliothèque de Genève le portrait d'un savant qui est resté trois mois la jambe étendue, sans bouger de sa place, pour observer les actions et les mouvements d'une puce qui avait fixé son domicile sur cette jambe.

[132] Le fléau du genre humain et la peste des hommes.

[133] Ce bibliothécaire avait tous les préjugés de l'orgueil. Mariana est un écrivain prolixe, crédule et partial; Garcilasso de la Vega est ampoulé; il fut d'abord auteur dramatique, ensuite homme du monde et il finit par recevoir la prêtrise: c'est alors qu'il composa l'*Histoire du Mexique*: l'emphase et l'enflure caractérisent son style; il est extrêmement prévenu pour Fernand Cortès, son héros. Voici pourtant ce que dit l'évêque Las Casas, des crimes et des atrocités des Espagnols conduits par Fernand Cortès: «J'ai vu ces fiers Espagnols remplir les campagnes de fourches patibulaires auxquelles ils attachaient les Indiens treize à treize, en l'honneur des treize apôtres; je les ai vus donner des enfants indiens à dévorer à leurs chiens de chasse, et les nourrir avec des membres d'Indiens.»

[134] D'autres personnes ne lui donnent que treize volumes *in-folio*.

[135] Ce qui n'est point à toi ne peut t'honorer.

[136] Parler de Dieu et agir en homme du monde.

[137] Laissez faire le métier à celui qui le sait.

[138] Celui qui a un toit de verre ne doit pas jeter des pierres sur celui de son voisin.

[139] Les belles paroles coûtent peu et rendent beaucoup.

[140] Le corrégidor est un magistrat de police qui exerce un pouvoir très-étendu; il est supérieur à l'alcade, qui n'est que son premier officier.

[141] On se moque d'un méchant poète et de ses vers; mais lui se réjouit, s'applaudit et s'admire.

[142] La basquine est un japon de soie noire que les femmes d'un certain rang prennent en sortant de chez elles, et quittent en y rentrant.

[143] Un mariage inégal de don Louis, fils de Charles III, a amené une révolution et détruit ces unions illicites faites malgré les parents et le bon ordre de la société. Un édit de Charles III défend tout mariage entre des personnes de rangs et de qualités inégales.

[144] Saint-Nicolas est révéré à Valence comme le patron des jeunes filles à marier et des jeunes femmes enceintes. Sa fête est célébrée par toutes les jeunes filles qui désirent cesser de l'être: elles lui offrent des corbeilles de fleurs, des gâteaux et des fruits; lui font mille promesses et des vœux sans nombre. Il est vrai que ce grand Saint, archevêque de Myra, mérite les hommages et la reconnaissance des vierges à marier. Un jour il ressuscita l'amant d'une jeune beauté: dans une autre occasion, il donna en songe une dot aux filles d'un pauvre gentilhomme.

[145] Par le très-doux nom de Jésus.

[146] Je prie Dieu de conserver votre vie pendant longues années.

[147] Les livres sont le refuge et la consolation des malheureux.

[148] Les Espagnols ont dans leur maison une petite chapelle où brûle sans cesse une lampe en l'honneur de la Vierge ou du Saint qu'ils ont adopté. Saint-Joseph est un de ceux qui ont le plus de

pratiques. On le pare, on le poudre dans les événements heureux, mais on le dépouille, on le maltraite quand le succès ne répond pas à leurs vœux. Les nègres en usent de même avec leurs fétiches.

[149] La vérité comme l'huile s'élève toujours au-dessus.

[150] Un archevêque de Tolède acheta, en 1573, le château et la forêt où ces jeunes filles étaient renfermées, pour y faire élever cent filles, la moitié nobles, la moitié roturières. Elles y entrent à l'âge de sept ans; si elles veulent se marier on donne mille écus aux roturières et deux mille aux filles nobles.

[151] Les *séguidillas* sont des odes érotiques qui célèbrent l'amour et la volupté. Parfois aussi elles sont satiriques.

[152] Il y a dans la Manche un village nommé *Vall de Penas*, qui produit un vin rouge que l'on sert à la table du roi, et qui ne se vend sur les lieux qu'un sou la chopine.

[153] Il y a en Angleterre des chemins et des montagnes qui portent le nom de *Shakespear*. Le génie et les grandes vertus attachent leur nom aux lieux qu'ils ont habités.

[154] L'arrobe est, selon les uns, de vingt-cinq livres, selon d'autres, de trente-une; d'après cette dernière évaluation, le canton de Malaga produirait deux millions de livres de vin par an.

[155] Le sujet de l'*Araucana* est la guerre des Espagnols contre les peuples du Chili, qui habitaient un pays montueux et agreste, nommé *Arauco*. Cette nation, plus robuste et plus belliqueuse que les autres peuples de l'Amérique, défendit plus long-temps sa liberté, et les Espagnols n'en triomphèrent qu'après plusieurs batailles qui leur coûtèrent bien du sang. Le brave Alonzo, ceint du double laurier de Mars et d'Apollon, combattait le jour et écrivait la nuit sur de petits morceaux de cuir.

Voici le plan du poème.

Le poète débute par dire qu'il ne chante ni les dames ni les gentillesses de l'amour, mais la valeur et les prouesses des Espagnols, qui imposèrent le joug sur la tête des Arauciens.

Au second chant est le beau discours de Colordo, loué par Voltaire. Ce Cacique le prononce pour étouffer la discorde qui s'élevait entre tous les Caciques, pour avoir le commandement de l'armée. Tous les chants suivants sont des récits de batailles plus historiques que poétiques. Le quatorzième chant fait la description de la bataille de Lépanthe, gagnée sur les Turcs, par Jean d'Autriche, sous Philippe II.

Dans les vingt-six et trente-septième chants, le poète se croit transporté dans le jardin du magicien Fiton; et après avoir décrit la beauté de ce jardin, il raconte que ce magicien lui montra tous les pays de la terre, sur un globe dont vingt hommes réunis n'auraient pas embrassé la circonférence. Les champs, les montagnes, les villes, les fleuves, les hommes, les animaux, y paraissaient dans leurs formes naturelles et très-distinctes; tout le globe passa sous ses yeux: il vit l'emplacement inculte et désert où bientôt Philippe II, en commémoration de la bataille de Saint-Quentin, devait élever un superbe palais. Il parle ensuite de toutes les grandes villes d'Espagne. Il rencontre, en sortant de chez le magicien, une femme qui fuyait, troublée, éperdue; il pique son cheval, la poursuit, et renvoie la suite au vingt-huitième chant.

Dans ce chant est le long épisode de cette femme, nommée *Glaura*. Il décrit sa beauté et ses malheurs. Elle était fille unique d'un Cacique: des nègres, après l'avoir dépouillée, voulaient lui ravir son honneur; elle est délivrée par Cariolan qui tua les nègres et devient son époux. Ensuite ils aperçurent une troupe espagnole; Cariolan cache sa femme dans un bois et va combattre. Glaura se reprochant bientôt sa timidité, quitte son asile, et va chercher son époux qu'elle ne retrouve plus. Enfin, après bien des courses, des dangers, après avoir voulu se tuer, elle revoit l'objet de son amour. Aux vingt-neuvième et trentième chants, les combats recommencent. Au trente-unième, les Indiens viennent attaquer le fort, croyant les Espagnols endormis, et sont repoussés.

Aux trente-deuxième et trente-troisième, les Espagnols font un grand carnage des Indiens. Ensuite don Alonzo, retiré dans le camp avec sa troupe, lui parle de Virgile et de Didon, qu'il fait mourir d'une mort plus honorable, pour rétablir sa gloire. Le roi d'Afrique, Jarbas, la demande en mariage; menace, en cas de refus, de ravager le pays et de détruire Carthage. Élise ne voulant pas manquer de foi à son époux, amuse les députés d'Iarrbas, et prépare son bûcher. Le jour de sa mort arrêté, elle prend ses plus riches habits, et du haut d'une estrade, elle harangue ses fidèles sujets, leur fait ses adieux, et leur dit: *Je vous laisse libres, et mon époux est satisfait.* Après ces mots, elle se poignarde et se jette dans le bûcher allumé. Dans les trois chants qui suivent, nouveaux combats, et les Espagnols s'emparent du pays ennemi.

Dans le trente-septième et dernier, don Alonzo dit que les princes ont le droit de faire la guerre, et que Philippe avait celui d'envahir le Portugal.

Ce poème, traduit par M. Langlès, membre de l'Institut et conservateur des manuscrits, est encore dans son porte-feuille; il devrait enrichir la littérature française de sa traduction qui, à coup sûr, réussirait, faite par un homme d'esprit et de goût.

[156] *Que les ignorants s'instruisent et que les savants aiment à se ressouvenir.* C'est l'épigraphe modeste de la Harpe dans son *Cours de Littérature.*

[157]

Sed me quod facilis tenero sum semper amori,

Ipsa Venus campos ducet Elysios.

TIBULLE.

[158] A Rome, dans le petit triomphe appelé l'*ovation*, le vainqueur, revêtu d'une robe blanche, bordée de pourpre, marchait à pied ou à cheval, au son des flûtes, à la tête de ses troupes; le sénat, les chevaliers, les premiers de l'État le suivaient, et sa marche se terminait au Capitole, où l'on sacrifiait aux Dieux des brebis blanches.

[159] L'épée d'un lâche ne blesse ni ne tue.

[160] Quand les dames espagnoles sortent le matin, elles ont leur rosaire à la main ou attaché au bras, parce qu'elles sont censées aller à la messe.

[161] C'est Xativa qui a eu le malheur de voir naître dans son sein le pape Alexandre VI, d'horrible mémoire.

[162] Seigneur, lève-toi et juge ta cause. C'est la devise du saint-office.

[163] C'est un vers d'Ovide qui signifie, «La face de la nature était la même dans tout le globe.»

[164] On prétend que cette quantité d'argent venait d'un embrasement des forêts des Pyrénées; quelque temps avant l'arrivée des Phéniciens, des bergers y avaient mis le feu, et l'incendie se

propagea avec une telle violence, qu'il fondit tous les métaux qu'elles renfermaient.

[165] C'est on titre qu'en Espagne on donne souvent aux moines.

[166] Un *incube* est le diable qui prend la figure d'un homme pour séduire les femmes, et une *sucube* est le diable changé en diablesse pour pervertir les hommes. L'église a cru long-temps à ces métamorphoses infernales; la Sorbonne affirma la chose en 1318.

[167] Ce fait est rapporté par le fameux Pic de la Mirandole.

[168] Don Manuel s'amuse en citant ce trait de la fable, qui dit qu'un certain Melampus, médecin fameux, ayant découvert la vertu purgative de l'ellébore, avait guéri les trois filles de Proetus, roi d'Argos, que Junon avait rendues folles; elles s'imaginaient être changées en vaches.

[169] On l'appelle la *Madonna del Pilar*, parce qu'elle est posée sur un pilier de marbre: elle est une des plus riches de l'Espagne; on y voit quatre anges d'argent, dont les ailes sont d'or et semées d'étoiles de saphirs; la couronne est d'or massif. Il y a un saint-sacrement immense dont les rayons sont d'or massif et couverts d'émeraudes: le soleil et le calice pèsent 500 livres; on voit, dans le trésor, une infinité de membres de corps humain, d'argent, donnés en *ex-voto*. Le lord Stanhope, après la bataille de Saragosse, entra dans cette ville, visita le trésor et n'y toucha point. Admirons et taisons-nous.

[170] Ce prétendu miracle est tiré de l'*Histoire Romaine*, et don Manuel s'égaye aux dépens des deux dévotes.

[171] Des écrivains ont fait de Vénus Murcie, la déesse de la paresse.

[172] Les moines punirent par une espèce d'humiliation, ce propos indiscret. La foudre étant tombée quelque temps après à Ségovie, sur le cabinet du roi, crièrent que c'était une vengeance du ciel; et le roi, pour satisfaire les moines et les dévots, suivit une procession à pieds nus, ayant à son col le cordon de Saint François.

[173] En France, Louis XII abolit le droit d'asile que l'église donnait aux criminels.

[174] On conserve dans le trésor du grand-seigneur une dent du prophête Mahomet, et tous les ans, le premier jour du ramazan, le sultan la présente, avec beaucoup de respect, à baiser aux grands de sa cour, après des prières publiques instituées pour cette solennité.

On y conserve la robe de ce prophête, et tous les ans, à pareil jour, on la trempe dans l'eau, qui est appelée *eau sacrée de la robe*. Les Turcs croient, en buvant de cette eau, devenir incorruptibles. Le sultan en distribue à ses favoris, pour s'en servir aux jours de jeûnes. Vers le soleil couché, ils en mettent une goutte dans un grand vase d'eau, qu'ils boivent, avec cérémonie, à trois diverses reprises.

[175] Que ma pauvreté me laisse jouir d'une vie oisive!

[176] Les morts ouvrent les yeux aux vivants.

[177] Il y a une grande discussion au sujet de cette ablution, entre les sectateurs d'Ali et ceux d'Omar. Les premiers prétendent qu'il faut commencer par le coude, et ceux d'Omar, par le bout du doigt. Chez les Chrétiens on a disputé long-temps si les laïques devaient faire le *signe de la croix* avec deux ou avec trois doigts. *Adhuc sub judice lis est.*

[178] C'est un vers de Virgile: «La nuit se précipite et embrasse la terre de ses ailes noires.»

[179] Ce compte est exact.

[180] Et son grand corps étendu remplit tout l'antre.

[181] Peintres de l'école espagnole.

[182] Les présides sont des bagnes de galériens établis à Tetuan, à Oran et à l'Amérique méridionale.

[183] Le célèbre M. de Buffon a voulu nous résoudre ce problème et nous prouver qu'au lieu d'une ame les animaux ont un sens intérieur. Mais je doute qu'il s'entende lui-même.